Pour votre culte personnel et familial *Depuis 1956*

CONTENU

© 2012 RBC Ministries, Grand Rapids, Michigan, USA
Dépôt légal : Bibliothèque nationale du Québec, 2011
Bibliothèque nationale du Canada, 2011
www.ministeresrbc.org francais@rbc.org
Printed in Canada ISBN : 978-2-89519-043-1

AUTEURS :
Dave Branon • Anne M. Cetas • William E. Crowder
Martin R. De Haan petit-fils • David C. Egner • H. Dennis Fisher
Hia Chek Phang • Cindy Hess Kasper • Randy Kilgore
Albert Lee • Julie Ackerman Link • David C. McCasland
David H. Roper • Jennifer Benson Schuldt • Joseph M. Stowell
Marvin L. Williams • Philip D. Yancey

TRADUCTRICE :
Marie-Andrée Gagnon

COUVERTURE :
Alex Soh, © RBC Ministries, Parc national Yosemite, É.-U.

CITATIONS BIBLIQUES :
À moins d'indications contraires, toutes les citations bibliques sont tirées de la *Nouvelle Édition de Genève* 1979. © Société Biblique de Genève. Utilisée avec permission. Tous droits réservés.

ARTICLES :
Les méditations du 13 janvier, du 20 février, du 24 mars, du 30 avril, du 14 mai et du 14 avril sont tirées et adaptées de *Grace Notes*, de Philip D. Yancey. © 2009 Zondervan. Publié avec la permission de Zondervan. La méditation du 21 juillet est tirée et adaptée d'*Où est Dieu dans l'épreuve ?*, de Philip D. Yancey. © 2008 LLB. Publié avec la permission de LLB. La méditation du 22 octobre nous vient de Virgil P. Brock. © Renouvellement 1964. The Rodeheaver Company. La méditation du 24 novembre nous vient de Thomas Chisholm. © Renouvellement 1951. Hope Publishing.

Introduction

Depuis 1956, le *Notre Pain Quotidien* encourage les enfants de Dieu à approfondir leur relation avec le Seigneur par la lecture de la Bible. Nous prions pour que la présente édition annuelle, dont nous vous faisons cadeau, vous aide à mieux connaître Dieu. Vous apprendrez beaucoup de choses sur sa bonté, sa fidélité, son salut et sa puissance pour chaque jour de votre vie.

Par un article spécial contenu dans la présente édition du *Notre Pain Quotidien*, l'auteur Dennis Fisher vous aidera à continuer de parler avec le Seigneur tout au long de la journée après avoir eu votre culte personnel en sa compagnie. Vous trouverez cet article après les méditations du mois de juin. Dennis dit : « Jésus n'a jamais voulu que nous nous débrouillions seuls dans la vie. Il désire ardemment nous aider à surmonter nos problèmes. »

Il se peut que vous considériez également la possibilité de partager la présente publication avec vos êtres chers, afin qu'ils puissent eux aussi marcher avec Dieu tout au long de leur journée.

Si nous pouvons vous être utiles, veuillez communiquer avec nous.

— Le personnel du *Notre Pain Quotidien*

Si près... mais si loin en même temps

Il est possible d'être près de Christ, tout en étant très loin de la vie qu'il nous offre. C'était le cas même parmi les douze premiers apôtres de Christ. Ils avaient toutes les possibilités d'entretenir une relation personnelle avec lui. Pourtant, même dans ce cercle d'intimes, il y en avait un, probablement le membre du groupe à qui l'on faisait le plus confiance (car c'est lui qui gardait la bourse), qui n'a jamais véritablement communié avec Christ. Judas en savait long sur Jésus. Il connaissait les habitudes du Maître assez bien pour conduire les ennemis de Jésus à son lieu de rencontre dans le jardin. Il connaissait Jésus assez bien pour le trahir en le saluant d'un baiser. Judas ne connaissait toutefois pas Jésus comme son Sauveur.

On avait beau lui faire confiance, le « gardien de la bourse » n'a jamais joui avec Dieu du genre de relation personnelle centrée sur Christ qui nous est offert aujourd'hui. Il illustre de manière troublante le genre de personne dont Jésus parlait lorsqu'il a dit :

> *Entrez par la porte étroite. Car large est la porte, spacieux est le chemin qui mènent à la perdition [...]. Plusieurs me diront en ce jour-là : Seigneur, Seigneur, n'avons-nous pas prophétisé par ton nom ? n'avons-nous pas chassé des démons par ton nom ? et n'avons-nous pas fait beaucoup de miracles par ton nom ? Alors je leur dirai ouvertement : Je ne vous ai jamais connus, retirez-vous de moi, vous qui commettez l'iniquité (Mt 7.13,22,23).*

Veillons à ne jamais présumer que connaître des choses au sujet de Christ revient à le connaître personnellement.

Adapté du livre *What Is A Personal Relationship With God ?*
© 2001 Ministères RBC.

1er janvier

Mange vite, paie moins

Lisez :
Psaume 63.2-9

[Mon] **âme a soif de toi, mon corps soupire après toi.**
—Psaume 63.2

La Bible en un an :
☐ Genèse 1 – 3
☐ Matthieu 1

Dans un hôtel de Singapour, on a lancé le concept du buffet express : on y mange à volonté en 30 minutes et l'on ne paie que moitié prix ! Après en avoir fait l'expérience, un client a rapporté : « J'ai perdu la maîtrise de moi-même, en me gavant au possible. J'ai perdu mes bonnes manières… et mon appétit le reste de la journée. Et quelles brûlures d'estomac !

Je crois que, dans nos cultes personnels, nous traitons parfois la Parole de Dieu comme s'il s'agissait d'un buffet express. Nous l'avalons en triple vitesse et nous nous demandons ensuite pourquoi nous n'en tirons pas grand-chose. Comme la nourriture physique, la nourriture spirituelle doit être mâchée ! Ceux d'entre nous qui sont chrétiens depuis longtemps ont parfois tendance à lire trop vite les passages qu'ils ont lus de nombreuses fois déjà. En agissant de la sorte, toutefois, ils passent à côté de ce que Dieu voulait leur montrer. Une des choses qui nous le démontrent clairement est le constat de n'avoir rien appris de nouveau en les relisant.

David a eu raison de désirer faire ce qu'il a écrit : « Je médite tes ordonnances, j'ai tes sentiers sous les yeux » (Ps 119.15). Prendre le temps de la méditer, voilà la façon de traiter la Parole de Dieu.

On n'aborde pas la Bible comme on aborde un buffet express. Ce n'est qu'en méditant la Parole de Dieu que nous en tirerons le plus de valeur pour notre bien-être spirituel. —C.P.H.

Lire la Bible sans réfléchir à ce qu'on a lu revient à manger sans mâcher.

2 janvier

ÉPREUVES

LISEZ :
1 Pierre 4.12-19

**Mes bien-aimés, ne trouvez pas étrange d'être dans la fournaise de l'épreuve [...].
—1 Pierre 4.12**

LA BIBLE EN UN AN :
☐ Genèse 4 – 6
☐ Matthieu 2

Cela vous surprend-il que les épreuves fassent partie de la vie ? Probablement pas. Nous en avons tous : une mauvaise santé, un compte en banque épuisé, un amour qui s'effrite peu à peu, du chagrin, la perte d'un emploi, et que sais-je encore...

Cela ne devrait donc pas nous surprendre que Dieu permette en plus qu'on nous ridiculise et nous haïsse parce que nous suivons Jésus-Christ (1 Pi 4.12). Mais les épreuves, qu'elles soient communes à tous ou particulières aux chrétiens, peuvent nous révéler de quoi nous sommes faits. Je n'ai jamais vu de terrain de golf sans obstacles. Ils font partie de ce sport. Les golfeurs disent que les terrains les plus exaltant sont ceux qui comptent le plus d'obstacles, et ils parcourent de grandes distances pour aller mettre leurs talents à l'épreuve sur les dix-huit trous les plus exigeants.

Oliver Wendell Holmes a dit : « Si j'avais une formule pour éviter les épreuves, je n'en parlerais à personne, car elle ne rendrait service à personne. Les épreuves engendrent la capacité de les surmonter. [...] Considérez les épreuves comme des amies, car vous en rencontrerez beaucoup dans votre vie et il vaut mieux que vous soyez en bons termes avec elles. »

Quand les épreuves arrivent, ne trouvons pas ça étrange, car Dieu les utilise pour tester la résistance de nos âmes. La meilleure façon d'affronter l'épreuve, c'est de « *[remettre nos âmes]* au fidèle Créateur, en faisant ce qui est bien » (v. 19).
—H.W.R.

Des grandes épreuves naissent les grandes victoires.

3 janvier

LA FOI QUI SURMONTE TOUT

LISEZ :
1 Samuel 1.1-18

De ma voix je crie à l'Éternel, et il me répond de sa montagne sainte.
—Psaume 3.5

LA BIBLE EN UN AN :
☐ Genèse 7 – 9
☐ Matthieu 3

Peu de choses désarment mieux de nouveaux travailleurs que de se faire critiquer par des vétérans. Le bon employeur sait que, pour protéger ses nouveaux employés, il doit les entourer de mentors qui sont prêts à les protéger contre les traits acérés et inutiles de la critique.

Anne est pour nous un mentor quand il s'agit de composer avec les critiques et les désirs profonds du coeur (1 S 1.1-18). Entourée d'un mari qui ne comprenait pas, d'un pair railleur et d'un sacrificateur des plus critiques, Anne a trouvé le moyen d'émerger du brouillard en se confiant à Dieu (v. 10). Si nous savons maintenant que Dieu a exaucé la prière d'Anne en lui donnant un enfant, nous ignorons si la bénédiction d'Éli constituait un souhait ou une promesse de Dieu (v. 17). Je crois que son visage s'est éclairé surtout parce que le fait de se confier en Dieu lui a procuré la paix.

Nous avons été créés afin d'être en relation avec Dieu ; et lorsque nous faisons passer cette relation à un niveau intime, elle nous lie non seulement à sa présence, mais aussi à sa force. Dieu accueille favorablement les prières qui expriment nos blessures et nos émotions, car elles démontrent la confiance que nous avons en lui. Nous trouverons souvent la bonne perspective, et presque chaque fois le réconfort, en sachant que nous avons confié ce qui nous trouble – qu'il s'agisse de critiques ou de désirs profonds – à celui qui est le mieux placé pour nous y faire voir plus clair. —R.K.

En prière, le coeur sans les mots vaut mieux que les mots sans le coeur.

4 janvier

Amoureux de Dieu

Lisez :
Matthieu 22.34-40

Tu aimeras le Seigneur, ton Dieu, de tout ton coeur, de toute ton âme, et de toute ta pensée.
—Matthieu 22.37

La Bible en un an :
☐ Genèse 10 – 12
☐ Matthieu 4

Dans une courte biographie de François d'Assise, G. K. Chesterton commence par nous faire entrevoir le coeur de cet homme unique et compatissant qui est né au XIIe siècle. Chesterton écrit : « Or, de même que saint François n'aimait pas l'humanité mais les hommes, de même il n'aimait pas le christianisme mais le Christ. [...] Le lecteur n'entreverra même pas le sens de cette histoire – qui peut bien après tout lui sembler fort incohérente, – tant qu'il ne comprendra pas que sa religion était pour ce grand mystique non pas quelque chose comme une théorie, mais quelque chose comme une affaire de coeur » (*Saint François d'Assise* [Paris : Plon, 1944], p. 12-14).

Lorsqu'on a demandé à Jésus de nommer le plus grand commandement de la Loi, il a répondu : « Tu aimeras le Seigneur, ton Dieu, de tout ton coeur, de toute ton âme, et de toute ta pensée. C'est le premier et le plus grand commandement » (Mt 22.37,38). Son interlocuteur voulait mettre Jésus à l'épreuve, mais le Seigneur lui a répondu ce qui plaisait le plus à Dieu. Notre relation avec lui est avant tout une question de coeur.

Si pour nous Dieu est un maître exigeant et l'obéissance envers lui un fardeau, nous avons rejoint ceux de qui le Seigneur a dit : « Mais ce que j'ai contre toi, c'est que tu as abandonné ton premier amour » (Ap 2.4).

Le chemin vers la joie consiste à aimer le Seigneur de tout son coeur, de toute son âme et de toute sa pensée. —D.C.M.

Accordez la priorité à Christ
et vous trouverez en lui une joie durable.

5 janvier

LION DE JUDA

LISEZ :
Ésaïe 31.1-5

Ne pleure point ; voici, le lion de la tribu de Juda, le rejeton de David, a vaincu pour ouvrir le livre et ses sept sceaux.
—Apocalypse 5.5

LA BIBLE EN UN AN :
☐ Genèse 13 – 15
☐ Matthieu 5.1-26

Les lions qui se prélassaient dans la réserve faunique du Masaï Mara, au Kenya, semblaient inoffensifs. Ils se roulaient dans les buissons. Ils se frottaient la tête contre des branchages comme s'ils tentaient de peigner leurs magnifiques crinières. Ils lapaient tout à loisir dans un ruisseau. Ils déambulaient sur le sol aride et rugueux comme si le temps leur appartenait. La seule fois où je voyais leurs dents, c'est quand l'un d'eux bâillait.

Leur apparence sereine est toutefois trompeuse. S'ils sont aussi détendus, c'est qu'ils n'ont rien à craindre – ni manque de nourriture, ni prédateurs naturels. Les lions semblent paresseux et apathiques, mais ce sont les animaux les plus puissants et les plus redoutables de tous. Un seul rugissement, et tous les autres animaux prennent la poudre d'escampette.

Parfois, on dirait que Dieu se prélasse. Lorsque nous ne le voyons pas agir, nous en concluons qu'il ne fait rien. Nous entendons les gens se moquer de Dieu et nier son existence, et nous nous demandons tout inquiets pourquoi il ne se défend pas. Nous oublions que Dieu « ne se laisse ni effrayer par leur voix, ni intimider par leur nombre » (És 31.4). Il n'a rien à craindre. Un seul rugissement de sa part, et ses détracteurs détaleront comme des lapins.

Si vous vous demandez pourquoi Dieu ne s'inquiète pas comme vous le faites, c'est parce qu'il est maître de tout. Il sait que Jésus, le Lion de Juda, triomphera. —J.A.L.

Avec Dieu aux commandes,
nous n'avons rien à craindre.

6 janvier

ENGAGEZ-VOUS

LISEZ :
Jean 4.7-26

[Il] fallait qu'il [*Jésus*] passe par la Samarie.
—Jean 4.4

LA BIBLE EN UN AN :
☐ Genèse 16 – 17
☐ Matthieu 5.27-48

L'ouragan Andrew, en 1992, a gravement endommagé la maison de Norena dans le sud de la Floride. Norena a été indemnisée et les travaux de réparation ont commencé, mais les entrepreneurs les ont abandonnés lorsqu'elle n'a plus eu d'argent, la laissant dans une maison sans électricité. Pendant 15 ans, Norena s'est débrouillée avec un frigo minuscule et quelques lampes branchées à des rallonges. Étonnamment, ses voisins ne semblaient pas remarquer la précarité de sa situation. Puis, en tenant compte d'un indice, le maire a pris la situation en main et a fait venir un électricien qui a restauré l'électricité dans sa maison en quelques heures.

Lorsque Jésus a rencontré la Samaritaine au puits (Jn 4), il s'est impliqué dans sa vie et lui a parlé de son besoin de puissance spirituelle. Il a trouvé un terrain d'entente avec elle (l'eau, v. 7), et il a suscité son intérêt spirituel et a piqué sa curiosité (v. 9-14). Il a usé de grâce et de délicatesse en lui signalant son péché (v. 16-19) et il a gardé la conversation centrée sur le plus important (v. 21-24). Ensuite, il l'a mise directement en face de son identité messianique (v. 26). Résultat : plusieurs Samaritains et elle ont cru en lui (v. 39-42).

Impliquons-nous dans la vie des gens et parlons-leur de Jésus. Il est la seule source de puissance spirituelle et le seul à satisfaire nos désirs les plus intimes. —M.L.W.

La foi qui vaut la peine d'être vécue est une foi qui vaut la peine d'être partagée.

7 janvier

RENVERSANT !

LISEZ :
Romains 5.6-11

**Voyez quel amour le Père nous a témoigné, pour que nous soyons appelés enfants de Dieu ! Et nous le sommes. Si le monde ne nous connaît pas, c'est qu'il ne l'a pas connu.
—1 Jean 3.1**

LA BIBLE EN UN AN :
☐ Genèse 18 – 19
☐ Matthieu 6.1-18

J'ai lu cette parole sur le site Web personnel d'une jeune femme : « Tout ce que je veux, c'est être aimée – et qu'il soit merveilleux ! » Être aimé, compter pour quelqu'un, n'est-ce pas là ce que tout le monde veut ? Et tant mieux si cette personne est merveilleuse !

Celui qui correspond le mieux à cette description, c'est Jésus-Christ. Dans une manifestation d'amour inégalée, il a quitté son Père céleste et est venu sur la Terre sous la forme du bébé dont nous célébrons la naissance à Noël (Lu 2). Ensuite, après avoir vécu une vie parfaite, il l'a donnée en offrande à Dieu sur la croix en notre faveur (Jn 19.17-30). Il a pris notre place parce que nous avions besoin qu'il nous sauve de nos péchés et du châtiment de la mort. « *[Lorsque]* nous étions encore des pécheurs, Christ est mort pour nous » (Ro 5.8). Trois jours plus tard, le Père a ramené Jésus à la vie (Mt 28.1-8).

Lorsque nous nous repentons et que nous recevons le don de l'amour merveilleux de Dieu, il devient notre Sauveur (Jn 1.12 ; Ro 5.9), notre Seigneur (Jn 13.14), notre Maître (Mt 23.8) et notre Ami (Jn 15.14). « Voyez quel amour le Père nous a témoigné, pour que nous soyons appelés enfants de Dieu ! » (1 Jn 3.1.)

Vous cherchez quelqu'un qui vous aimera ? Jésus nous aime tellement plus que quiconque n'en serait capable. Et il est véritablement merveilleux ! —A.M.C.

Quand je pense que Jésus m'aime, comment ne pas m'en étonner ?

8 janvier

La conscience nette

Lisez :
1 Jean 1

C'est pourquoi je m'efforce d'avoir constamment une conscience sans reproche devant Dieu et devant les hommes.
—Actes 24.16

La Bible en un an :
☐ Genèse 20 – 22
☐ Matthieu 6.19-34

Après que Ffyona Campbell est devenue célèbre en étant la première femme à faire le tour du monde à pied, sa joie a été de courte durée. En dépit de l'adulation qu'elle a reçue, quelque chose la troublait. La culpabilité l'a envahie et l'a poussée au seuil de la dépression nerveuse.

Qu'est-ce qui la troublait ? « On ne devrait pas se souvenir de moi comme la première femme à avoir marché autour du monde, parce que j'ai triché », a-t-elle fini par avouer. Elle avait brisé les directives du *Guinness des records du monde* en faisant des bouts de route en camion. Pour se redonner bonne conscience, elle a confessé sa tricherie à son sponsor.

Dieu nous a donné à tous une conscience qui nous fait nous sentir coupables lorsque nous agissons mal. Dans l'épître aux Romains, Paul décrit notre conscience comme « *[nous]* accusant ou *[nous]* défendant tour à tour » (2.15). Pour le disciple obéissant de Christ, l'entretien d'une bonne conscience est un moyen important de préserver un compas moral en dépit de ses imperfections morales. Confesser ses péchés, s'en détourner et faire amende honorable devrait être un mode de vie (1 Jn 1.9 ; Lé 6.2-5).

Paul a donné l'exemple en matière de bonne conscience : « C'est pourquoi je m'efforce d'avoir constamment une conscience sans reproche devant Dieu et devant les hommes » (Ac 24.16). Par la confession et la repentance, il est resté irréprochable devant Dieu. Un péché vous trouble-t-il ? Imitez Paul, en gardant la conscience pure. —H.D.F.

Si la Parole de Dieu guide votre conscience, laissez-vous guider par votre conscience.

9 janvier

L'OEIL QUI NE DORT JAMAIS

LISEZ :
Psaume 121

Dans ma détresse, c'est à l'Éternel que je crie, et il m'exauce.
—Psaume 120.1

LA BIBLE EN UN AN :
☐ Genèse 23 – 24
☐ Matthieu 7

Le détective Allan Pinkerton est devenu célèbre au milieu des années 1800 en résolvant une série de cambriolages de trains et en déjouant un complot pour assassiner Abraham Lincoln tandis qu'il se rendait à sa première inauguration. Parmi les premières agences de son genre aux États-Unis, la Pinkerton National Detective Agency s'est fait connaître encore plus par son logo illustrant un oeil grand ouvert au-dessus duquel il était écrit : « Nous ne dormons jamais. »

Il n'existe pas meilleur sentiment que celui de savoir que l'on est protégé et en sécurité. On se sent en lieu sûr lorsque les portes sont verrouillées et que tout est silencieux lorsque l'on s'endort. Par contre, beaucoup de gens restent allongés là à jongler avec ce qui leur arrive ou à craindre ce qui pourrait leur arriver. Certains redoutent le chaos qui règne à l'extérieur ou la violence qui règne dans la maison. Il y en a qui ne trouvent pas le repos parce qu'ils s'inquiètent d'un enfant rebelle. D'autres tendent anxieusement l'oreille pour s'assurer qu'un enfant gravement malade respire encore.

Notre Dieu aimant nous encourage à faire appel à lui, qui « ne sommeille ni ne dort » (Ps 121.4). Psaume 34.16 nous rappelle que « *[les]* yeux de l'Éternel sont sur les justes, et ses oreilles sont attentives à leurs cris. »

Il se peut que Pinkerton ait été « l'oeil privé », mais celui dont l'oeil ne dort réellement jamais entend les cris des « justes » (Ps 34.18). —C.H.K.

Si nous nous rappelons que Dieu veille, nous pouvons dormir en paix.

10 janvier

Appelé *hors*

Lisez :
Genèse 12.1-9

L'Éternel dit à Abram : Va-t-en de ton pays, de ta patrie, et de la maison de ton père, dans le pays que je te montrerai.
—Genèse 12.1

La Bible en un an :
☐ Genèse 25 – 26
☐ Matthieu 8.1-17

L'une des personnes les plus intelligentes que je connaisse est un ami de l'université devenu chrétien durant ses études, qu'il a terminées avec mention très bien avant de fréquenter un grand séminaire. Pasteur dans une petite Église pendant plusieurs années, il a accepté un appel dans une autre petite Église loin de sa famille et de ses amis. Douze ans plus tard, il a senti que la congrégation avait besoin d'un nouveau leadership, si bien qu'il s'est retiré. Ce n'est pas qu'on venait de lui offrir un emploi dans une plus grande Église ou un poste d'enseignant dans un collège biblique. En fait, il n'avait même pas d'autre emploi à occuper. Il savait tout simplement que Dieu le conduisait dans une autre direction, qu'il a donc suivie.

Lorsque nous en avons discuté, mon ami m'a dit : « Beaucoup de gens parlent d'être appelés *à* quelque chose, mais je n'en entends pas beaucoup parler d'être appelés *hors de* quelque chose. »

De plusieurs manières, l'obéissance de mon ami ressemble à celle d'Abraham, le patriarche d'Israël, qui est parti sans savoir où Dieu le conduisait (Hé 11.8-10). Les difficultés comme la famine (Ge 12.10), la peur (v. 11-20) et les querelles familiales (13.8) lui donnaient des raisons de douter de son appel, mais Abraham a persévéré et, en raison de sa foi, Dieu lui a imputé sa foi à justice (Ga 3.6).

Il se pourrait qu'une vie d'obéissance ne soit pas facile, mais elle sera bénie (Lu 11.28). —J.A.L.

Si vous savez que Dieu est aux commandes, que vous importe de connaître votre destination ?

11 janvier

POURQUOI PAS MAINTENANT ?

LISEZ :
Jean 13.33-38

Or, David, après avoir en son temps servi au dessein de Dieu [...] est mort.
—Actes 13.36

LA BIBLE EN UN AN :
☐ Genèse 27 – 28
☐ Matthieu 8.18-34

J'ai un ami intime qui a servi comme missionnaire au Surinam pendant plusieurs années, mais durant ses dernières années, il a été frappé d'une maladie qui l'a laissé paralysé. Parfois, il s'est demandé pourquoi Dieu tardait à venir le chercher, ce après quoi il soupirait.

Il se peut que la vie soit très difficile pour vous ou l'un de vos êtres chers et que vous vous demandiez pourquoi Dieu permet que vous ou un de vos êtres chers attendiez que votre martyre finisse enfin. Lorsque Jésus a dit qu'il allait au ciel, Pierre lui a demandé : « Seigneur [...] pourquoi ne puis-je pas te suivre maintenant ? » (Jn 13.37.) Il se pourrait que vous, comme Pierre, vous demandiez pourquoi votre entrée au ciel est différée : « Pourquoi pas maintenant ? »

Dieu accomplit un dessein vaste et empreint d'amour en nous laissant derrière. Une oeuvre doit s'accomplir en nous qui ne peut s'accomplir qu'ici-bas. Nos afflictions, passagères, produisent en nous « au-delà de toute mesure, un poids éternel de gloire » (2 Co 4.17). Il se peut que notre présence serve, en plus d'aimer et de prier, à procurer aux autres l'occasion d'apprendre à aimer et à user de compassion.

Ainsi donc, bien que vous puissiez aspirer à la délivrance pour vous-même ou un de vos êtres chers, il se peut que de continuer de vivre dans la chair s'avère fructueux (Ph 1.21). Et bien que le ciel tarde, Dieu a ses raisons. Cette réalité réconfortante ne fait aucun doute ! —D.H.R.

Notre plus grande consolation est de savoir que Dieu est aux commandes.

12 janvier

EN COULISSE

LISEZ :
Matthieu 6.1-6,16-18

***[Et]* ton Père, qui voit dans le secret, te le rendra.**
—Matthieu 6.6

LA BIBLE EN UN AN :
☐ Genèse 29 – 30
☐ Matthieu 9.1-17

Dernièrement, j'ai assisté à un service commémoratif pour une virtuose dont la vie avait touché beaucoup de gens. L'hommage rendu à cette femme incluait des clips vidéo et audio, des photos, des numéros d'instrumentistes et des discours. Une fois que tout le monde a eu quitté l'église, je me suis arrêté à réfléchir aux techniciens dont le travail impeccable avait contribué en grande partie à faire une réussite de cet hommage émouvant : « Personne n'a remarqué ce que vous avez fait », leur ai-je dit. « C'est ce que nous voulons », m'ont-ils répondu.

Dans Matthieu 6, Jésus a demandé à ses disciples de donner (v. 1-4), de prier (v. 5,6) et de jeûner (v. 16-18) afin de plaire à Dieu, et non pour obtenir des louanges. « Mais quand tu pries, entre dans ta chambre, ferme ta porte, et prie ton Père qui est là dans le lieu secret » (v. 6). Qu'il s'agisse de donner, de prier ou de jeûner, Jésus a dit : « *[Et]* ton Père, qui voit dans le secret, te le rendra » (v. 4,6,18).

Il y a quelque chose en nous qui nous pousse à vouloir être vus et reconnus pour nos bonnes oeuvres. Bien qu'il n'y ait rien de mal à vouloir être encouragés et appréciés à notre juste valeur, le désir de recevoir des éloges risque de miner notre service parce que ceux-ci font de nous le point de mire. Lorsqu'il n'y a pas de « merci » en public, il se peut que nous ayons l'impression que l'on nous manque d'égards, mais même lorsque nous servons Dieu en secret, il voit tout.
—D.C.M.

Il vaut mieux mériter la reconnaissance sans l'obtenir que de l'obtenir sans la mériter.

13 janvier

UNE FOI CONTRACTUELLE

LISEZ :
Romains 8.28-39

[Toutes] **choses concourent au bien de ceux qui aiment Dieu.**
—Romains 8.28

LA BIBLE EN UN AN :
☐ Genèse 31 – 32
☐ Matthieu 9.18-38

Parfois, les gens qui servent Dieu vivent avec « une foi contractuelle ». Étant donné qu'ils donnent de leur temps et de leur énergie à l'oeuvre de Dieu, ils croient mériter un traitement de faveur en retour.

Mais pas mon ami Douglas. Il a vécu une existence semblable à celle de Job à bien des égards, en ce sens que son ministère a échoué, sa femme est morte du cancer et il est resté, ainsi qu'un de ses enfants, avec des séquelles d'avoir été heurté par un conducteur en état d'ébriété. Pourtant, Douglas conseille ce qui suit : « Ne confondez pas Dieu et la vie. »

Lorsque les problèmes et les doutes m'assaillent, je relis souvent Romains 8, en demandant comme Paul : « Qui nous séparera de l'amour de Christ ? Sera-ce la tribulation, ou l'angoisse, ou la persécution, ou la faim, ou la nudité, ou le péril, ou l'épée ? » (v. 35.) Paul a résumé ainsi son ministère. Il a supporté des épreuves pour le bien de l'Évangile ; cependant, il a eu assez de foi pour croire que ces « choses » – certainement pas bonnes –, Dieu pouvait les utiliser pour lui faire du bien. Il a appris à voir, au-delà des afflictions, le Dieu aimant dont le règne prévaudra un jour. Il a écrit : « Car j'ai l'assurance que [*rien*] ne pourra nous séparer de l'amour de Dieu manifesté en Jésus-Christ notre Seigneur » (v. 38,39).

Une telle confiance peut beaucoup nous aider à surmonter le découragement quant aux raisons pour lesquelles notre vie ne s'est pas déroulée comme nous l'aurions cru. —P.D.Y.

[Celui] qui a commencé en vous cette bonne oeuvre la rendra parfaite pour le jour de Jésus-Christ. – Philippiens 1.6

14 janvier

C'EST BON ?

LISEZ :
Psaume 13

Moi, j'ai confiance en ta bonté.
—Psaume 13.6

LA BIBLE EN UN AN :
☐ Genèse 33 – 35
☐ Matthieu 10.1-20

Peut-on réellement savoir si les situations de la vie doivent être considérées comme bonnes ou mauvaises ?

Par exemple, votre voiture tombe en panne juste avant que vous partiez en voyage avec la famille. Au garage, le mécanicien vous dit : « Heureusement que vous n'êtes pas parti comme ça. Le moteur aurait pu prendre feu. » La situation est-elle mauvaise à cause de l'inconvénient qu'elle impose ou bonne en raison de la protection de Dieu ?

Ou encore, il se peut que votre enfant décide de poursuivre un intérêt qui n'en est pas vraiment un pour vous. Vous espériez qu'elle s'adonne au basket et à la course à pied au lycée, mais elle préfère chanter et jouer du hautbois. Cela vous énerve, mais elle y excelle et finit par recevoir une bourse d'études en musique. Est-ce mauvais parce que vos rêves ne se sont pas réalisés ou bon parce que Dieu l'a dirigée de manière imprévisible ?

Il nous est parfois difficile de voir comment Dieu est en train d'oeuvrer. Ses mystères ne nous révèlent pas toujours leurs secrets et notre cheminement passe souvent par des détours que nous n'aurions pas choisis. Peut-être Dieu nous montre-t-il un meilleur chemin.

Pour veiller à tirer avantage d'une situation qui pourrait sembler mauvaise, nous devons reconnaître et accueillir avec confiance la « bonté » de Dieu (Ps 13.6). En fin de compte, nous pourrons dire : « *[Je]* chante à l'Éternel, car il m'a fait du bien » (v. 6). —J.D.B.

Nous ne pouvons peut-être pas maîtriser les événements, mais nous pouvons maîtriser notre attitude envers eux.

LIBERTÉ À ALCATRAZ

LISEZ : Philémon 1.4-16

Je te prie pour mon enfant, que j'ai engendré étant dans les chaînes, Onésime. —Philémon 1.10

LA BIBLE EN UN AN :
☐ Genèse 36 – 38
☐ Matthieu 10.21-42

Une visite guidée de la pr
dérale sur l'île d'Alcatraz, da
baie de San Francisco, m'a laissé d
images inoubliables. Tandis que nous approchions du quai, j'ai pu voir pourquoi on avait appelé cette prison fédérale à sécurité maximale maintenant fermée « le Rocher ».

Plus tard, à l'intérieur de la légendaire Grande Maison, j'ai fixé du regard les rayons de lumière traversant les fenêtres munies de barreaux. Ensuite, j'ai vu une suite de cellules que de célèbres prisonniers avaient occupées comme Al Capone et Robert Stroud, « l'Homme-Oiseau ».

Par contre, une autre image m'a marqué plus profondément. En entrant dans une cellule vide, j'ai vu le nom « Jésus » gribouillé sur un mur. Dans une autre, une bible reposait sur une étagère. Ensemble, ils parlaient silencieusement de la plus grande de toutes les libertés.

Paul a connu cette liberté en attendant son exécution. Se considérant comme le « prisonnier de Christ », il a utilisé son incarcération pour amener des prisonniers à découvrir ce que signifie être un membre éternellement pardonné et profondément chéri de la famille de Dieu (Phm 10).

Les fenêtres et les portes munies de barreaux représentent une sorte de confinement. La paralysie physique, une pauvreté inéluctable et un chômage prolongé en sont d'autres. Peut-être en subissez-vous un autre. Aucun n'est désirable ; pourtant, qui troquerait « l'emprisonnement » avec Christ contre une vie « dehors » sans lui ? —M.R.D.

Avoir Dieu aux commandes de notre vie revient à avoir la vraie liberté.

L
D'UN ENFANT

LISEZ :
Proverbes 22.1-6

Instruis l'enfant selon la voie qu'il doit suivre ; et quand il sera vieux, il ne s'en détournera pas.
—Proverbes 22.6

LA BIBLE EN UN AN :
☐ Genèse 39 – 40
☐ Matthieu 11

Louis Armstrong était bien connu pour son visage souriant, sa voix râpeuse, son mouchoir blanc et sa virtuosité de trompettiste. Pourtant, son enfance a été marquée par la privation et la douleur. Son père l'a abandonné dès le berceau et on l'a envoyé dans une école de réforme alors qu'il n'avait que 12 ans. Étonnamment, cela a marqué pour lui un tournant positif.

Le professeur de musique Peter Davis allait souvent dans cette école pour apporter une formation musicale aux garçons. Louis n'a pas tardé à exceller à la trompette et à devenir le chef de la troupe de garçons. Sa trajectoire de vie a semblé changer du tout au tout en le faisant devenir un trompettiste et un artiste de renommée internationale.

L'histoire de Louis peut être un exemple pour les parents chrétiens. Le Proverbe « Instruis l'enfant selon la voie qu'il doit suivre ; et quand il sera vieux, il ne s'en détournera pas » (Pr 22.6) peut s'appliquer à plus que les aspects spirituel et moral de la vie de nos enfants. Nous devrions réaliser également que les talents d'un enfant détermineront souvent ses centres d'intérêt. Dans le cas de Louis, un peu de formation musicale a donné naissance à un virtuose de la trompette.

En donnant avec amour à nos enfants des instructions pieuses issues de la Parole de Dieu, nous devrions les encourager selon leurs intérêts et leurs talents, afin qu'ils deviennent tout ce que Dieu a voulu qu'ils soient. —H.D.F.

En sauvant un enfant, on sauve une vie.

17 janvier

Conduire dans le noir

Lisez :
Psaume 119.105-112

Ta parole est une lampe à mes pieds, et une lumière sur mon sentier.
—Psaume 119.105

La Bible en un an :
☐ Genèse 41 – 42
☐ Matthieu 12.1-23

J'ai toujours pensé que je pourrais surmonter à peu près n'importe quoi si le Seigneur me disait quelle en serait l'issue. Je crois que « toutes choses concourent au bien » en définitive (Ro 8.28), mais que je me tirerais beaucoup mieux d'affaire en période difficile si je savais exactement à quoi ressemblerait ce « bien ».

Toutefois, Dieu ne nous montre généralement pas où il nous conduit. Il nous demande simplement de lui faire confiance. C'est comme conduire une voiture la nuit. Nos phares n'éclairent jamais jusqu'à notre destination ; ils illuminent seulement une cinquantaine de mètres devant. Cela ne nous dissuade cependant pas de continuer d'avancer. Nous nous fions à nos phares. Il nous suffit d'avoir assez de lumière pour continuer d'avancer.

La Parole de Dieu est comme les phares en période sombre. Elle abonde en promesses qui nous empêchent de tomber dans le fossé de l'amertume et du désespoir. La Parole promet qu'il ne nous délaissera et ne nous abandonnera jamais (Hé 13.5). Sa Parole nous assure qu'il connaît les projets qu'il a pour nous, des projets de paix et non de malheur, pour nous donner « un avenir et de l'espérance » (Jé 29.11). Et il nous dit que nos épreuves servent à nous rendre meilleurs, et non amers (Ja 1.2-4).

La prochaine fois que vous aurez le sentiment de conduire en pleine noirceur, n'oubliez pas de vous fier à vos phares : la Parole de Dieu éclairera votre chemin. —J.M.S.

Si vous marchez dans la lumière de la Parole de Dieu, vous ne trébucherez pas dans le noir.

18 janvier

À LIVRE OUVERT

LISEZ :
Jérémie 31.31-34

Vous êtes manifestement une lettre de Christ.
—2 Corinthiens 3.3

Parce que je suis auteur, il arrive qu'un ami me dise à l'occasion : « J'aimerais écrire un livre un jour. » Je lui réponds : « C'est un objectif louable, et j'espère que tu le feras, mais il vaut mieux en être un que d'en écrire un. »

Je repense aux paroles de l'apôtre Paul : « Vous êtes manifestement une lettre de Christ, écrite [...] non avec de l'encre, mais avec l'Esprit du Dieu vivant, non sur des tables de pierre, mais sur des tables de chair, sur les coeurs » (2 Co 3.3).

Dans son livre T*he Practice of Piety*, Lewis Bayly, le chapelain de Jacques 1er d'Angleterre, a dit que « celui qui espère faire du bien par ses écrits » constatera qu'il « instruit peu de gens. [...] Le meilleur moyen de promouvoir le bien consiste donc à prêcher par l'exemple. [...] Un homme sur mille peut écrire un livre pour instruire son prochain. [...] Mais tout homme peut être un exemple d'excellence de vie pour son entourage. »

L'oeuvre que Christ accomplit chez les croyants peut créer une influence beaucoup plus grande que tout livre écrit de leur main. Par la Parole de Dieu, écrite « sur *[leurs]* coeurs » (Jé 31.33), le Seigneur manifeste son amour et sa bonté à la vue de tous.

En tant que chrétien, il se peut que vous *n'écriviez* jamais de livre, mais qu'en vivant pour Dieu vous en *deveniez* un ! Vous serez un livre ouvert, une « épître de Christ » donnée en lecture à tous. —D.H.R.

LA BIBLE EN UN AN :
☐ Genèse 43 – 45
☐ Matthieu 12.24-50

Si quelqu'un devait lire votre vie comme à livre ouvert, trouverait-il Jésus entre ses pages ?

19 janvier

LORSQU'UNE PERSONNE TOMBE

LISEZ : 1 Corinthiens 10.1-13

Ainsi donc, que celui qui croit être debout prenne garde de tomber !
—1 Corinthiens 10.12

LA BIBLE EN UN AN :
☐ Genèse 46 – 48
☐ Matthieu 13.1-30

Il est devenu tellement courant d'entendre parler de la mauvaise conduite d'un personnage public respecté que, même si nous sommes peut-être profondément déçus, nous nous en étonnons à peine. Comment devrions-nous toutefois réagir à l'annonce de l'échec moral d'un personnage important ou d'un ami ? Peut-être en nous regardant nous-mêmes. Il y a un siècle, Oswald Chambers a dit aux étudiants du Bible Training College de Londres : « N'oubliez jamais que là où un homme est retourné est exactement là où n'importe qui risque de retourner. [...] Un homme averti en vaut deux. »

Les paroles de Chambers font écho à la mise en garde de Paul quant à la nécessité d'être conscients de notre propre vulnérabilité lorsque nous constatons les péchés d'autrui. Se remémorant la désobéissance des Israélites dans le désert (1 Co 10.1-5), Paul a exhorté ses lecteurs à tirer des leçons de ces péchés, afin de ne pas les répéter (v. 6-11). Il s'est concentré non pas sur les échecs passés, mais sur l'orgueil présent en écrivant : « Ainsi donc, que celui qui croit être debout prenne garde de tomber ! » (v. 12.)

On secoue facilement la tête en signe de désapprobation devant un péché public. Il vaut toutefois mieux acquiescer de la tête en voulant dire « Oui, j'en suis tout aussi capable », puis l'incliner en prière pour celui qui est tombé et celui qui se croit debout. —D.C.M.

L'arrogance précède la ruine,
et l'orgueil précède la chute. – Proverbes 16.18

20 janvier

CRAINTE ET AMOUR

LISEZ :
Deutéronome 10.12-17

***[Que]* demande de toi l'Éternel, ton Dieu, si ce n'est que tu craignes l'Éternel, ton Dieu, afin […] d'aimer et de servir l'Éternel.**
—Deutéronome 10.12

LA BIBLE EN UN AN :
☐ Genèse 49 - 50
☐ Matthieu 13.31-58

Quelqu'un m'a fait part de ses observations au sujet de deux patrons. L'un d'eux est aimé et n'est pas craint de ses subalternes. Étant donné qu'ils aiment leur patron, mais ne respectent pas son autorité, ils ne suivent pas ses directives. L'autre patron est craint et aimé de ceux qui travaillent sous sa direction, ce que leur bonne conduite manifeste.

Le Seigneur désire que ses enfants le craignent et l'aiment à la fois. Le passage biblique d'aujourd'hui, Deutéronome 10, dit que le fait de suivre les instructions de Dieu exige les deux. Le verset 12 nous demande de « *[craindre]* » et « d'aimer » notre Dieu.

Le fait de « *[craindre]* » le Seigneur, notre Dieu, consiste à lui accorder le plus grand respect. Pour le croyant, il ne s'agit pas d'être intimidé par lui ou ses attributs. Il s'agit plutôt de marcher dans toutes ses voies et de garder ses commandements par respect pour sa personne et son autorité. Par « amour », nous le servons de tout notre coeur et de toute notre âme, plutôt que par simple sens du devoir (v. 12).

Notre amour découle de notre profonde gratitude envers son amour pour nous, plutôt que de ce qui nous plaît ou nous déplaît. « Pour nous, nous l'aimons, parce qu'il nous a aimés le premier » (1 Jn 4.19). Notre crainte et notre amour pour Dieu nous rendent capables de marcher de notre plein gré dans l'obéissance à la loi de Dieu. —A.L.

Si nous craignons et aimons Dieu, nous lui obéirons.

21 janvier

LA NATURE A HORREUR DU VIDE

LISEZ :
Éphésiens 3.14-21

***[Que]* vous soyez remplis jusqu'à toute la plénitude de Dieu.**
—Éphésiens 3.19

LA BIBLE EN UN AN :
- ☐ Exode 1 - 3
- ☐ Matthieu 14.1-21

Le philosophe Aristote, de l'Antiquité, a dit : « La nature a horreur du vide. » Aristote en est venu à cette conclusion en constatant que la nature exige que tout espace soit rempli de quelque chose, même si ce quelque chose est incolore et inodore.

Le même principe est à l'oeuvre dans notre vie spirituelle. Lorsque le Saint-Esprit commence à nous convaincre de péché, l'idée de nous lancer dans un projet d'amélioration de soi nous vient immédiatement à l'esprit. Nous faisons de notre mieux pour triompher de nos pires habitudes. Par contre, toute tentative pour nous défaire de nos pensées, de nos attitudes et de nos désirs impurs est vouée à l'échec parce que l'élimination de l'un crée un vide dans notre âme. Dès que nous nous « vidons » d'un vice, d'autres viennent prendre sa place, et nous finissons dans une posture tout aussi mauvaise ou pire encore qu'au début.

La pensée du vide nous aide à saisir l'importance des paroles que Paul a adressées aux croyants d'Éphèse lorsqu'il a prié pour que Christ habite dans leur coeur par la foi et qu'ils « *[connaissent]* l'amour de Christ [...] en sorte *[qu'ils soient]* remplis jusqu'à toute la plénitude de Dieu » (3.19).

La seule solution permanente au problème du péché dans notre vie consiste à le remplacer par l'amour de Jésus, qui remplit le vide. Plus nous abondons en amour divin, moins il reste de place en nous pour quoi que ce soit de mauvais.
—J.A.L.

Nous n'avons pas à mettre notre maison en ordre *avant* que Jésus y entre, il le fait *après* y être entré.

22 janvier

Le paria

Lisez :
Jacques 2.1-9

**Mais si vous faites du favoritisme, vous commettez un péché.
—Jacques 2.9**

La Bible en un an :
☐ Exode 4 – 6
☐ Matthieu 14.22-36

Il avait le visage crasseux, et les cheveux longs et sales. Ses vêtements maculés de bière empestaient l'air environnant. À son entrée dans l'église, les adorateurs du dimanche n'ont fait aucun cas de lui. Ils se sont étonnés de le voir s'approcher du lutrin, enlever sa perruque et se mettre à prêcher. C'est alors qu'ils ont reconnu leur pasteur.

Je ne sais pas pour vous, mais moi, j'ai tendance à me montrer amicale envers les gens que je connais et ceux qui se présentent bien, et à leur serrer la main.

Jacques adresse une sérieuse mise en garde aux gens comme moi : « Mais si vous faites du favoritisme, vous commettrez un péché » (2.9). Le favoritisme fondé sur les apparences ou le statut économique n'a pas sa place au sein de la famille de Dieu. En fait, en agissant de la sorte, nous faisons comme « des juges aux pensées mauvaises » (v. 4).

Heureusement, nous pouvons éviter de faire des traitements de faveur en aimant notre prochain comme nous-mêmes, et cela, quel qu'il soit. En accueillant le sans-abri, la femme qui a faim ou l'adolescent qui a le coeur brisé, nous « *[accomplissons]* la loi royale » (v. 8).

Dans un monde qui garde les parias à distance, manifestons l'amour de Christ à ceux qui ont le plus besoin de nous et accueillons-les favorablement. —J.B.S.

Le véritable amour chrétien aide ceux qui sont incapables de le rendre.

23 janvier

DIEU EST À L'OEUVRE

LISEZ :
Exode 14.26 – 15.2

**L'Éternel est ma force et le sujet de mes louanges.
—Exode 15.2**

LA BIBLE EN UN AN :
☐ Exode 7 – 8
☐ Matthieu 15.1-20

Jack et Trisha se rendaient en voiture à l'hôpital tard en soirée pour la naissance de leur deuxième enfant lorsque l'inattendu s'est produit. Trisha s'est mise à donner naissance au bébé ! Jack a composé le 911 et Cherie White, une répartitrice d'urgences, a pu diriger Jack au cours de l'accouchement. Par contre, l'enfant refusait de respirer. Cherie a donc indiqué à Jack comment donner la respiration d'urgence, ce qu'il a dû faire pendant six longues minutes. Le poupon a alors fini par prendre une respiration et pousser un cri. Lorsqu'on leur a ensuite demandé comment ils étaient parvenus à traverser l'épreuve sans perdre leur sans froid, Cherie a répondu : « Je suis heureuse que Dieu travaille aussi la nuit ! »

J'aime écouter des reportages dans lesquels Dieu reçoit la gloire qu'il mérite pour quelque chose de bien qui s'est produit. Dans le passage biblique à lire aujourd'hui, il est clair que Dieu devrait recevoir le mérite pour avoir ouvert la mer Rouge afin d'aider son peuple à fuir Pharaon, même si Moïse est celui qui a levé la verge (Ex 14.26,27). Tous les Israélites et Moïse se sont réunis pour chanter des louanges au Seigneur : « Qui est comme toi parmi les dieux, ô Éternel ? Qui est comme toi magnifique en sainteté, digne de louanges, opérant des prodiges ? » (15.11.)

Lorsque quelque chose de bien se produit, le Seigneur mérite le crédit, car il est la source de tout bien. Rendez-lui gloire. N'êtes-vous pas heureux de savoir qu'il travaille aussi la nuit ? —A.M.C.

Voir Dieu à l'oeuvre nous fait chanter le coeur.

24 janvier

Encore vrai aujourd'hui

Lisez :
Actes 17.16-31

Comme Paul les attendait à Athènes, il sentait au dedans de lui son esprit s'irriter, à la vue de cette ville pleine d'idoles.
—Actes 17.16

La Bible en un an :
☐ Exode 9 – 11
☐ Matthieu 15.21-39

La bibliothèque Chester Beatty, à Dublin, en Irlande, possède une imposante collection de fragments de la Bible datant du IIe siècle. Parmi ces fragments s'en trouve un sur lequel on peut lire une partie d'Actes 17.16.

Le message que ce fragment véhicule est toutefois aussi d'actualité que ceux des journaux d'aujourd'hui. On y lit : « Comme Paul les attendait à Athènes, il sentait au-dedans de lui son esprit s'irriter, à la vue de cette ville pleine d'idoles. » La prolifération d'idoles dans l'Athènes antique mettait Paul en colère, et je suis persuadé qu'il le serait tout autant à la vue des nôtres aujourd'hui.

Certaines des idoles que nous voyons dans le monde d'aujourd'hui diffèrent de celles de l'époque de Paul. Qu'il s'agisse de richesses, de célébrité, de pouvoir, d'athlètes, d'artistes ou de politiciens, les idoles contemporaines pullulent. Comme toujours, notre ennemi spirituel, Satan, cherche à nous attirer loin du Sauveur au profit des idoles. Les chrétiens ne sont pas immunisés contre ses tactiques ; nous devons donc préserver notre coeur contre la colère marquée par le pharisaïsme envers les non-croyants qui semblent tout adorer sauf Dieu.

Nous devons également laisser l'amour de Christ nous pousser vers ceux qui ne le connaissent pas encore. Ensuite, comme les croyants de Thessalonique, il se peut qu'ils se « *[convertissent]* à Dieu, en abandonnant les idoles pour servir le Dieu vivant et vrai » (1 Th 1.9). —W.E.C.

Une idole, c'est tout ce qui usurpe la place légitime de Dieu.

25 janvier

FINIS LES COMBATS

LISEZ : Apocalypse 21.1-4

Il [*Dieu*] essuiera toute larme de leurs yeux. —Apocalypse 21.4

LA BIBLE EN UN AN :
- ☐ Exode 12 – 13
- ☐ Matthieu 16

Fay Weldon a vécu ce qu'elle a cru être une expérience de mort imminente en 2006, lorsqu'une réaction allergique a fait cesser son coeur de battre. Elle a raconté son expérience à Elizabeth Grice du *Daily Telegraph* de Londres. Elle a dit qu'une « terrible créature » avait tenté de la sortir de force par des portes de perles, tandis que les médecins tentaient de la tirer à l'intérieur. Par la suite, elle a dit : « Si c'est ça la mort, je ne veux pas repasser par là. » Tout ça, « c'est juste du pareil au même. Encore plus de combats. »

Le processus de mort est souvent un combat. Par contre, celui qui croit en Christ ne devrait pas craindre la mort en soi, car elle le conduira au paradis. Dans le livre de l'Apocalypse, Jean fournit une merveilleuse description de ce à quoi ressemblera l'éternité avec Dieu (21.1-4). Il voit la nouvelle Jérusalem descendre du ciel. La ville actuelle de Jérusalem est un symbole physique du peuple de Dieu et est décrite comme l'endroit où Dieu habite (Ps 76.3). La nouvelle Jérusalem, par contre, ne sera pas faite de main d'homme. Ce sera un endroit où Dieu vivra éternellement avec son peuple, et où il n'y aura plus ni douleur, ni larmes, ni maladie.

Nous en connaissons très peu au sujet de l'éternité, mais nous savons que pour le chrétien, quels que soient nos combats émotionnels et physiques actuels, ils cesseront alors. La vie en compagnie de Dieu sera bien meilleure. —M.L.W.

Les délices célestes surpasseront de beaucoup les difficultés terrestres.

26 janvier

COMME UN HYPOCRITE

LISEZ : Éphésiens 2.1-10

**Mais Dieu, qui est riche en miséricorde [...] nous a rendus vivants avec Christ.
—Éphésiens 2.4,5**

LA BIBLE EN UN AN :
☐ Exode 14 – 15
☐ Matthieu 17

Ray Stedman a raconté l'histoire d'un jeune homme qui avait cessé de fréquenter l'Église dont Ray était le pasteur. Le jeune homme avait dit qu'au travail, il lui arrivait parfois de perdre son sang-froid et de rudoyer ses collègues. Ensuite, le dimanche venu, il refusait d'aller à l'église parce qu'il se sentait hypocrite.

Stedman a dit à son jeune ami : « L'hypocrite est celui qui agit comme la personne qu'il n'est pas. Quand tu viens à l'église, tu te comportes comme un chrétien. Tu n'es pas hypocrite à l'église. » Soudain, le jeune homme s'est rendu compte où il agissait en hypocrite. Il a compris que la réponse à son problème ne consistait pas à éviter l'église, mais à changer sa façon de se comporter au travail.

Le mot « hypocrite » vient d'un mot grec qui signifie « comédien ». Il signifie que nous prétendons être ce que nous ne sommes pas. Parfois, nous oublions notre véritable identité de croyants en Jésus. Nous oublions que nous devons rendre des comptes à Dieu. En agissant de la sorte, nous vivons de la manière dont nous « vivions autrefois » (Ép 2.2) et nous nous comportons donc comme des hypocrites.

Ne laissons pas notre ancienne nature nous pousser à agir comme la personne que nous ne sommes pas. Au lieu de cela, par la grâce de Dieu, vivons d'une manière qui démontre que nous sommes « rendus vivants avec Christ » (v. 5). Voilà le meilleur remède à l'hypocrisie. —J.D.B.

C'est le chrétien inconstant qui est le plus utile au diable.

27 janvier

À L'ENVERS

LISEZ :
Matthieu 5.38-48

Vous avez appris qu'il a été dit : tu aimeras ton prochain, et tu haïras ton ennemi. Mais moi, je vous dis : Aimez vos ennemis.
—Matthieu 5.43,44

LA BIBLE EN UN AN :
☐ Exode 16 – 18
☐ Matthieu 18.1-20

Si vous me demandiez qui je suis, je vous dirais que je suis un disciple de Jésus. Par contre, je dois reconnaître qu'il est parfois très difficile de le suivre. Il me demande de faire des choses comme me réjouir quand on me persécute (Mt 5.11,12) ; de tendre l'autre joue (v. 38,39) ; de donner à qui veut emprunter de moi (v. 40-42) ; d'aimer mes ennemis, de bénir ceux qui me maudissent et de faire du bien à ceux qui me haïssent (v. 43,44). Ce style de vie me semble être à l'envers.

Toutefois, j'en suis venu à comprendre que c'est moi qui suis à l'envers et non Jésus. Nous sommes tous nés déchus et brisés. Corrompus par le péché, nous faisons souvent erreur en nous fiant à notre instinct premier, ce qui conduit inévitablement à de grands dégâts.

Nous sommes comme des tranches de pain grillé et tartiné qui sont tombées à l'envers sur le sol de la cuisine. Laissés à nous-mêmes, nous pouvons vraiment gâter la sauce. Puis, Jésus vient nous ramasser sur le sol de notre vie pécheresse comme avec une grande spatule divine et nous remettre à l'endroit. En suivant ses voies « à l'endroit », nous découvrons que tendre l'autre joue nous empêche de nous retrouver dans une querelle, que nous sommes plus bénis en donnant qu'en recevant et que la mort à nous-mêmes est le summum de la vie.

Après tout, ses voies ne sont pas nos voies (És 55.8) et j'en suis venu à comprendre que ses voies sont toujours les meilleures. —J.M.S.

Ce qui peut nous sembler être à l'envers est à l'endroit pour Dieu.

28 janvier

La ville des séismes

Lisez :
Actes 16.23-34

Tout à coup il se fit un grand tremblement de terre, en sorte que les fondements de la prison furent ébranlés.
—Actes 16.26

La Bible en un an :
☐ Exode 19 – 20
☐ Matthieu 18.21-35

Dans son livre *A Crack in the Edge of the World*, Simon Winchester écrit sur Parkfield, une petite ville californienne sujette aux séismes. Cherchant à attirer les touristes, un hôtel a écrit sur son panneau : « Sleep Here When It Happens » (Couchez ici quand ça se produit). Sur le menu d'un restaurant du coin, on trouve un grand steak appelé « The Big One » (la Grande Secousse) et les desserts sont appelés « Aftershocks » (les Après-coups). Par contre, un véritable tremblement de terre peut s'avérer terrifiant. J'en sais quelque chose. J'ai connu ceux de la Californie.

Dans le livre des Actes, nous lisons comment Dieu s'est servi d'un séisme pour ouvrir le coeur de quelqu'un à l'Évangile. Ayant été faussement accusés, Paul et Silas se sont retrouvés en prison à Philippes. Vers minuit, un tremblement de terre a secoué la prison, en a ouvert les portes et a défait les chaînes des prisonniers. Lorsque le geôlier a entendu dire que Paul et Silas n'avaient pas tenté de s'échapper, il leur a demandé : « Seigneurs, que faut-il que je fasse pour être sauvé ? » (16.30.) Paul lui a répondu : « Crois au Seigneur Jésus, et tu seras sauvé, toi et ta famille » (v. 31). Le soir même, le geôlier et sa famille ont cru et ont été baptisés.

Parfois, les bouleversements de la vie ouvrent le coeur des gens à l'Évangile. Connaissez-vous une personne en pleine crise ? Restez en contact avec elle par la prière et tenez-vous prêt à lui communiquer avec délicatesse la parole d'un témoin.
—H.D.F.

Beaucoup de gens sont conduits à la foi par le truchement de problèmes.

29 janvier

Six mots de Salomon

Lisez :
1 Rois 10.23 ; 11.1-10

Crains Dieu et observe ses commandements. C'est là ce que doit faire tout homme.
—Ecclésiaste 12.15

La Bible en un an :
☐ Exode 21 – 22
☐ Matthieu 19

La revue Smith, une collectivité en ligne qui « célèbre la joie du conteur » a invité ses lecteurs à soumettre un mémoire de six mots pour décrire leur vie. Des milliers de gens y ont répondu par de courtes biographies allant du résumé léger « Douce femme, bons fils – suis riche » au pénible « Soixantaine. Pas pardonné à mes parents. »

En me fondant sur l'Écriture, j'ai essayé d'imaginer comment le roi Salomon aurait résumé sa vie en six mots. Jeune homme, il aurait pu écrire : *Quelle sagesse Dieu m'a donnée !* Par contre, vers la fin de sa vie, il aurait peut-être écrit : *Aurais dû prêcher par l'exemple.*

Au cours d'un règne marqué par la paix et la prospérité, Salomon a contracté des problèmes spirituels. Lorsqu'il est devenu vieux, « ses femmes inclinèrent son coeur vers d'autres dieux ; et son coeur ne fut point tout entier à l'Éternel, son Dieu, comme l'avait été le coeur de David, son père » (1 R 11.4). Résultat : Dieu a été déçu de lui et sa vie exemplaire antérieure a connu une triste fin (v. 9).

Les multiples fois où Salomon a employé le mot *vanité* (ou *vain*) dans le livre de l'Ecclésiaste indiquent peut-être son désillusionnement par rapport à la vie. Ce roi qui avait été sage et incroyablement béni par le passé a tout perdu et, en conclusion, a terminé son livre par le conseil suivant : « Crains Dieu et observe ses commandements » (12.15).

Voilà six mots méritant que l'on y prête attention. —D.C.M.

L'obéissance à Dieu est la clef d'une vie bénie.

30 janvier

APPRENDRE EN REGARDANT

LISEZ :
Deutéronome 11.18-21

Instruis l'enfant selon la voie qu'il doit suivre.
—Proverbes 22.6

LA BIBLE EN UN AN :
☐ Exode 23 – 24
☐ Matthieu 20.1-16

Se tenant derrière le marbre à un match de softball féminin, un arbitre a entendu la mère d'une joueuse se mettre à scander : « On veut un nouvel arbitre ! On veut un nouvel arbitre ! » D'autres parents n'ont pas tardé à lui emboîter le pas. En souriant, l'arbitre s'est alors tourné vers la foule et s'est mis à scander : « Je veux de nouveaux parents ! Je veux de nouveaux parents ! » Du coup, le chahut a cessé.

Il est important que les parents donnent l'exemple, car leurs enfants les observent. Les parents chrétiens peuvent encourager les bonnes habitudes et les bons comportements en faisant des choses comme :

• *Prier pour et avec eux* – afin qu'ils apprennent à s'entretenir avec Dieu. « Persévérez dans la prière, veillez-y » (Col 4.2).

• *Leur lire et leur enseigner la Bible* – afin qu'ils apprennent la vérité de Dieu. « Tu les inculqueras [*les commandements de Dieu*] à tes enfants, et tu en parleras quand tu seras dans ta maison, quand tu iras en voyage, quand tu te coucheras et quand tu te lèveras » (De 6.7).

• *Leur faire connaître Jésus* – et les conduire à la foi en lui. « *[Si]* un homme ne naît de nouveau, il ne peut voir le royaume de Dieu » (Jn 3.3).

Le meilleur moyen de donner l'exemple à nos enfants consiste à vivre notre foi devant eux. En nous observant, ils découvrent ce qui compte le plus. —C.H.K.

Il se peut que l'enfant n'hérite pas des talents de ses parents, mais il assimilera leurs valeurs.

FAIRE FI DE LA GRÂCE

LISEZ :
Matthieu 7.13-23

Mais étroite est la porte, resserré le chemin qui mènent à la vie, et il y en a peu qui les trouvent.
—Matthieu 7.14

LA BIBLE EN UN AN :
☐ Exode 25 – 26
☐ Matthieu 20.17-34

Au coeur bouillonnant d'une des plus grandes villes d'Asie, j'ai regardé bouche bée les trottoirs bondés de gens. Il ne semblait plus y avoir le moindre espace pour se retourner dans cette cohue humaine, pourtant on aurait dit également que tout le monde allait à vitesse maximale.

Soudain, le doux son presque plaintif d'un trompettiste jouant « Grâce infinie » en solo a capté mon attention. La foule semblait ne faire aucun cas du musicien et de sa musique. Malgré tout, il a continué de jouer, en envoyant un message musical rappelant l'amour de Dieu à quiconque connaissait la chanson et se remémorerait les paroles en entendant la musique.

J'ai considéré cette expérience comme une parabole. La musique semblait être une invitation à suivre Christ lancée aux masses. Comme dans le cas du message de l'Évangile, certains croient à la grâce infinie de Dieu et choisissent le chemin resserré. D'autres font fi de sa grâce, un choix qui constitue le chemin large conduisant à la destruction éternelle. Jésus a dit : « Entrez par la porte étroite. Car large est la porte, spacieux le chemin qui mènent à la perdition, et il y en a beaucoup qui entrent par là. Mais étroite est la porte, resserré le chemin qui mènent à la vie, et il y en a peu qui les trouvent » (Mt 7.13,14).

Jésus est mort afin que « quiconque invoquera » son nom (Ro 10.13) trouve le pardon par sa grâce. —W.E.C.

Croire en Christ, c'est recevoir le salut.

1er février

UN COEUR CONTREFAIT

LISEZ : Jérémie 17.5-11

Le coeur est tortueux par-dessus tout. —Jérémie 17.9

LA BIBLE EN UN AN :
☐ Exode 27 – 28
☐ Matthieu 21.1-22

Les faits vécus au sujet de la duplicité et de la déception peuvent sembler plus étranges que la fiction. Selon un reportage de l'Associated Press, une femme de la Géorgie a été arrêtée après avoir tenté d'acheter pour plus de 1500 $ de marchandises au moyen d'un billet contrefait d'un million de dollars. Lorsqu'on l'a interrogée à ce sujet, la cliente embarrassée a prétendu s'être fait leurrer en disant que le faux billet lui venait de son ex-mari, qui était collectionneur de pièces de monnaie.

Le montant du billet nous pousse à nous demander s'il est possible qu'une personne ait réellement pu être dupe au point de croire qu'il était vrai. Toutefois, il se peut que ce fait vécu illustre bien le problème presque incroyable de l'aveuglement contre lequel le prophète nous met en garde. Lorsque Jérémie dit : « Le coeur est tortueux par-dessus tout, et il est méchant : Qui peut le connaître ? » (17.9), il exprime un étonnement qui surpasse notre entendement. Ici, le prophète ne dit pas que *certains* d'entre nous ont de la difficulté à être honnêtes envers eux-mêmes, mais bien plutôt que c'est le cas de *tous*.

Heureusement, Dieu sonde notre coeur et comprend ce que nous ne pouvons voir (v. 10). Il nous donne toutes les raisons de dire : « Seigneur, j'ai besoin de ton aide. Montre-moi si je suis honnête envers moi-même et toi. Si ce n'est pas le cas, aide-moi à changer et à m'appuyer sur toi plutôt que sur moi-même. » —M.R.D.

Le seul moyen de survivre dans un monde trompeur consiste à faire confiance à celui qui ne nous trompera jamais.

2 février

DÉFRAGMENTER

LISEZ :
Psaume 55.2-9

**Remets ton sort à l'Éternel, et il te soutiendra.
—Psaume 55.23**

LA BIBLE EN UN AN :
☐ Exode 29 – 30
☐ Matthieu 21.23-46

De temps à autre, mon ordinateur devient paresseux. L'emploi fréquent de certains logiciels et documents fait qu'il y a des données qui s'éparpillent, ce qui exige que mon ordinateur les trouve avant que je puisse les utiliser. Pour régler le problème, je dois exécuter un logiciel qui va chercher ces données et les regroupe là où elles seront faciles d'accès. Il s'agit de la « défragmentation ».

Comme mon ordinateur, ma vie se fragmente. Une situation suscite mes émotions tandis que je tente de me concentrer sur autre chose. Les requêtes fusent de partout. Je veux faire tout ce qui s'impose, mais mon esprit n'arrête pas et mon corps ne démarre pas. Je ne tarde pas à me sentir épuisé et inutile.

Dernièrement, j'ai assisté à une retraite lors de laquelle l'un des documents remis incluait une prière qui exprimait ce que je ressentais : « Seigneur, je suis éparpillé, agité et seulement à moitié là. »

Le roi David a lui aussi traversé des périodes semblables (Ps 55.3). En prière, David a présenté ses besoins à Dieu matin, midi et soir, avec l'assurance d'être entendu (v. 18).

La prière peut contribuer à défragmenter notre vie. Lorsque nous nous déchargeons de nos soucis sur le Seigneur, il nous montre ce que nous devons faire et ce qu'il est seul à pouvoir faire. —J.A.L.

C'est lorsque nous avons le moins le temps de prier que prier s'avère le plus nécessaire.

3 février

DE BONS VOEUX

LISEZ :
Philippiens 1.9-18

Et ce que je demande dans mes prières, c'est que votre amour augmente de plus en plus en connaissance et en pleine intelligence.
—Philippiens 1.9

LA BIBLE EN UN AN :
☐ Exode 31 – 33
☐ Matthieu 22.1-22

À Singapour, les repas sociaux et d'affaires du Nouvel An chinois commencent souvent par un plat se composant de salades, de vinaigrettes, de cornichons et de poisson cru. Le nom de ce plat, *Yu Sheng*, est un jeu de mots qui ressemble à « année de prospérité ». Les convives ont pour tradition de mélanger la salade ensemble. Ce faisant, ils répètent certaines phrases afin qu'elles leur apportent la chance.

Nos paroles peuvent exprimer nos espoirs pour les autres au cours de l'année à venir, mais elles ne peuvent leur apporter la chance. Le plus important, c'est de savoir ce que Dieu veut voir s'accomplir en nous au cours de l'année à venir.

Dans sa lettre aux Philippiens, Paul a exprimé son désir et sa prière pour que leur amour « augmente de plus en plus en connaissance et en pleine intelligence » (1.9). Leur Église avait été un grand appui pour lui (v. 7), mais il les incitait à continuer de grandir dans leur amour pour les autres. Paul ne parlait pas ici de la connaissance intellectuelle, mais de la connaissance de Dieu. L'amour pour les autres commence par une relation plus étroite avec lui, ce qui nous permet de discerner le bien du mal.

Il n'y a rien de mal à offrir nos voeux pour la nouvelle année, mais nous devrions prier de tout coeur pour que nous abondions dans l'amour, afin que nous soyons « remplis du fruit de justice qui est par Jésus-Christ, à la gloire et à la louange de Dieu » (v. 11). —C.P.H.

Les gens qui ont Dieu à coeur ont les autres à coeur.

4 février

La royauté est là !

Lisez :
1 Corinthiens 6.12-20

Ne savez-vous pas que votre corps est le temple du Saint-Esprit qui est en vous [...] et que vous ne vous appartenez point à vous-mêmes ?
—1 Corinthiens 6.19

La Bible en un an :
☐ Exode 34 – 35
☐ Matthieu 22.23-46

Mon ami Tim Davis raconte que, jeune garçon, il était à Trinidad lorsque la reine Elizabeth est venue dans leur petite ville. Il se rappelle être allé avec ses parents missionnaires se joindre à des centaines d'autres s'étant réunis pour accueillir la reine. Agitant son petit drapeau, il a regardé le cortège passer dans la rue. Il y a eu d'abord les soldats à pied, puis la garde à cheval et ensuite la limousine depuis laquelle elle saluait de la main la foule qui l'acclamait. Il a regardé la reine sortir de la ville, laissant tout le monde retourner à la vie normale. Pour reprendre les paroles de Tim : « La royauté a débarqué et ça n'a rien changé ! »

Pour ceux d'entre nous qui ont accepté Jésus comme leur Sauveur, il y a eu un jour où la royauté a débarqué… dans notre coeur. Comme Paul l'a dit, notre corps est « le temple du Saint-Esprit » (1 Co 6.19), une réalité aux énormes implications. Sa présence en nous a pour but de nous transformer afin que nous vivions d'une manière qui le glorifie. Nos relations, la manière dont nous servons notre employeur, nous employons notre argent, nous traitons nos ennemis et tout le reste dans notre vie devraient refléter la merveilleuse réalité selon laquelle la royauté habite en nous.

Quelque chose a-t-il changé depuis que le roi Jésus est venu vivre en vous ? Votre entourage remarque-t-il sa présence en vous ou croit-il qu'il n'y était que de passage ? —J.M.S.

Si Jésus a élu domicile en nous, le monde devrait remarquer chez nous une transformation durable.

5 février

BÂTIR SUR DU SOLIDE

LISEZ :
Matthieu 7.24-27

C'est pourquoi, quiconque entend ces paroles que je dis et les met en pratique, sera semblable à un homme prudent qui a bâti sa maison sur le roc.
—Matthieu 7.24

LA BIBLE EN UN AN :
☐ Exode 36 – 38
☐ Matthieu 23.1-22

En 1931, la ville de Hayward, en Californie, a bâti sa première mairie permanente. Au coût de 100 000 $ à l'époque, cette structure aux colonnes carrées de style corinthien et son entrée aux arcades romaines étaient consi-dérées comme une merveille. Le seul ennui, c'est qu'on l'a construite sur la Hayward Fault et elle se divise graduellement en deux. En 1989, un tremblement de terre a forcé sa fermeture jusqu'à ce jour.

Il n'est pas sage de bâtir sur des fondations instables. Il en va de même pour notre vie spirituelle. Jésus a enseigné à ses disciples cette vérité par une illustration : « Mais quiconque entend ces paroles que je dis, et ne les met pas en pratique, sera semblable à un homme insensé qui a bâti sa maison sur le sable. La pluie est tombée, les torrents sont venus, les vents ont soufflé et ont battu cette maison : elle est tombée, et sa ruine a été grande » (Mt 7.26,27).

Les principes moraux changeants de notre monde actuel peuvent jeter la confusion. Nous pouvons être tentés d'appuyer nos décisions sur la culture ou les opinions de la société. Cependant, l'obéissance à la vérité immuable de la Parole de Dieu apporte la stabilité qui est inaccessible ailleurs. « C'est pourquoi, quiconque entend ces paroles que je dis et les met en pratique, sera semblable à un homme prudent qui a bâti sa maison sur le roc » (v. 24). —H.D.F.

Bâtissez votre vie sur de solides fondations : Jésus-Christ.

6 février

Surmonter les préjugés

Lisez : Colossiens 3.8-17

Il n'y a ni Grec ni Juif, ni circoncis ni incirconcis [...] ni esclave ni libre ; mais Christ est tout et en tous.
—Colossiens 3.11

La Bible en un an :
☐ Exode 39 – 40
☐ Matthieu 23.23-39

Un article du *Washington Post* a rapporté que de récentes études portant sur la nature des préjugés ont démontré que presque tout le monde nourrit des préjugés et que ces attitudes affectent même ceux qui y résistent activement. Un psychologue d'une université du Kentucky dit qu'une grande partie de notre estime de soi provient du fait d'avoir une plus haute opinion de nous-mêmes que des autres en raison du groupe auquel nous appartenons. Les préjugés ne sont pas faciles à surmonter, même au sein de la famille de Dieu.

Les paroles que Paul a adressées aux croyants de Colosses nous instruisent aujourd'hui, en nous faisant comprendre que nos propos et nos comportements envers les autres chrétiens devraient refléter notre union avec Christ. Paul a dit : « ayant revêtu l'homme nouveau [...] Il n'y a ici ni Grec ni Juif, ni circoncis ni incirconcis, ni barbare ni Scythe, ni esclave ni libre, mais Christ est tout et en tous » (Col 3.10,11). Au lieu de la supériorité et du favoritisme, nous devrions user de compassion, de bonté, d'humilité, de douceur et de patience envers les autres (v. 12). Et par-dessus tout, nous devons « *[nous revêtir]* de l'amour, qui est le lien de la perfection » (v. 14).

Dans le Corps de Christ, aucune race, nationalité ou classe ne vaut plus qu'une autre. Par la croix, Christ nous a réunis en un seul Corps et nous devons nous traiter entre nous avec honnêteté, dignité et amour. —D.C.M.

Le préjugé déforme par sa vue, leurre par ses paroles et détruit par ses actions.

7 février

Les armées de Dieu

Lisez :
2 Rois 6.8-17

Car il ordonnera à ses anges de te garder dans toutes tes voies.
—Psaume 91.11

La Bible en un an :
☐ Lévitique 1 – 3
☐ Matthieu 24.1-28

Lorsque notre petite-fille Julia était toute jeune, nous l'avons emmenée en voyage en voiture sur une route montagneuse de l'Idaho. Par la suite, sa grand-mère et elle ont discuté de « l'aventure ». « Je ne m'inquiète pas parce que je crois que papi a un ange gardien », a dit la grand-mère. « Je pense qu'il doit avoir une équipe d'anges gardiens ! » lui a répondu Julia.

Les anges ont pour mission de protéger et de servir les enfants de Dieu (Hé 1.13,14). Le psalmiste a dit : « Les chars de l'Éternel se comptent [...] par milliers et par milliers » (Ps 68.18). Dieu est « l'Éternel des armées ». Or, les anges composent l'armée de l'Éternel.

Dans 2 Rois, nous lisons au sujet d'Élisée et de son serviteur que l'armée des Syriens entourait la ville. Le serviteur d'Élisée s'est écrié : « Ah ! mon seigneur, comment ferons-nous ? » Élisée lui a répondu : « Ne crains point, car ceux qui sont avec nous sont en plus grand nombre que ceux qui sont avec eux. » Ensuite, le Seigneur a ouvert les yeux du serviteur, qui a vu « la montagne pleine de chevaux et de chars de feu autour d'Élisée » (6.15-17). L'armée de l'Éternel était à proximité !

Bien que nous ne puissions pas les voir de nos yeux naturels, nous pouvons avoir l'assurance que l'Éternel des armées veille continuellement sur nous et dispose d'une armée invisible qu'il peut envoyer là où il veut sur son ordre. —D.H.R.

Les anges de Dieu protègent le peuple de Dieu et font l'oeuvre de Dieu.

8 février

LES ÉCLAIREURS DE L'ESPACE

LISEZ : Éphésiens 6.1-4

Et vous, pères […] élevez *[vos enfants]* en les corrigeant et en les instruisant selon le Seigneur. —Éphésiens 6.4

LA BIBLE EN UN AN :
☐ Lévitique 4 – 5
☐ Matthieu 24.29-51

Beaucoup des premiers astronautes ont été jadis éclaireurs. Ces derniers avaient le tour de capter l'imagination de jeunes garçons et de leur inculquer la discipline nécessaire pour qu'ils atteignent leurs objectifs – même si cela veut dire chercher à atteindre les étoiles.

Le 20 juillet 1969, des éclaireurs participaient à des célébrations durant une conférence. À cette occasion, les éclaireurs ont eu l'immense plaisir d'entendre l'ancien éclaireur le plus haut gradé Neil Armstrong leur faire ses salutations depuis l'espace. L'un d'eux en était venu à réaliser un rêve merveilleux !

Le foyer chrétien peut être d'une certaine manière un camp d'éclaireurs spirituels et aimants. La Bible encourage les parents à procurer à leurs enfants un environnement positif où grandir. Les parents doivent « *[les élever]* en les corrigeant et en les instruisant selon le Seigneur » (Ép 6.4). L'expression « élevez-les » indique qu'il faut procurer aux enfants les ressources répondant à leurs besoins physiques, mentaux et spirituels. La partie « éducation » inclut le souci de toutes les dimensions du développement de l'enfant. La partie « correction » parle de donner à chaque enfant la direction qui lui convient parfaitement par des paroles bien choisies.

Cherchons à faire de notre foyer l'endroit où une discipline empreinte d'amour permet aux enfants dont nous avons la charge d'exploiter leur potentiel à la gloire de Dieu. —H.D.F.

Ce que vous mettez aujourd'hui dans le coeur de vos enfants influencera demain leur caractère.

9 février

Pleurer et se réjouir

Lisez :
Romains 12.9-16

Réjouissez-vous avec ceux qui se réjouissent ; pleurez avec ceux qui pleurent.
—Romains 12.15

La Bible en un an :
☐ Lévitique 6 – 7
☐ Matthieu 25.1-30

Golda Meir a connu les épreuves et les réussites au cours de sa vie. En tant que première ministre d'Israël, elle a traversé beaucoup de périodes marquées par les conflits et les deuils, ainsi que des instants empreints de la joie des réussites et des victoires dans la vie de l'État naissant d'Israël. Elle a dit au sujet de la joie et de la tristesse : « Ceux qui ne savent pas pleurer de tout leur coeur ne savent pas rire non plus. »

L'apôtre Paul nous appelle à vivre une vie de pleurs et de rires, mais avec un truc de plus. Dans Romains 12.15, l'apôtre nous met au défi de nous sortir de notre propre expérience de vie pour remarquer les besoins des autres, en écrivant : « Réjouissez-vous avec ceux qui se réjouissent ; pleurez avec ceux qui pleurent. »

Si nous nous réjouissons seulement de nos propres victoires, nous passons à côté de l'émerveillement que procure la célébration de la puissance du Seigneur, qui désire accomplir ses desseins en et par les autres également. Si nous ne pleurons que sur nos propres pertes, nous passons à côté de l'occasion « d'être là » pour ceux qui souffrent en usant de compassion envers eux.

La vie abonde en joies et en tristesses extrêmes, en victoires et en défaites extrêmes aussi. Par contre, nous avons reçu le privilège de prendre part à ces instants dans la vie des gens pour voir la grâce de Dieu à l'oeuvre. Ne le négligez pas !

—W.E.C.

Répondre aux besoins des autres honore Christ.

10 février

UNE OVATION

LISEZ :
Actes 6.8-15 ; 7.54-60

Voici, je vois [...] le Fils de l'homme debout à la droite de Dieu.
—Actes 7.56

LA BIBLE EN UN AN :
☐ Lévitique 8 – 10
☐ Matthieu 25.31-46

Susan Boyle a passé la majeure partie de sa vie d'adulte en compagnie de son chat Pebbles, à prendre soin de sa mère vieillissante et à chanter à l'Église. Elle n'avait certainement pas le look d'une superstar de la musique. Voilà qui explique probablement d'ailleurs que l'auditoire ait ri de cette femme dans la quarantaine n'ayant l'air de rien avant qu'elle se produise à un concours d'amateurs. Déterminée, Susan a fait face à la foule inamicale, a chanté merveilleusement bien et a reçu une ovation.

Étienne a dû faire face à une foule hostile à l'époque de l'Église primitive (Ac 6 – 7). Un groupe de chefs religieux a écouté de faux témoins l'accuser de blasphème (Ac 6.13). Étienne a répondu en disant la vérité de la Parole de Dieu, qui renforçait sa foi en Christ. À la fin de son discours, il a dit : « Voici, je vois les cieux ouverts, et le Fils de l'homme debout à la droite de Dieu » (7.56). Ensuite, la foule l'a lapidé (v. 58). Jésus, qui observait la scène depuis le ciel, a recueilli Étienne auprès de lui.

La plupart des chrétiens n'affrontent pas autant d'hostilité. Cependant, sous pression, nous devons tous « *[demeurer]* ainsi fermes dans le Seigneur » (Ph 4.1). Nous ne pouvons laisser les autres faire taire notre voix pour Christ. Le fait de parler en faveur de Jésus ne plaît pas toujours aux gens ici-bas, mais lui nous vaut certainement l'approbation des cieux, là où cela compte le plus. —J.B.S.

Si vous suscitez de l'opposition, il se peut que ce soit parce que vous faites quelque chose qui compte.

DEVRAIS-JE LE DIRE ?

LISEZ :
2 Corinthiens 5.12-21

Si quelqu'un est en Christ, il est une nouvelle création.
—2 Corinthiens 5.17

LA BIBLE EN UN AN :
☐ Lévitique 11 – 12
☐ Matthieu 26.1-25

Jim apportait l'Évangile à Kerri. Il lui a dit qu'elle était séparée du Dieu saint à cause de ses péchés et que Jésus était mort et ressuscité pour son salut. Elle revenait sans cesse sur une raison de ne pas croire : « Mais si je le reçois, je n'aurai pas à le dire aux autres, n'est-ce pas ? Je ne veux pas le faire. » Elle a dit que cela ne correspondait pas à sa personnalité ; elle ne voulait pas avoir à parler de Jésus aux autres.

Jim a expliqué qu'elle n'était pas tenue de promettre de témoigner de Jésus avant de le recevoir. Cependant, il a également dit qu'une fois qu'elle aurait fait la connaissance du Seigneur, Kerri deviendrait son ambassadrice dans le monde (2 Co 5.20).

Après avoir discuté un peu plus longuement, Kerri a reconnu avoir besoin que Christ la sauve. Elle est rentrée chez elle enthousiaste et en paix. Fait intéressant, au bout de 24 heures, elle avait déjà dit à trois personnes ce que Dieu avait fait dans sa vie.

Selon l'apôtre Paul, étant donné que nous avons été réconciliés avec Dieu par Jésus, nous avons maintenant « le ministère de la réconciliation » (v. 18). Nous sommes ses ambassadeurs, si bien que nous supplions les gens « au nom de Christ *[d'être]* réconciliés avec Dieu » (v. 20).

Lorsque nous sommes reconnaissants envers Dieu, nous voulons faire savoir ce qu'il a fait pour nous. —A.M.C.

Il n'y a pas meilleure nouvelle que l'Évangile ; faites-la connaître !

Activité volcanique

Lisez :
Éphésiens 4.29-32

Un homme colérique excite des querelles, et un furieux commet beaucoup de péchés.
—Proverbes 29.22

La Bible en un an :
☐ Lévitique 13
☐ Matthieu 26.26-50

Il entre en éruption. La lave fait tout fondre sur son passage. L'éruption d'un volcan est aussi puissante qu'une explosion nucléaire !

Eh bien, peut-être que non, mais une crise de colère peut sembler aussi intense qu'une éruption volcanique lorsqu'elle est directement dirigée contre une autre personne de la famille. Il se peut que la crise soit très brève, mais qu'elle laisse derrière elle le chaos émotionnel et l'amertume.

Il est regrettable que les gens que nous aimons le plus soient souvent la cible de nos paroles blessantes. Par contre, même lorsque nous sommes à cran, nous avons le choix. Réagirons-nous par la colère ou la bonté ?

La Bible nous demande de nous défaire de l'amertume et de la colère, et d'être « bons les uns envers les autres, compatissants, *[nous]* pardonnant réciproquement, comme Dieu *[nous]* a pardonné en Christ » (Ép 4.32).

Si vous luttez contre une colère chronique qui nuit à vos relations, confiez cette partie vulnérable de vos émotions à la force de Christ (Ph 4.13). Demandez à Dieu de vous pardonner vos accès de colère, de vous montrer à modérer vos émotions et de vous enseigner à tenir les autres en plus haute estime que vous-même (Ro 12.10). Cherchez à vous faire aider à découvrir comment bien composer avec vos émotions fortes.

En cherchant vraiment à aimer les autres et à plaire à Dieu, nous pouvons triompher d'un tempérament volcanique. —C.H.K.

Perdre son sang-froid n'est pas la solution.

13 février

EXALTONS-LE !

LISEZ :
Psaume 46

[...] je suis Dieu : Je domine sur les nations, je domine sur la terre. —Psaume 46.11

LA BIBLE EN UN AN :
☐ Lévitique 14
☐ Matthieu 26.51-75

Dieu dit : « Arrêtez, et sachez que je suis Dieu » (Ps 46.11). Ces paroles d'une chanson que l'on chantait il y a très longtemps dans le temple de Jérusalem nous rappellent l'une de nos plus grandes tâches, celle d'adorer notre merveilleux Dieu.

L'un des moyens d'y parvenir consiste à *méditer ses nombreux attributs*. Exaltez Dieu, car il est fidèle, éternel, omniscient, juste, immuable, plein de grâce, saint, miséricordieux, patient, impartial et infini. Notre Dieu est parfait.

Exaltez Dieu également en prenant conscience du fait qu'il est omnipotent, tout-puissant, personnel, juste, insondable, sage, trinitaire, accessible, autoexistant, glorieux et compatissant.

Un autre moyen d'adorer Dieu consiste à *méditer ses noms*. Exaltez Dieu, car il est Créateur. Il est Amour. Il est Rédempteur. Il est Berger. Il est Sauveur, Seigneur et Père. Il est Juge. Il est Consolateur. Il est Maître. Il est le Je suis. Notre Dieu est le Tout-puissant.

Réfléchissez à son identité. Dieu est notre bouclier. Notre abri. Notre lumière. Notre force. Notre soutien. Notre Messie. Notre forteresse.

Méditez les attributs de Dieu. Méditez ses noms. Réfléchissez à son identité. Adorez-le. Respectez-le. Honorez-le. Aimez-le. Exaltez-le. Employez le reste de votre vie à vous préparer à adorer notre merveilleux Dieu pour toujours.
—J.D.B.

Que tout ce qui respire loue l'Éternel !
Louez l'Éternel ! – Psaume 150.6

14 février

Se lier d'amitié

Lisez :
Jean 15.9-17

Vous êtes mes amis, si vous faites ce que je vous commande.
—Jean 15.14

La Bible en un an :
☐ Lévitique 15 – 16
☐ Matthieu 27.1-26

Le site Web de réseau social Facebook.com a été lancé en 2004 comme moyen pour les étudiants d'université de communiquer entre eux par Internet. Il est maintenant accessible aux gens de tous les âges et employé par environ 400 millions d'usagers. Chaque usager dispose d'une page individuelle avec photos et détails personnels que des « amis » peuvent consulter. « Se lier d'amitié » avec une personne signifie ouvrir la porte à la communication et sur des renseignements au sujet de votre personne, de votre vécu et de ce que vous faites. Les amitiés sur Facebook peuvent être superficielles ou engagées, mais chacune est « uniquement sur invitation ».

Juste avant que Jésus soit crucifié, il a dit à ses disciples : « Vous êtes mes amis, si vous faites ce que je vous commande. Je ne vous appelle plus serviteurs, parce que le serviteur ne sait pas ce que fait son maître ; mais je vous ai appelés amis, parce que je vous ai fait connaître tout ce que j'ai appris de mon Père » (Jn 15.14,15).

L'altruisme, l'unité de vues et la confiance ferme sont les marques de la véritable amitié, surtout dans notre relation avec le Seigneur. Christ a pris l'initiative de donner sa vie pour nous et de nous inviter à le connaître et à le suivre.

Avons-nous saisi la main de l'amitié du Seigneur Jésus en lui ouvrant bien grand notre coeur ? —D.C.M.

Jésus désire ardemment être notre ami.

15 février

CHALEUR ET SAINTETÉ

LISEZ :
Ésaïe 43.1-13

Si tu marches dans le feu, tu ne te brûleras pas, et la flamme ne t'embrasera pas.
—Ésaïe 43.2

LA BIBLE EN UN AN :
☐ Lévitique 17 – 18
☐ Matthieu 27.27-50

Pourquoi me faut-il tellement de temps pour me sécher les cheveux ? me suis-je demandé. Comme d'habitude, j'étais pressée et je ne voulais pas sortir dans le froid hivernal avec les cheveux mouillés. C'est alors que j'ai pris conscience du problème. J'avais changé le réglage du sèche-cheveux à « tiède » plutôt qu'à « chaud » selon les préférences de ma nièce.

J'aimerais souvent pouvoir maîtriser les conditions de ma vie aussi facilement que je change le réglage de mon sèche-cheveux. Je choisirais un réglage confortable : ni trop chaud, ni trop froid. Je ne choisirais certainement pas la chaleur de l'adversité ou le feu de l'affliction. Par contre, dans le domaine spirituel, la chaleur ne fait pas l'affaire. Nous sommes appelés à la sainteté, et la sainteté implique souvent « la chaleur ». Être saint revient à être mis à part pour Dieu, être séparé de tout ce qui est impur. Pour nous raffiner et nous purifier, Dieu emploie parfois la fournaise de l'affliction. Le prophète Ésaïe a dit : « *[Si]* tu marches dans le feu, tu ne te brûleras pas » (És 43.2). Dans le grec, il ne s'agit pas ici d'un si hypothétique, mais qui rend une certitude. Par ailleurs, l'apôtre Paul a dit que nous ne devrions pas nous étonner de vivre des épreuves (1 Pi 4.12).

Aucun d'entre nous ne sait quand nous serons appelés à marcher dans le feu ou combien la fournaise sera chaude. Par contre, nous savons ceci : Dieu a voulu que les flammes servent à nous purifier, et non à nous détruire. —J.A.L.

Le seul moyen par lequel Dieu suscite la sainteté consiste à augmenter la chaleur.

16 février

UN TRÉSOR CACHÉ

LISEZ :
Lévitique 19.9-15

Ouvre mes yeux, pour que je contemple les merveilles de ta loi !
—Psaume 119.18

LA BIBLE EN UN AN :
☐ Lévitique 19 – 20
☐ Matthieu 27.51-66

En grandissant dans une région rurale du Missouri où le hors-la-loi américain Jesse James (1847-1882) avait vécu, mes amis et moi étions convaincus qu'il avait enterré un trésor à proximité. Nous fouillions les bois en rêvant de dénicher une sacoche ou un autre trésor dans le sol. Il nous arrivait souvent de croiser un homme âgé en train de fendre du bois de chauffage à l'aide d'une hache géante. Pendant des années, nous avons vu ce mystérieux « homme à la hache » traîner le long des grands chemins à la recherche de boîtes de cola, son propre genre de trésor. Après avoir revendu ces boîtes, il se retirait dans son taudis sans toit et au bois nu avec en main une bouteille dans un sac de papier brun. Après sa mort, sa famille a trouvé des liasses de dollars rangées dans sa cabane délabrée.

Comme l'homme à la hache qui ne faisait aucun cas de son trésor, nous les chrétiens ne faisons parfois aucun cas de certains passages de la Bible. Nous oublions que toute la Bible est utile, que chaque passage inclus dans le canon a sa raison d'être. Qui savait que le livre du Lévitique recelait autant de trésors cachés ? Dans un passage de sept versets du chapitre 19, Dieu nous enseigne à combler les besoins des pauvres et des handicapés sans leur ôter leur dignité (v. 9,10,14), à faire des affaires conformément à l'éthique (v. 11,13,15) et à toujours vivre dans le respect de Dieu (v. 12).

Si quelques versets renferment autant de trésors, pensez à tout ce que nous pourrions trouver en fouillant notre bible chaque jour. —R.K.

Chaque mot de la Bible y a été placé à dessein, chaque passage que vous n'avez pas lu est votre trésor caché.

17 février

Changer

Lisez :
Matthieu 3.1-12

Repentez-vous, car le royaume des cieux est proche. [...] Produisez donc du fruit digne de la repentance.
—Matthieu 3.2-8

La Bible en un an :
☐ Lévitique 21 – 22
☐ Matthieu 28

Des études médicales ont démontré que, même si l'on dit aux gens qui ont été opérés à coeur ouvert qu'ils doivent changer de style de vie sans quoi ils mourront, environ 90 p. cent d'entre eux n'en font rien. Deux ans après leur opération, les patients n'ont généralement pas changé de style de vie. On dirait que la plupart préféreraient mourir plutôt que de changer.

Comme les médecins qui prêchent un message prônant le changement physique afin d'éviter la mort, Jean-Baptiste est venu prêcher un message prônant le changement spirituel : « Repentez-vous, car le royaume des cieux est proche » (Mt 3.2). Il préparait le chemin en vue de l'ultime manifestation du règne de Dieu : le Messie, Jésus.

La repentance produit un changement de mode de pensée et d'attitude par rapport à Dieu, qui finit par changer les actions et les décisions d'une personne. Ceux qui se repentent et qui acceptent le pardon de leurs péchés par la mort de Christ sur la croix échapperont à la mort spirituelle (Jn 3.16). La repentance implique la confession sincère de ses péchés, puis leur abandon. Jean-Baptiste appelait les gens à se détourner d'un certain style de vie pour adopter des voies qui honorent Dieu.

Aujourd'hui, le Seigneur nous appelle encore à nous repentir et puis à produire « du fruit digne de la repentance » (Mt 3.8). —M.L.W.

Se repentir revient à haïr le péché au point de s'en détourner.

18 février

RÊVES OU CHOIX ?

LISEZ :
Philippiens 1.1-11

***[Pour]* le discernement des choses les meilleures, afin que vous soyez purs et irréprochables.**
—Philippiens 1.10

LA BIBLE EN UN AN :
☐ Lévitique 23 – 24
☐ Marc 1.1-22

J'ai reçu beaucoup de judicieux conseils au cours de ma vie. L'un des meilleurs s'est présenté sous l'observation sage d'un ami : « La vie n'est pas faite des rêves que tu nourris, mais des choix que tu fais. »

Il a raison. Votre vie est aujourd'hui la somme totale de tous les choix que vous avez faits jusqu'ici. L'apôtre Paul a donné un conseil similaire aux croyants de Philippes en leur recommandant le « discernement des choses les meilleures » (Ph 1.10). En toute situation, nous avons un éventail de choix, allant des choix véritablement mauvais à la médiocrité, aux choix qui sont bons et puis à ceux qui sont excellents. Dieu veut nous faire passer à cette dernière extrémité, en surmontant nos choix impulsifs naturels pour nous faire accéder aux choix excellents.

C'est souvent tout un défi de faire les choix les plus excellents, surtout si peu d'autres gens se joignent à nous. Il peut nous sembler parfois que nos désirs et nos libertés ont été supprimés, mais si vous suivez les conseils de Paul, vous remarquerez certains résultats des plus positifs – comme être purs, irréprochables et remplis de fruit (v. 11).

Choisissez de vivre une vie remplie d'amour, de joie, de paix, de patience, de bonté, de bienveillance, de foi, de douceur et de maîtrise de soi (Ga 5.22,23). Par la suite, jouissez du résultat ! —J.M.S.

Faites un excellent choix, puis observez l'effet d'entraînement de la bénédiction.

19 février

COMMUNION FRATERNELLE AUX URGENCE

LISEZ :
Galates 6.1-10

Portez les fardeaux les uns des autres, et vous accomplirez ainsi la loi de Christ.
—Galates 6.2

LA BIBLE EN UN AN :
☐ Lévitique 25
☐ Marc 1.23-45

Il y a peu de temps, ma femme, Janet, et moi avons accepté une invitation à dîner chez une chrétienne qui fait partie de notre classe de l'école du dimanche. Dans sa préparation zélée du repas, elle s'est profondément coupé l'index. En la conduisant à la salle d'urgence, nous avons prié pour elle, puis nous lui avons tenu compagnie dans l'attente d'une consultation. Plusieurs heures plus tard, notre amie a fini par voir un médecin.

De retour chez elle, notre hôtesse a insisté pour que nous restions prendre le repas qu'elle avait préparé. Il s'en est suivi de précieux instants de conversation animée et de communion fraternelle spirituelle. En mangeant, elle nous a raconté certaines des épreuves qu'elle avait vécues et comment au fil des hauts et des bas la merveilleuse grâce de Dieu avait envahi sa vie.

Par la suite, ma femme et moi avons réfléchi à la visite inattendue à l'hôpital et à la communion fraternelle qui avait suivi. Un verset nous est venu à l'esprit : « Portez les fardeaux les uns des autres, et vous accomplirez ainsi la loi de Christ » (Ga 6.2). En fournissant un appui à notre hôtesse qui s'était blessée, elle a été bénie. Ensuite, elle est devenue pour nous une bénédiction grâce à son hospitalité et à un délicieux repas.

En rétrospective, de pénibles expériences peuvent être une merveilleuse porte donnant sur une riche communion fraternelle qui nous fait « *[porter]* les fardeaux les uns des autres ». —H.D.F.

Une main tendue peut alléger le fardeau d'un autre.

20 février

QUI COMPOSE L'AUDITOIRE ?

LISEZ : Psaume 50.7-15

Celui qui offre pour sacrifice des actions de grâces me glorifie. —Psaume 50.23

LA BIBLE EN UN AN :
- ☐ Lévitique 26 – 27
- ☐ Marc 2

Avant, je voyais le culte d'adoration de l'église comme un divertissement. En parlant de gens comme moi, Sören Kierkegaard a dit que nous avons tendance à considérer l'église comme un genre de théâtre : Nous nous assoyons dans l'auditoire et regardons attentivement les comédiens sur scène. Si nous sommes suffisamment divertis, nous démontrons notre gratitude en applaudissant. Par contre, l'église devrait être à l'opposé du théâtre. *Dieu* est l'auditoire de notre adoration.

Ce qui compte le plus se produit dans le coeur des gens, et non sur scène. Nous devrions sortir d'un culte d'adoration en nous demandant non pas *Qu'en ai-je retiré ?* mais plutôt *Dieu est-il heureux de ce qui s'y est passé ?*

Dieu s'est donné beaucoup de mal pour préciser les détails relatifs aux sacrifices d'animaux que les Israélites de l'Antiquité devaient effectuer durant leur adoration. Pourtant, il a dit qu'il n'avait pas besoin de leurs animaux : « Je ne prendrai pas un taureau dans ta maison, ni des boucs dans tes bergeries. Car tous les animaux des forêts sont à moi, toutes les bêtes des montagnes par milliers » (Ps 50.9,10). Ce qu'il voulait, c'était leurs louanges et leur obéissance (v. 23).

En nous concentrant sur les aspects extérieurs de l'adoration, le plus important nous échappe à nous aussi : le Seigneur s'intéresse au sacrifice du coeur, à une attitude de soumission et d'actions de grâces. L'adoration ne sert à rien de moins qu'à rencontrer notre Dieu et à lui plaire. —P.D.Y.

Au coeur de l'adoration se trouve l'adoration du coeur.

21 février

RÉSOLUTION

LISEZ :
Actes 15.36-41
1 Corinthiens 9.1-6

Ce dissentiment fut assez vif pour qu'ils se séparent l'un de l'autre.
—Actes 15.39

LA BIBLE EN UN AN :
☐ Nombres 1 – 3
☐ Marc 3

En mai 1884, deux jeunes parents ne s'entendaient pas sur le choix du deuxième prénom à donner à leur nouveau-né. La mère préférait Salomon, le père, Shippe – deux noms de famille. Incapables de s'entendre, John et Martha ont fait un compromis : « S ». Harry S. Truman est ainsi devenu le seul président américain à avoir une initiale en guise de deuxième prénom.

Plus de 120 ans plus tard, nous savons encore que ce conflit a eu lieu, mais nous savons également que l'on y a trouvé une solution raisonnable.

Dans le Nouveau Testament, on nous rapporte un autre désaccord qui a survécu au passage du temps. Celui-là a divisé deux missionnaires : Paul et Barnabas (Ac 15). Barnabas voulait emmener Marc en voyage afin de vérifier comment se portaient certaines Églises auxquelles ils étaient venus en aide auparavant (v. 37), mais Paul ne faisait pas confiance à Marc en raison d'un incident antérieur (v. 38). Paul et Barnabas étaient d'opinions si différentes qu'ils ont fini par aller chacun de son côté (v. 39).

Nous lisons encore au sujet de ce différend 2000 ans plus tard. Ce qui compte, ce n'est pas qu'il ait survécu au passage du temps, mais qu'il n'ait pas laissé de cicatrices relationnelles permanentes. Paul s'est manifestement réconcilié avec Barnabas et a demandé durant ses derniers jours que Marc l'accompagne en le disant « utile pour le ministère » (2 Ti 4.11).

On ne peut éviter tous les différends, mais veillons à les résoudre. La rancune est un fardeau trop lourd à porter. —J.D.B.

La rancune est une chose qui ne s'améliore pas lorsqu'on la nourrit.

22 février

PLUS DE COMPASSION

LISEZ :
Ésaïe 49.13-18

Une femme oublie-t-elle l'enfant qu'elle allaite ? N'a-t-elle pas pitié du fruit de ses entrailles ? —Ésaïe 49.15

LA BIBLE EN UN AN :
☐ Nombres 4 – 6
☐ Marc 4.1-20

J'ai fait la connaissance de ma femme, Marlene, à l'université. Je faisais des études pastorales et elle en enseignement primaire. La première fois que je l'ai vue travailler avec des enfants, j'ai su combien elle était dans son élément. Elle adorait les enfants. Cela est devenu encore plus évident lorsque nous nous sommes mariés et que nous avons nous-mêmes eu des enfants. La voir interagir avec eux était en soi un cours d'amour et d'acceptation inconditionnels. C'était clair pour moi qu'il n'y avait rien dans le monde entier qui soit comparable au tendre amour et à la compassion d'une mère pour son nouveau-né.

Voilà ce qui rend Ésaïe 49.15 si remarquable. C'est ici que Dieu a dit à son peuple, qui se sentait abandonné et oublié (v. 14), que sa compassion est encore plus grande que celle d'une mère : « Une femme oublie-t-elle l'enfant qu'elle allaite ? N'a-t-elle pas pitié du fruit de ses entrailles ? Quand elle l'oublierait, moi je ne t'oublierai point. »

Parfois, nous vivons des épreuves dans la vie, et nous sommes tentés de croire que Dieu nous a oubliés. Nous croyons peut-être même que Dieu ne nous aime plus, mais son amour pour nous est tout aussi large que les bras ouverts de Christ sur la croix. Et la tendre compassion de notre Père céleste est plus fiable et plus durable que l'amour d'une mère pour l'enfant qu'elle allaite. Rassurez-vous, son amour ne vous fera jamais défaut. —W.E.C.

L'amour de Dieu pour nous est aussi large que les bras largement ouverts de Christ sur la croix.

23 février

UNE CRÉATION VARIÉE

LISEZ :
Job 12.7-13

Il tient dans sa main l'âme de tout ce qui vit. —Job 12.10

LA BIBLE EN UN AN :
☐ Nombres 7 – 8
☐ Marc 4.21-41

Vous êtes-vous déjà arrêté pour considérer les merveilleux traits distinctifs que Dieu a donnés aux animaux qu'il a créés ? Job l'a fait, et l'autruche est l'un des animaux les plus intéressants au sujet desquels il a écrit. Malgré son manque apparent de bon sens et ses étranges talents de parents, sa progéniture survit (39.13-16). Et malgré son appartenance à la famille des oiseaux, elle ne sait pas voler, mais elle court plus vite que le cheval (v. 18).

Une autre créature remarquable est le coléoptère bombardier. Cet insecte d'Afrique projette deux matières courantes, du peroxyde d'hydrogène et de l'hydroquinone, à partir de son double réservoir dorsal. Séparément, ces deux substances sont inoffensives ; ensemble, elles aveuglent les prédateurs du coléoptère. Un bec interne spécial mélange les produits chimiques, lui permettant de bombarder ses attaquants à des vitesses étonnantes ! Et il peut tourner son « canon » pour faire feu dans n'importe quelle direction.

Comment cela se peut-il ? Comment se fait-il qu'une autruche sans trop d'intelligence survive en dépit de son apparente incapacité de prendre soin de ses petits alors que le coléoptère bombardier a besoin d'une réaction chimique complexe pour assurer la continuité de sa présence sur la terre ? C'est parce que les capacités de création de Dieu sont illimitées. Le psalmiste nous dit : « Car il a commandé, et ils ont été créés » (Ps 148.5). De l'autruche au coléoptère, l'oeuvre créatrice de Dieu se voit à l'oeil nu. « Qu'ils louent le nom de l'Éternel ! » (148.13.) —D.C.E.

Le concept de la création prouve l'existence du Maître concepteur.

24 février

CE QUI COMPTE RÉELLEMENT

LISEZ :
Matthieu 16.21-28

**Et que servirait-il à un homme de gagner tout le monde, s'il perdait son âme ?
—Matthieu 16.26**

LA BIBLE EN UN AN :
☐ Nombres 9 – 11
☐ Marc 5.1-20

Il y a plusieurs années, un de mes amis a visité une exposition de reliques du tristement célèbre *Titanic*. Les visiteurs se faisaient remettre une reproduction d'un billet portant le nom d'un vrai passager ou d'un vrai membre de l'équipage qui, des décennies plus tôt, s'était embarqué pour la traversée de toute une vie. Après que le groupe a fait le tour de l'exposition d'argenterie et d'autres artéfacts, la visite a pris une tournure finale inoubliable.

Sur un grand tableau apparaissaient les noms de tous les passagers, y compris leur statut : première classe, deuxième classe ou équipage. En cherchant le nom de la personne dont il avait le billet, mon ami a remarqué qu'une ligne divisait les noms du tableau. Au-dessus se trouvaient les noms des personnes « sauvées » et en dessous ceux des personnes « perdues ».

Le parallèle avec notre vie ici-bas est profond. Le statut que le monde vous accorde ne fait pas la moindre différence. La seule chose qui compte en définitive, c'est que vous soyez « sauvé » ou « perdu». Comme Jésus l'a dit : « Et que servirait-il à un homme de gagner tout le monde, s'il perdait son âme ? » (Mt 16.26.) Peut-être avez-vous déjà mis votre foi en Christ pour votre salut, mais qu'en est-il des autres passagers ? Au lieu de les juger selon leur extérieur, parlez-leur de leur destination finale. —J.M.S.

À la lumière de l'éternité, ce que l'on croit a beaucoup plus d'importance que ce que l'on accomplit.

25 février

PAIX ET REPOS PARFAITS

LISEZ :
Psaume 71.19-24

Tu nous as fait éprouver bien des détresses et des malheurs ; mais tu nous redonneras la vie.
—Psaume 71.20

LA BIBLE EN UN AN :
☐ Nombre 12 – 14
☐ Marc 5.21-43

Le psalmiste avait « éprouvé bien des détresses et des malheurs » (Ps 71.20). Cependant, il entretenait l'idée que Dieu allait lui « *[redonner]* la vie ». Cette expression signifie littéralement « le ramener à la vie ». Il a élaboré : « *[Tu]* nous feras remonter des abîmes de la terre. Relève ma grandeur, console-moi de nouveau ! » (v. 20,21.) Si les ennuis ne se terminaient pas ici-bas, ils se termineraient sûrement au ciel.

La pensée qu'un jour nous serons en présence de Dieu, cette présence dont nous jouirons pour toujours, prédomine dans plusieurs psaumes et est une assurance qui contribue à faire disparaître les ennuis du présent siècle (voir Ps 16,17,49,73).

Il se peut que seul Dieu connaisse les problèmes que vous avez vécus, mais ce n'est pas tout. Un jour, votre Père « *[relèvera votre]* grandeur », il vous revêtira d'une gloire inexprimable. Il vous consolera « de nouveau ». Sa présence et son amour vous procureront une paix et un repos parfaits.

Richard Baxter écrit : « Ô, quel jour béni ce sera lorsque je [...] me tiendrai sur le rivage et que je regarderai derrière moi la mer démontée que j'aurai traversée en sécurité ; lorsque je passerai en revue mes souffrances et mes chagrins, mes craintes et mes pleurs, et que je posséderai la gloire qui aura marqué la fin de tout ! » —D.H.R.

Lorsque Dieu essuiera toutes les larmes de nos yeux, la tristesse fera place à un chant éternel.

26 février

NON SANS ESPOIR

LISEZ : Exode 6.1-13

***[Je]* vous affranchirai des travaux dont vous chargent les Égyptiens, je vous délivrerai de leur servitude, et je vous sauverai à bras étendu et par de grands jugements. —Exode 6.6**

LA BIBLE EN UN AN :
☐ Nombres 15 – 16
☐ Marc 6.1-29

La chanson *Sixteen Tons*, écrite par Merle Travis et enregistrée par Tennessee Ernie Ford, est devenue l'une des chansons les plus populaires du milieu des années 1950. Les gens semblaient s'identifier à la complainte de ce mineur de charbon qui disait se sentir piégé et incapable de changer sa situation malgré tous ses efforts. Les mineurs de charbon étaient souvent logés dans des maisons appartenant à la compagnie minière et rémunérés en titres provisoires échangeables uniquement au magasin de la compagnie. Le mineur avait coutume de dire que, même si on le convoquait au ciel, il ne pourrait pas y aller parce que son âme appartenait à ce magasin.

Cette résignation désespérée pourrait nous aider à comprendre ce que les Hébreux ont ressenti durant les 400 années de leur captivité en Égypte. Lorsque Moïse leur a rapporté la promesse que Dieu avait faite de les délivrer de l'esclavage, ils ne l'ont pas écouté en raison de « l'angoisse » (Ex 6.9). Ils étaient si découragés qu'ils n'arrivaient plus à relever la tête.

Cependant, Dieu a fait pour eux une chose qu'ils ne pouvaient faire pour eux-mêmes. La délivrance miraculeuse que le Seigneur a accomplie pour son peuple laissait présager sa puissante intervention en notre faveur en la personne de son Fils Jésus-Christ. C'était « lorsque nous étions encore sans force [*que*] Christ, au temps marqué, est mort pour des impies » (Ro 5.6).

Lorsque la vie est au plus bas, nous ne sommes pas sans espoir, en raison de la merveilleuse grâce de Dieu. —D.C.M.

Personne, après avoir mis son espoir en Dieu, n'est sans espoir.

27 février

UN BOUQUET DE LOUANGES

LISEZ :
1 Pierre 4.7-11

[…] qu'en toutes choses Dieu soit glorifié par Jésus-Christ.
—1 Pierre 4.11

LA BIBLE EN UN AN :
☐ Nombres 17 – 19
☐ Marc 6.30-56

Corrie ten Boom (1892-1983) était une survivante chrétienne des camps de concentration de la Seconde Guerre mondiale qui est devenue une conférencière prisée dans le monde entier. Des milliers de gens ont assisté à ses réunions, où elle parlait de la manière dont elle avait appris à pardonner aux hommes qui l'avaient gardée prisonnière comme Christ lui avait pardonné ses péchés.

Après chaque réunion, les gens l'entouraient, ne tarissaient pas d'éloges à son égard en raison de sa piété et la remerciaient de les avoir encouragés dans leur marche avec le Seigneur. Corrie a dit qu'elle retournait ensuite à sa chambre d'hôtel, s'agenouillait et présentait ces compliments en remerciements à Dieu. Elle disait qu'elle offrait ainsi « un bouquet de louanges » à Dieu.

Le Seigneur a donné à chacun de nous des dons à mettre au service des autres (1 Pi 4.10), « afin qu'en toutes choses Dieu soit glorifié par Jésus-Christ, à qui appartiennent la gloire et la puissance, aux siècles des siècles » (v. 11). Nous n'avons rien à offrir aux autres que nous n'avons au préalable reçu du Seigneur (1 Co 4.7), si bien que la gloire lui revient.

Pour apprendre l'humilité, peut-être devrions-nous suivre l'exemple de Corrie. Si nous recevons un compliment pour quelque chose que nous avons dit ou fait, offrons en privé un bouquet de louanges à Dieu pour la gloire qu'il est seul à mériter. —A.M.C.

La louange est le plus beau bouquet qui jaillisse de l'âme.

28 février

LE COEUR DU PROBLÈME

LISEZ :
Romains 3.10-18

Ce qui est bon, je le sais, n'habite pas en moi, c'est-à-dire dans ma chair ; j'ai la volonté, mais non le pouvoir de faire le bien. —Romains 7.18

LA BIBLE EN UN AN :
- ☐ Nombres 20 – 22
- ☐ Marc 7.1-13

Lorsque j'étais enfant, *Tom Terrific* était l'un de mes dessins animés télévisés préférés. Lorsque Tom avait un défi à relever, il se coiffait de sa casquette de réflexion et réglait la situation avec son fidèle ami Myghty Manfred, le Wonder Dog (Chien Étonnant). Généralement, les problèmes de Tom lui venaient de son ennemi juré, Crabby Appleton. Je me rappelle encore que l'émission décrivait ce bandit comme étant pourri jusqu'à la moelle.

Le fait est que nous avons tous en commun avec Crabby Appleton son problème principal : sans Christ, nous sommes tous pourris jusqu'à la moelle. L'apôtre Paul nous décrit comme suit : « Il n'y a point de juste, pas même un seul ; nul n'est intelligent, nul ne cherche Dieu » (Ro 3.10,11). Aucun d'entre nous n'est capable de satisfaire les normes parfaites de la sainteté de Dieu. En raison de notre séparation d'avec un Dieu saint, il a envoyé son Fils Jésus donner sa vie sur la croix, pour prendre sur lui le châtiment que nous méritions, puis ressusciter. Nous pouvons maintenant être « gratuitement justifiés par sa grâce » au moyen de la foi en lui (v. 24).

Jésus-Christ est venu sauver des gens « pourris jusqu'à la moelle » et faire de chacun de nous « une nouvelle création » par la foi en lui (2 Co 5.17). Dans sa bonté, il a entièrement réglé notre problème, et cela, en allant jusqu'au fond de notre coeur. —W.E.C.

Nous avons besoin de plus qu'un nouveau départ, nous avons besoin d'un nouveau coeur.

29 février

Des raisons de louer Dieu

Lisez :
Job 38.1-18

Où étais-tu quand je fondais la terre ?
—Job 38.4

Comment pourrions-nous l'oublier ? Comment pourrions-nous ressembler autant à Job ? Comment pourrions-nous ne pas être frappés d'admiration devant la majesté de Dieu ?

Pourtant, il nous arrive parfois de l'oublier. Comme Job, nous devons nous faire rappeler les merveilles de la puissance créatrice de Dieu.

Les souffrances de Job l'ont amené à douter de Dieu, si bien que notre Père céleste lui a rappelé, ainsi qu'à nous, ses voies insondables :

• Dieu a fondé la terre (Job 38.4).

• Dieu a fermé la mer avec des portes (v. 8).

• Dieu commande au matin (v. 12).

• Dieu a tout pouvoir de vie et de mort (v. 17).

• Dieu met la sagesse dans le cœur (v. 36).

• Dieu détermine le moment de la naissance des animaux (39.1-3).

• Dieu dicte le mode de vie inhabituel à l'autruche (v. 13-18).

• Dieu donne la vigueur et la puissance au cheval (v. 19-25).

• Dieu dirige l'épervier et l'aigle (v. 26-30).

Chaque jour, la terre entonne un chant de gratitude en l'honneur de son Créateur. Prenons aujourd'hui le temps de faire écho à ce chant et de faire monter nos louanges vers notre puissant Dieu le Créateur.

Puissions-nous ne jamais oublier la merveilleuse majesté de Dieu ! —J.D.B.

L'œuvre de création de Dieu est terminée ;
notre œuvre de louange vient de commencer.

1er mars

GAGNER OU PERDRE

LISEZ :
2 Timothée 4.1-8

J'ai combattu le bon combat, j'ai achevé la course, j'ai gardé la foi. —2 Timothée 4.7

LA BIBLE EN UN AN :
☐ Nombres 23 – 25
☐ Marc 7.14-37

Durant la saison de football collégial 2009, le quart-arrière Colt McCoy de l'équipe de l'Université du Texas commençait toutes les entrevues suivant un match en remerciant Dieu d'avoir eu l'occasion de participer au jeu. Lorsqu'il s'est fait blesser au tout début du match du championnat national, il a été obligé de rester sur la touche à regarder son équipe perdre.

Après le match, il a dit à un journaliste de la télévision : « J'aurais tout donné pour être sur le terrain avec mon équipe. [...] Je donne toujours la gloire à Dieu. Je ne me demande jamais pourquoi les choses se produisent d'une certaine manière. Dieu est aux commandes de ma vie et je sais au moins que je me tiens sur le Rocher. »

Dieu a délivré l'apôtre Paul maintes fois, mais celui-ci n'a jamais insisté pour que ce soit le cas chaque fois. En prison à Rome, il a écrit à Timothée : « Car pour moi, je sers déjà de libation, et le moment de mon départ approche » (2 Ti 4.6). Certains pourraient dire que Paul n'a pas atteint ses objectifs et que sa vie s'est terminée dans la défaite. Cependant, Paul voyait les choses autrement, comme ses propos l'indiquent : « J'ai combattu le bon combat, j'ai achevé la course, j'ai gardé la foi » (v. 7). Par ailleurs, il attendait impatiemment de recevoir une couronne de justice (v. 8).

Dans notre marche avec Dieu, nous pouvons le louer pour sa fidélité, et cela, que nous gagnions ou que nous perdions. —D.C.M.

Malgré tout changement qui se produira, fidèle il restera.

2 mars

VIRTUOSE

LISEZ :
1 Corinthiens 10.31 – 11.1

***[Faites]* tout pour la gloire de Dieu.**
—1 Corinthiens 10.31

LA BIBLE EN UN AN :
☐ Nombres 26 – 27
☐ Marc 8.1-21

Un important journal américain a dit que Christopher Parkening, « qui combine une connaissance musicale profonde et une maîtrise technique parfaite de son instrument, est le plus grand guitariste de notre époque ». Il était un temps, par contre, où Parkening a renoncé à jouer de la guitare de manière professionnelle. Au sommet de sa carrière de guitariste classique, il a pris sa retraite à l'âge de 30 ans, s'est acheté un ranch dans le Montana et s'est mis à passer ses journées à pêcher à la mouche. Toutefois, sa retraite anticipée ne lui procurait pas la satisfaction qu'il avait espérée.

Par la suite, lors d'un séjour en Californie, on l'a invité dans une église où il a clairement entendu le message de l'Évangile. À ce sujet, il a écrit : « Ce soir-là, je n'ai pas trouvé le sommeil, tellement mes péchés me brisaient le coeur. […] J'avais mené une vie très égoïste qui ne me procurait pas le bonheur. […] C'est alors que j'ai demandé à Jésus-Christ de venir dans ma vie, d'être mon Seigneur et mon Sauveur. Pour la première fois, je me rappelle lui avoir dit : "Peu importe ce que tu veux que je fasse de ma vie, Seigneur, je le ferai." »

Parkening compte parmi ses versets préférés : « *[Faites]* tout pour la gloire de Dieu » (1 Co 10.31). Du coup, il a repris la guitare, mais mu cette fois par le désir de glorifier Dieu.

Chacun de nous a reçu des dons ; et lorsque nous les employons à la gloire de Dieu, ils nous procurent satisfaction et joie. —H.D.F.

Nous avons été créés pour rendre gloire à Dieu.

3 mars

QUI ET COMMENT

LISEZ :
Marc 8.27-33

Tu es le Christ.
—Marc 8.29

LA BIBLE EN UN AN :
☐ Nombres 28 – 30
☐ Marc 8.22-38

En lisant les Évangiles, je m'identifie aux disciples, qui semblaient aussi lents à comprendre que moi. Jésus leur répétait sans cesse des choses comme : « Vous aussi, êtes-vous donc sans intelligence ? » et : « Ne comprenez-vous pas [...] ? » (Mc 7.18.) Pierre a fini par « comprendre », tout de même, du moins en partie. Quand Jésus a demandé : « Et vous [...] qui dites-vous que je suis ? » Pierre a répondu : « Tu es le Christ » (8.29).

Pierre a bien saisi le « qui » (Jésus), mais il s'est trompé sur le « comment ». Lorsque Jésus a prédit sa mort, Pierre l'a réprimandé. À son tour, Jésus a réprimandé Pierre : « Arrière de moi, Satan ! car tu ne conçois pas les choses de Dieu, tu n'as que des pensées humaines » (v. 33).

Pierre concevait encore l'établissement du royaume de Dieu en termes humains. Un souverain en renversait un autre, et il mettait en place un nouveau gouvernement. Pierre s'attendait à ce que Jésus en fasse autant. Cependant, le royaume de Christ allait être établi par de nouveaux moyens, c'est-à-dire par le service et le sacrifice de sa vie.

Dieu emploie encore la même méthode aujourd'hui. Si la voix de Satan nous incite à gagner du pouvoir, celle de Jésus nous fait savoir que les débonnaires hériteront la terre (voir Mt 5.5). Pour gagner des citoyens dans le royaume de Dieu, nous devons suivre l'exemple de Jésus, qui a mis de côté toute ambition égoïste, qui a servi son prochain et qui a exhorté les gens à se repentir de leurs péchés. —J.A.L.

Le chrétien est un ambassadeur du Roi des rois qui parle en son nom.

4 mars

EXPECTATIVE

LISEZ :
1 Thessaloniciens 4.13-18

***[Je]* reviendrai, et je vous prendrai avec moi. —Jean 14.3**

LA BIBLE EN UN AN :
☐ Nombres 31 – 33
☐ Marc 9.1-29

Au début du mois de mars, mon amie a commencé un compte à rebours. Elle a inscrit sur le calendrier de son bureau qu'il ne restait plus que 20 jours avant le premier jour du printemps. Un matin, quand je l'ai vue, elle m'a lancé tout bonnement : «Plus que 12 jours ! » Quelques jours après : « Plus que 6 ! » Son enthousiasme a commencé à déteindre sur moi, et je me suis mise à mon tour à suivre le compte à rebours. « Plus que 2 jours, Jerrie ! » Ce à quoi elle m'a répondu, radieuse : « Je sais ! »

En tant que croyants, nous avons quelque chose à espérer qui est encore plus exaltant que l'attente du bourgeonnement des fleurs et de la profusion des rayons du soleil après un long hiver. Dieu a fait de nombreuses promesses dans sa Parole, et chacune s'est accomplie ou le sera. Par contre, la certitude du retour de Christ est l'une des plus grandes promesses de toutes : « Car le Seigneur lui-même, à un signal donné, à la voix d'un archange, et au son de la trompette de Dieu, descendra du ciel [...]. Ensuite, nous les vivants, qui serons restés, nous serons tous ensemble enlevés avec eux sur des nuées, à la rencontre du Seigneur dans les airs, et ainsi nous serons toujours avec le Seigneur » (1 Th 4.16,17).

Bien que personne ne puisse connaître la date exacte de son retour, nous avons la promesse de Dieu que Jésus reviendra (Ac 1.7-11). En célébrant l'arrivée du printemps et de la période pascale, encourageons-nous les uns les autres dans l'attente du retour de Christ ! —C.H.K.

Christ revient... peut-être aujourd'hui !

5 mars

DES LARMES DE PEUR

LISEZ :
Apocalypse 5.1-12

Et je pleurai beaucoup de ce que personne ne fut trouvé digne d'ouvrir le livre ni de le regarder.
—Apocalypse 5.4

LA BIBLE EN UN AN :
☐ Nombres 34 – 36
☐ Marc 9.30-50

Jean, le grand apôtre et celui que Jésus aimait, a fondu en larmes.

En prison (Ap 5.1-12), Jean s'est retrouvé en vision dans la salle du trône de Dieu, des événements à venir défilant devant ses yeux. Au ciel, Jean a vu Dieu tenir dans sa main un livre portant des sceaux. Il a fondu en larmes, car en admirant les gloires de la présence de Dieu, il ne voyait personne capable d'ouvrir le livre – personne n'ayant le pouvoir de livrer la dernière révélation de Dieu et d'achever le dernier chapitre du drame de l'Histoire.

En tant qu'apôtre, Jean avait pu observer le pouvoir du péché à l'oeuvre dans le monde. Il avait vu Jésus vivre et mourir ici-bas pour vaincre le péché, puis monter au ciel. Par contre, le constat que personne n'était digne d'ouvrir le livre et de vaincre le péché à tout jamais le remplissait maintenant de crainte (v. 4).

Imaginez un peu ce qui s'est passé par la suite dans cette vision. Un vieillard s'est approché de Jean et lui a dit : « ne pleure point », avant d'ajouter en désignant du doigt une personne qu'il connaissait : « *[Voici]*, le lion de la tribu de Juda » (v. 5). Jean a alors vu Jésus – le seul qui avait le pouvoir de prendre le livre, d'en ouvrir les sceaux et d'en achever l'histoire. Les larmes de Jean n'ont pas tardé à se tarir, et des millions d'anges se sont mis à proclamer que l'Agneau est digne (voir v. 12).

Pleurez-vous ? Si c'est le cas, posez le regard sur l'ami de Jean – Jésus. Il est digne de votre confiance. Confiez-lui tout.
—J.D.B.

L'Agneau qui est mort pour nous sauver est le Berger qui vit pour nous diriger.

6 mars

LE TABLEAU-FEUTRE DE DIEU

LISEZ :
Psaume 19

Les cieux racontent la gloire de Dieu, et l'étendue manifeste l'oeuvre de ses mains.
—Psaume 19.2

LA BIBLE EN UN AN :
☐ Deutéronome 1 – 2
☐ Marc 10.1-31

À notre époque de nouvelle technologie vidéo, il est peut-être difficile de croire que certains enseignants trouvent encore que le meilleur moyen d'illustrer les histoires bibliques consiste à employer le bon vieux tableau-feutre. Je me rappelle qu'enfant, j'ai vu mes professeurs de l'école du dimanche employer ces tableaux-feutres sur lesquels ils affichaient des images de David, de Daniel, de Jonas, de Jésus et de tous les autres personnages bibliques. Ces tableaux aidaient mes professeurs à rendre l'essentiel de l'histoire biblique de manière artistique.

Ces vieux tableaux-feutres ne sont toutefois pas les aides didactiques graphiques les plus anciennes qui soient. Dieu a depuis toujours son propre « tableau-feutre », que l'on appelle *la création.* Il emploie les merveilles de la création pour nous instruire et déployer sa puissance.

Dans le Psaume 19, David a écrit : « Les cieux racontent la gloire de Dieu, et l'étendue manifeste l'oeuvre de ses mains » (v. 2). Par la création, Dieu se révèle lui-même si clairement que Paul a déclaré : « En effet, les perfections invisibles de Dieu […] se voient comme à l'oeil nu ». Ceux qui ont le témoignage de la création sont donc « inexcusables » (Ro 1.20). Pourquoi ? Sur le tableau-feutre de la création de Dieu, nous voyons l'ordre et le sens de la conception de Dieu. Nous voyons sa puissance et sa gloire. Cela devrait nous amener à l'adorer. « Éternel, notre Seigneur ! Que ton nom est magnifique sur toute la terre ! » (Ps 8.2.) —W.E.C.

La création est la toile sur laquelle Dieu a peint son caractère.

7 mars

S'OUBLIER SOI-MÊME

LISEZ : Philippiens 2.1-4

Ainsi, que tout homme soit prompt à écouter, lent à parler.
—Jacques 1.19

LA BIBLE EN UN AN :
☐ Deutéronome 3 – 4
☐ Marc 10.32-52

Je pêchais la truite dans un ruisseau du coin l'été dernier lorsqu'un poisson se nourrissant non loin de moi a capté mon attention. Levant les yeux, j'ai épié sur la rive une connaissance, Dave Tucker, le guide et fabricant de vêtements de pêche à la mouche de renommée nationale. Du coup, j'ai pris immédiatement conscience de mon propre rendement, je m'y suis mal pris la fois suivante et j'ai perdu le poisson. Ainsi en est-il lorsque nous détournons notre attention de l'activité en cours pour penser à nous-mêmes.

W. H. Auden a un petit poème engageant portant sur ceux qui s'oublient dans une activité : le cuisinier qui mélange une sauce, le chirurgien qui fait une incision, le préposé qui remplit un bordereau de livraison. Il dit que tous « ont la même expression captivée, quand ils s'oublient dans une fonction ». L'expression « s'oublient dans une fonction » me rappelle un certain verset : «Ne faites rien par esprit de parti ou par vaine gloire, mais que l'humilité vous fasse regarder les autres comme étant au-dessus de vous-mêmes. Que chacun de vous, au lieu de considérer ses propres intérêts, considère aussi ceux des autres » (Ph 2.3,4).

Lorsque j'écoute un ami, je dois me rappeler la nécessité de me concentrer sur lui, au lieu de me soucier de mon apparence, de ce qu'il pense de moi ou de ce que je devrais dire ensuite. Faisons passer les autres en premier en les écoutant attentivement, en nous concentrant sur celui qui nous précède et en nous oubliant nous-mêmes. —D.H.R.

Écouter pourrait bien être la chose la plus aimante que vous fassiez aujourd'hui.

8 mars

DE PETITES CHOSES

LISEZ :
Jean 6.4-14

Il y a ici un jeune homme qui a cinq pains d'orge et deux poissons ; mais qu'est-ce que cela pour tant de gens ?
—Jean 6.9

LA BIBLE EN UN AN :
☐ Deutéronome 5 – 7
☐ Marc 11.1-18

Sceptique quant à l'utilité de manger légèrement le midi, André a dit à Jésus : « *[Mais]* qu'est-ce que cela [*cinq pains d'orge et deux poissons*] pour tant de gens ? » (Jn 6.9.) Cependant, entre les mains de Jésus, ce maigre repas s'est changé en une incroyable bénédiction. Avant de vous dire que vous n'avez pas grand-chose à offrir à Jésus, considérez ceci :

Edward Kimball, un professeur d'école du dimanche de Boston, a décidé de rendre visite à un jeune homme de sa classe pour vérifier qu'il était bien chrétien. Ce jour-là, il a conduit son élève, Dwight L. Moody, au Seigneur.

Moody, le Billy Graham du XIXe siècle, a beaucoup influencé Wilbur Chapman. Chapman, un éminent évangéliste, a recruté Billy Sunday pour ses campagnes d'évangélisation. À son tour, Sunday a lancé un ministère national très fructueux dans des villes comme Charlotte, dans la Caroline du Nord. Une organisation étant née du réveil dont Sunday avait pris l'initiative a invité l'évangéliste Mordecai Ham à Charlotte. Au cours de l'une des réunions, Billy Graham a reçu Christ comme son Sauveur et est devenu par la suite le plus grand évangéliste de notre époque.

Si vous trouvez que vous n'avez pas grand-chose à offrir, rappelez-vous le professeur de l'école du dimanche Edward Kimball, qui a passé un samedi après-midi à convertir un élève de sa classe. Dieu a une façon bien à lui d'utiliser la fidélité routinière dans les « petites choses » pour en accomplir des grandes ! —J.M.S.

Dieu se sert de petites choses afin d'en accomplir des grandes pour sa gloire.

9 mars

ON Y EST ?

LISEZ :
Deutéronome 8

Souviens-toi de tout le chemin que l'Éternel, ton Dieu, t'a fait faire pendant ces quarante années dans le désert, afin de t'humilier et de t'éprouver, pour savoir quelles étaient les dispositions de ton coeur.
—Deutéronome 8.2

LA BIBLE EN UN AN :
☐ Deutéronome 8 – 10
☐ Marc 11.19-33

S'il existe une question universelle, c'est peut-être bien celle-ci : On y est ? Des générations entières d'enfants l'ont posée. Ils sont ensuite devenus des adultes tenus de répondre à la même question posée par leurs enfants.

Quand je lis les livres de Moïse, je me demande combien de fois il a dû entendre cette question de la part des Israélites. Avant de les délivrer de l'esclavage et de les conduire hors d'Égypte, Moïse leur a dit que le Seigneur les ferait monter dans « un pays où coulent le lait et le miel » (Ex 3.8). C'est d'ailleurs ce qu'il a fait, mais après leur avoir fait passer 40 années à errer dans le désert. Quelle aventure ! Ils ne se sont toutefois pas perdus ; ils erraient pour une raison précise. Après 400 années d'esclavage, les enfants d'Israël avaient besoin que leur coeur, leur âme et leur esprit soient réorientés vers Dieu. Or, cela s'est réalisé dans le désert (De 8.2,15-18), mais pas avant que toute une génération meure à cause de sa désobéissance (No 32.13).

Dans la vie, on a parfois l'impression de tourner en rond. On se sent perdu. On a envie de demander à Dieu : « On y est ? Combien de temps encore ? » Dans ces moments-là, il est utile de se rappeler que Dieu accorde du prix aussi au chemin, et non uniquement à la destination. Chemin faisant, il nous rend plus humbles, il nous éprouve et il nous montre ce que nous avons dans le coeur. —J.A.L.

Il y a aussi le chemin,
et non uniquement la destination, qui compte.

10 mars

La règle dfes cinq minutes

Lisez :
Psaume 102.1-18

Il est attentif à la prière du misérable, il ne dédaigne pas sa prière.
—Psaume 102.18

La Bible en un an :
☐ Deutéronome 11 – 13
☐ Marc 12.1-27

J'ai lu quelque chose au sujet de la règle des 5 minutes qu'une mère imposait à ses enfants. Ils devaient être prêts à partir pour l'école et se réunir 5 minutes avant de quitter la maison chaque jour.

Ils se rassemblaient autour de leur mère, qui priait pour chacun par son nom en demandant au Seigneur de le bénir au cours de la journée. Ensuite, elle les embrassait et ils partaient à la course. Elle intégrait même dans le cercle de prière les enfants du quartier qui s'arrêtaient chez elle. Plusieurs années plus tard, l'une de ces enfants a dit qu'elle avait appris ainsi combien la prière était essentielle au bon déroulement de sa journée.

L'auteur du Psaume 102 connaissait l'importance de la prière. Ce psaume est « une prière pour l'affligé, lorsqu'il est dépassé et qu'il gémit devant le Seigneur ». Il s'est écrié : « Éternel, écoute ma prière […] ! Incline vers moi ton oreille quand je crie ! Hâte-toi de m'exaucer ! » (v. 2,3.) Dieu « regarde du lieu élevé de sa sainteté ; du haut des cieux l'Éternel regarde sur la terre » (v. 20).

Dieu se soucie de vous et tient à vous entendre lui parler. Que vous observiez la règle des 5 minutes en demandant à Dieu de bénir votre journée ou que vous ayez besoin de passer plus de temps à pleurer devant lui dans une profonde détresse, parlez au Seigneur chaque jour. Il se pourrait que votre exemple ait une influence marquée sur votre famille ou quelqu'un étant proche de vous. —A.M.C.

Par la prière, nous reconnaissons notre besoin de Dieu.

11 mars

LE DÉBORDEMENT

LISEZ :
Psaume 103.1-10

***[Et]* n'oublie aucun de ses bienfaits !**
—Psaume 103.2

LA BIBLE EN UN AN :
☐ Deutéronome 14 – 16
☐ Marc 12.28-44

Des cris de joie provenant de l'extérieur ont rempli notre maison, et j'ai voulu savoir ce qui se passait de si merveilleux. En regardant à travers les rideaux, j'ai pu observer deux garçons en train de se faire arroser sous le jet puissant d'une bouche d'incendie.

Ce jet m'a rappelé la générosité avec laquelle Dieu déverse chaque jour ses bénédictions sur ses enfants et combien il est important de le reconnaître.

Bien que je sache qu'il m'a procuré d'innombrables bienfaits – par exemple, lorsqu'un joint d'étanchéité de ma voiture saute, que toute ma famille attrape la grippe et que des relations menacent de s'envenimer –, l'insatisfaction risque de ternir ma perception des bénédictions de Dieu, qui me rappellent alors davantage le goutte-à-goutte du robinet que le jet puissant d'une bouche d'incendie !

Voilà peut-être pourquoi David nous fait le rappel suivant : « *[Et]* n'oublie aucun de ses bienfaits ! » (Ps 103.2.) Ensuite, pour nous venir en aide, il énumère les bénédictions intarissables destinées aux croyants. Il nous rappelle que Dieu pardonne toutes nos iniquités, guérit toutes nos maladies, délivre notre vie de la fosse, nous couronne de sa bonté et nous rassasie de bonnes choses (v. 3-5).

Aujourd'hui, prenons le temps de reconnaître l'abondance des bénédictions de Dieu plutôt que de la minimiser. —J.B.S.

Le fait de compter vos bénédictions aura pour effet de multiplier votre joie.

12 mars

BIEN VOIR

LISEZ :
Matthieu 5.1-12

Heureux ceux qui ont le coeur pur, car ils verront Dieu !
—Matthieu 5.8

LA BIBLE EN UN AN :
☐ Deutéronome 17 – 19
☐ Marc 13.1-20

Le Gran Telescopio Canarias, l'un des télescopes les plus puissants de la terre, est installé au sommet d'un volcan éteint de La Palma, l'une des îles Canaries. Inauguré en juillet 2009 par le roi Juan Carlos d'Espagne, il offre aux astronomes une vue on ne peut plus claire du ciel. Situé à 2400 mètres d'altitude, ce télescope se trouve au-dessus de la couverture nuageuse, où les vents dominants sont secs et où il n'y a aucune turbulence. Là, près de l'équateur, les scientifiques peuvent étudier tout l'hémisphère céleste boréal et une partie de l'hémisphère austral.

Jésus a choisi de se tenir sur une montagne pour enseigner à ses disciples les particularités d'une vie abandonnée à Dieu. Là, il leur a enseigné que c'est dans l'attitude, et non dans l'altitude, qu'il est possible de bien voir le Père.

Au coeur du passage connu comme celui des béatitudes, Jésus a dit : « Heureux ceux qui ont le coeur pur, car ils verront Dieu ! » (Mt 5.8.) Cette parole n'est pas réservée aux quelques rares personnes qui y aspirent, mais à tous ceux qui la recevront avec humilité. Pour avoir le coeur pur aux yeux de Dieu, nous devons accepter le pardon du Père par le Christ, son Fils. « Si nous confessons nos péchés, il est fidèle et juste pour nous les pardonner, et pour nous purifier de toute iniquité » (1 Jn 1.9).

Le sommet d'une montagne est l'endroit rêvé pour bien voir les astres, mais pour bien voir Dieu, il faut une transformation du coeur. —D.C.M.

Pour bien voir Dieu, concentrez-vous sur Jésus-Christ.

MOTEUR À CHOCOLAT

LISEZ :
1 Rois 19.1-8

Le témoignage de l'Éternel est véritable, il rend sage l'ignorant.
—Psaume 19.8

LA BIBLE EN UN AN :
☐ Deutéronome 20 – 22
☐ Marc 13.21-37

Beaucoup de gens aiment le goût sucré du chocolat et l'énergie qu'il leur procure. Cependant, des techniciens automobiles britanniques ont découvert une façon étonnante d'utiliser cet aliment sucré. Des scientifiques de l'Université de Warwick ont fabriqué une voiture de course alimentée à l'huile végétale et au chocolat. Ce carburant fournit de l'énergie permettant à la voiture d'atteindre une vitesse maximale de 217 km/h.

La Bible parle également d'une source étonnante d'énergie tirée de la nourriture. Lorsque Dieu s'est servi d'Élie pour faire descendre du feu du ciel sur la montagne du Carmel, cette expérience spirituelle exaltante s'est ensuivie de persécutions et de mélancolie. Témoin de la dépression d'Élie, Dieu a envoyé un ange procurer nourriture, boisson et repos à son prophète fatigué. Le pouvoir de subsistance de cette nourriture envoyée du ciel était remarquable : « Il se leva, mangea et but ; et avec la force que lui donna cette nourriture, il marcha quarante jours et quarante nuits jusqu'à la montagne de Dieu, à Horeb » (1 R 19.8).

Si une nourriture physique est nécessaire au maintien de la vie physique, une nourriture spirituelle l'est au maintien de la vie spirituelle. La Parole de Dieu, qui est « plus *[douce]* que le miel, que celui qui coule des rayons » (Ps 19.11), alimente notre âme. Elle rend « sage l'ignorant » (v. 8) et procure la nourriture et l'énergie nécessaires au long voyage de la vie. Prenez le temps de vous y ravitailler. —H.D.F.

Dieu nous nourrit par sa Parole.

14 mars

DES RÉPONSES OUBLIÉES

LISEZ :
Job 42.1-6

Mon oreille avait entendu parler de toi ; mais maintenant mon oeil t'a vu.
—Job 42.5

LA BIBLE EN UN AN :
☐ Deutéronome 23 – 25
☐ Marc 14.1-26

Lorsque son fils adulte a été grièvement blessé dans un accident de voiture, un de mes amis a quitté deux emplois pour en prendre soin à temps plein. La même année, sa femme depuis plus de 30 ans a contracté une maladie dont elle est morte.

Depuis lors, il dit n'avoir aucune réponse à fournir à son fils lorsque celui-ci lui demande « pourquoi » cela leur est arrivé. Par contre, il m'a raconté un songe rassurant qu'il a fait chemin faisant. Il a rêvé qu'il se trouvait dans un lieu baigné de soleil. Il y avait une multitude de gens autour de lui, et un homme répondait à tous ses « pourquoi ». Chaque réponse avait tellement de sens qu'il a pu clairement comprendre pourquoi il ne devait pas déjà détenir ces réponses. Puis, il s'est retrouvé avec son fils dans le songe. Quand il a voulu lui venir en aide en répondant à ses questions, il ne s'est toutefois plus souvenu des réponses. Par contre, même cela semblait être bien. Par la suite, il s'est réveillé.

L'expérience de mon ami me rappelle un autre ami de Dieu qui a souffert de ne pas obtenir de réponses à ses questions (Job 7.20,21). Ce n'est que lorsque Dieu a fini par rompre son silence et se révéler à Job en déployant devant ses yeux la beauté de sa création que celui-ci a découvert mieux que des réponses (42.1-6). Ce n'est qu'alors que Job a trouvé la paix dans le fait de savoir que notre Dieu a de bonnes, et même de merveilleuses, raisons d'agir comme il le fait et a réalisé qu'il devait lui faire confiance. —M.R.D.

Quoi de mieux que des réponses à nos questions ?
Faire confiance à un Dieu bon qui a ses raisons.

15 mars

UNE QUESTION DE PERSPECTIVE

LISEZ :
Apocalypse 3.14-22

[Tu] ne sais pas que tu es malheureux, misérable, pauvre, aveugle et nu.
—Apocalypse 3.17

LA BIBLE EN UN AN :
- ☐ Deutéronome 26 – 27
- ☐ Marc 14.27-53

L'une de mes histoires préférées est celle d'un rancher du Texas qui était expert-conseil en agriculture pour un agriculteur d'Allemagne. Il a demandé à ce dernier quelle était la superficie de sa propriété, ce à quoi celui-ci a répondu : « Environ 1,6 km carré. » Lorsque l'Allemand a demandé au Texan quelle était celle de son ranch, le rancher lui a expliqué que, même s'il conduisait sa camionnette du lever jusqu'au coucher du soleil, il serait encore dans son ranch. Pour ne pas être en reste, l'agriculteur allemand lui a répondu : « J'ai déjà eu moi aussi une vieille camionnette comme celle-là ! »

Blague à part, il importe d'avoir la bonne perspective des choses. Malheureusement, les chrétiens de Laodicée se trompaient au sujet de la richesse (Ap 3.14-22). Selon toute apparence, ils étaient prospères. Ils avaient beaucoup de biens terrestres et croyaient n'avoir besoin de rien – pas même de Jésus. Toutefois, Jésus voyait les choses autrement. En dépit de leur prospérité, il a remarqué que chacun était « malheureux, misérable, pauvre, aveugle et nu » (v. 17). Il les a donc invités à connaître la véritable richesse en recherchant ce qu'il était seul à pouvoir leur procurer : la pureté, les qualités divines, la justice et la sagesse.

Ne faisons pas la même erreur que les Laodicéens. Gardons plutôt la bonne perspective de la richesse. La vraie richesse ne se mesure pas à ce que l'on a, mais à ce que l'on est en Christ. —J.M.S.

Il n'y a de plus grande pauvreté que celle de ne posséder que de l'argent.

16 mars

LES RÉPONSES DE DIEU

LISEZ :
Daniel 9.20-27

[Je] parlais encore dans ma prière, quand l'homme, Gabriel [...] s'approcha de moi.
—Daniel 9.21

LA BIBLE EN UN AN :
☐ Deutéronome 28 – 29
☐ Marc 14.54-72

Daniel a répandu son coeur devant Dieu (Da 9.2). Il avait lu le livre de Jérémie et avait découvert la promesse que Dieu avait faite de limiter la captivité d'Israël en Babylonie à 70 ans. Ainsi donc, dans une tentative pour représenter son peuple devant Dieu, Daniel a jeûné et prié. Il a supplié Dieu de ne pas tarder à venir au secours de son peuple (v. 19).

Lorsque nous prions, il y a des choses qui nous sont révélées et d'autres pas. Par exemple, nous avons l'assurance que Dieu entendra notre prière si nous le connaissons en tant que Père céleste par la foi en Jésus, et nous savons qu'il nous répondra selon sa volonté. Par contre, nous ignorons quand cette réponse viendra ou ce qu'elle sera.

Pour Daniel, la réponse à sa prière s'est présentée sous forme de miracle, et cela, immédiatement. Tandis qu'il priait, l'ange Gabriel est venu lui apporter la réponse. Par contre, la nature de celle-ci était aussi étonnante que sa rapidité. Tandis que Daniel questionnait Dieu au sujet des « 70 ans », Dieu lui a fourni une réponse prophétique au sujet de « 70 semaines d'années ». Daniel a demandé à Dieu de lui répondre par rapport au présent, mais Dieu lui a répondu par rapport à des événements qui mettraient encore des milliers d'années à se produire.

Concentrés comme nous le sommes sur la situation immédiate, la réponse de Dieu risque de nous choquer. Nous pouvons toutefois avoir la certitude que sa réponse servira à sa gloire. —J.D.B.

Il se peut que les réponses de Dieu à nos prières excèdent nos attentes.

17 mars

DEVENIR UNE SOURCE D'AIDE

LISEZ :
Luc 7.1-10

Ayant entendu parler de Jésus, il lui envoya quelques anciens des Juifs, pour le prier de venir guérir son serviteur.
—Luc 7.3

LA BIBLE EN UN AN :
☐ Deutéronome 30 – 31
☐ Marc 15.1-25

Maladroitement, l'ouvrier, un solide gaillard, m'a demandé : « Vous voulez bien prier pour ma soeur ? » Je l'ai regardé d'un air soupçonneux.

Quelques mois plus tôt, la chaleur humide d'août avait intensifié les émotions dans l'usine où je travaillais cet été-là, car les ouvriers menaçaient de faire la grève. Les dirigeants imposaient un rythme de travail effréné et les syndiqués leur tenaient tête. Durant les pauses, les dirigeants du syndicat nous incitaient à réduire la production. Ma foi et mon idéalisme m'ont valu de tomber en disgrâce auprès de mes collègues, parce que je me disais que Dieu n'accepterait rien de moins de ma part que le meilleur de moi-même. Naïvement, j'ai essayé de m'expliquer.

Mes collègues s'étaient mis à me harceler et ce grand costaud leur avait servi de chef de bande. Cette tâche indésirable ? C'est à moi que Dieu l'a confiée. J'étais devenu la cible de toutes les blagues de mauvais goût.

J'ai donc accueilli cette requête avec méfiance. « Pourquoi moi ? » Sa réponse m'a renversé : « Parce qu'elle a le cancer et que j'ai besoin de quelqu'un que Dieu va entendre », m'a-t-il répondu d'un ton bourru. La rancoeur entre nous s'est atténuée au fil de ma prière pour sa soeur.

Comme le centenier dans Luc 7, les gens qui traversent une tempête de vie n'ont pas de temps à perdre et en viennent directement aux faits. Ils vont tout droit à ceux dont ils jugent la foi réelle. Nous devons les imiter. Notre vie est-elle à l'image d'une source d'aide branchée sur Dieu ? —R.K.

Même celui dont l'âme est la plus endurcie peut demander de l'aide lorsque l'un de ses êtres chers est en danger.

18 mars

PROTÈGE-MOI DE LA COLÈRE

LISEZ :
Psaume 37.8-11

Laisse la colère, abandonne la fureur.
—Psaume 37.8

LA BIBLE EN UN AN :
☐ Deutéronome 32 – 34
☐ Marc 15.26-47

J'ai un ami dont les cartes de correspondance portent l'image de la célèbre sculpture de Rodin intitulée *Le penseur* qui illustre un homme perdu dans ses réflexions. Sous l'image, on peut lire : « La vie est injuste. »

En effet, elle l'est. Et toute théorie insistant pour dire que la vie ici-bas est juste est illusoire et trompeuse.

En dépit de l'injustice criante de la vie, David prie toutefois dans le Psaume 37 pour ne pas user de représailles, mais se confier plutôt en Dieu et attendre patiemment que celui-ci fasse justice sur la terre en son temps (v. 7). « Car les méchants seront retranchés, et ceux qui espèrent en l'Éternel posséderont le pays » (v. 9).

Notre colère a tendance à être vindicative et punitive. La colère de Dieu est empreinte de désintéressement et de miséricorde. Sa colère exprime même parfois son amour inlassable qui conduit nos opposants à la repentance et à la foi. Nous ne devons donc pas chercher à nous venger, « car il est écrit : À moi la vengeance, à moi la rétribution, dit le Seigneur. […] Ne te laisse pas vaincre par le mal, mais surmonte le mal par le bien » (Ro 12.19,21).

Cela doit commencer dans le coeur, la source d'où proviennent les problèmes de la vie. Puissions-nous laisser la colère, abandonner la fureur et nous attendre patiemment au Seigneur. —D.H.R.

Une vengeance abandonnée
est une victoire remportée.

19 mars

Sur mesure

Lisez :
Éphésiens 6.13-21

C'est pourquoi, prenez toutes les armes de Dieu, afin de pouvoir résister dans le mauvais jour, et tenir ferme après avoir tout surmonté.
—Éphésiens 6.13

La Bible en un an :
☐ Josué 1 – 3
☐ Marc 16

Enfant, quand je jouais au football américain, j'ai eu du mal à me faire au port de tout l'équipement requis. Bien courir avec le casque, les épaulières et tout un éventail d'autres éléments de protection nous semble bizarre et nous rend maladroits au début. Par contre, avec le temps, l'équipement de protection devient comme un bon ami qui, heureusement, nous évite de graves blessures. Quand un footballeur s'habille, il sait que son équipement a été conçu pour le protéger dans la bataille contre un adversaire redoutable.

En tant que disciples de Christ, nous avons également un adversaire redoutable – un ennemi spirituel qui cherche notre chute et notre destruction. Heureusement, notre Seigneur nous procure la protection et il nous met au défi de nous habiller en vue du combat spirituel.

Dans Éphésiens 6.13, nous lisons : « C'est pourquoi, prenez toutes les armes de Dieu, afin de pouvoir résister dans le mauvais jour, et tenir ferme après avoir tout surmonté. » Paul décrit ensuite notre armure : le casque, la cuirasse, le bouclier, l'épée, la ceinture et les chaussures. Ces éléments de l'équipement spirituel ne sont efficaces que si nous les revêtons et nous les utilisons – même s'ils risquent de nous sembler inconfortables au début. La fidélité dans la lecture de la Parole (v. 17), la prière (v. 18) et le témoignage (v. 19,20) sont essentiels si nous voulons que notre armure devienne une partie de nous-mêmes. Revêtez-la donc ! La bataille fait rage !
—W.E.C.

L'armure de Dieu a été faite sur mesure pour vous, mais encore faut-il que vous la revêtiez.

20 mars

Les pierres

Lisez :
Josué 4

Lorsque vos enfants demanderont [...] : Que signifient ces pierres ? [...] vous direz : Israël a passé ce Jourdain à sec. —Josué 4.21,22

La Bible en un an :
☐ Josué 4 – 6
☐ Luc 1.1-20

Il n'y a pas longtemps, nos amis ont invité chez eux plusieurs personnes ayant toutes en commun l'amour de la musique. Kevin et Ilsa, tous les deux des musiciens talentueux, ont demandé que chaque personne ou couple apporte une pierre pour un foyer autour duquel ils tenaient souvent leurs rencontres musicales. Cependant, ils ne voulaient pas de simples vieilles pierres. Ils voulaient que chaque pierre porte un nom, une date ou un événement indiquant comment ou quand chacun s'était lié d'amitié.

Dieu était d'avis que les Israélites avaient besoin de quelque chose pour leur rappeler un événement étonnant de leur vie. Bien que le Jourdain ait été en crue, les Israélites avaient pu le traverser à sec parce que Dieu avait empêché l'eau d'y couler (Jos 3.13-17). Quelque chose de semblable s'était produit des années auparavant, tandis qu'ils fuyaient l'Égypte (voir Ex 14.21-31). Dans ce cas-ci, Dieu a toutefois demandé à son peuple de bâtir un autel de pierres afin qu'à l'avenir, lorsque les enfants se renseigneraient au sujet de ces pierres, les parents puissent leur rappeler l'oeuvre de la main puissante de Dieu (Jos 4.23,24).

Comme Dieu a continué de prendre soin des Israélites, il continue de pourvoir à nos besoins aujourd'hui. Quelles « pierres commémoratives » utiliserez-vous pour rappeler à vos enfants et à vos petits-enfants – et même à vous-mêmes – la preuve de la puissance de Dieu ? —C.H.K.

Le souvenir de la bonté de Dieu est un bon remède contre le doute.

21 mars

Compliments gratuits

Lisez :
Proverbes 16.20-28

Les paroles agréables sont un rayon de miel, douces pour l'âme et salutaires pour le corps.
—Proverbes 16.24

La Bible en un an :
☐ Josué 7 – 9
☐ Luc 1.21-38

En temps de crise économique et d'actualités déprimantes, deux étudiants de l'Université Purdue ont décidé de remonter le moral des gens du campus par des paroles encourageantes. Pendant deux heures chaque mercredi après-midi, Cameron Brown et Brett Westcott se sont tenus en bordure d'un trottoir très fréquenté avec un panneau sur lequel se lisait : « Compliments gratuits » pour dire de belles choses aux passants. « Votre manteau rouge me plaît », « Belles bottes de neige », « Très beau sourire ! » Certains étudiants ont dit qu'ils passaient près des « donneurs de compliments » chaque mercredi simplement pour entendre une parole gentille.

Ces deux jeunes hommes qui regardaient les gens dans le but d'en faire l'éloge, plutôt que la critique, m'ont frappé. Est-ce ainsi qu'en tant que disciple de Christ, je perçois les autres chaque jour ?

Au lieu d'être de ceux qui ne voient que le mal et dont les propos sont « comme un feu ardent » (Pr 16.27), choisissons une approche différente, sachant que ce que nous disons vient du plus profond de notre être. « Celui qui est sage de coeur manifeste la sagesse par sa bouche, et l'accroissement de son savoir paraît sur ses lèvres. Les paroles agréables sont un rayon de miel, douces pour l'âme et salutaires pour le corps » (v. 23,24).

Il se peut que les paroles gentilles ne coûtent rien, mais elles offrent un remontant sans prix. Pourquoi ne pas encourager quelqu'un aujourd'hui ? —D.C.M.

Un doux compliment produit un effet léger, mais qui a beaucoup de poids.

22 mars

COMMENT S'ÉPANOUIR

LISEZ :
1 Pierre 1.1-9

**Réjouissez-vous, au contraire, de la part que vous avez aux souffrances de Christ.
—1 Pierre 4.13**

LA BIBLE EN UN AN :
☐ Josué 10 – 12
☐ Luc 1.39-56

Ma famille et moi vivons dans un appartement, si bien que notre « jardin de fleurs » se compose de plantes qu'il est possible de faire pousser à l'intérieur. Pendant longtemps, nos plantes ont refusé de fleurir en dépit de leur arrosage et de leur fertilisation. Puis nous avons découvert que le sol devait être ratissé et retourné pour que les plantes y fleurissent. Maintenant, nos plantes en pot, aux feuilles saines et chargées de fleurs, sont un régal pour l'oeil.

Pour fleurir, nous avons parfois besoin d'être un peu ratissés et retournés dans la vie. En écrivant aux croyants harcelés de son époque, Pierre a dit : « Mes bien-aimés, ne trouvez pas étrange d'être dans la fournaise de l'épreuve, comme s'il vous arrivait quelque chose d'extraordinaire. Réjouissez-vous, au contraire » (1 Pi 4.12,13).

Comme le sol de nos plantes en pot, la vie de ces chrétiens a été « retournée ». Dieu cherchait ainsi à amener leur foi à produire la louange et la gloire qui lui sont dues par la révélation de Jésus-Christ (1.7).

Dieu veut dégager les choses qui risquent d'étouffer notre vie et de nous empêcher d'irradier la joie. Pour ce faire, il doit parfois permettre la souffrance et les ennuis – des épreuves qui contribuent à retourner le sol de notre vie. Si c'est ce que vous vivez aujourd'hui, réjouissez-vous-en. Abandonnez-vous à son oeuvre et découvrez une joie et des fruits que vous n'auriez jamais cru possibles. —C.P.H.

**Ceux qui bénissent Dieu dans leurs épreuves,
Dieu les bénira par leurs épreuves.**

23 mars

GRACIAS !

LISEZ :
1 Chroniques 16.7-10, 23-36

Louez l'Éternel, invoquez son nom !
—1 Chroniques 16.8

LA BIBLE EN UN AN :
☐ Josué 13 – 15
☐ Luc 1.57-80

En séjour au Mexique, j'ai regretté de ne pas parler espagnol. Je savais dire *gracias* (merci), *muy bien* (très bien) et *hola* (bonjour), mais c'est à peu près tout. Je me suis lassée de dire simplement *gracias* à tous les gens qui s'adressaient à moi ou qui faisaient quelque chose pour moi.

Cependant, nous ne devrions jamais nous lasser d'offrir des remerciements à Dieu. David savait combien il était important de le remercier. Après avoir été sacré roi d'Israël et avoir fait ériger une tente pour héberger l'arche de l'alliance (où la présence de Dieu habitait), il a remis à des Lévites la charge « d'invoquer, de louer et de célébrer l'Éternel » (1 Ch 16.4). Beaucoup de gens y vivaient pour offrir chaque jour des sacrifices et des actions de grâces à Dieu (v. 37,38).

David a également chargé Asaph et ses frères d'offrir à Dieu un cantique d'actions de grâces (1 Ch 16.8-36). Son psaume remerciait Dieu de ce que celui-ci avait fait : « Faites connaître parmi les peuples ses hauts faits ! » (v. 8), « Parlez de toutes ses merveilles » (v. 9), « Souvenez-vous […] de ses miracles et des jugements de sa bouche » (v. 12), ainsi que de son « salut » (v. 35). Le cantique de David loue également le Seigneur pour ce qu'il est : bon, miséricordieux et saint (voir v. 34,35).

Comme David, nous ne devrions jamais nous lasser de dire *gracias* à Dieu pour ce qu'il est et ce qu'il a fait en notre faveur. Prenez le temps aujourd'hui de lui offrir votre sacrifice de louanges. —A.M.C.

Un coeur rempli de louanges,
voilà ce qui fait la joie de Dieu.

24 mars

L'ARGENT REND SOUCIEUX

LISEZ :
Luc 12.22-31

Ne crains point, petit troupeau ; car votre Père a trouvé bon de vous donner le royaume.
—Luc 12.32

LA BIBLE EN UN AN :
☐ Josué 16 – 18
☐ Luc 2.1-24

De toutes ses paroles recueillies dans la Bible, c'est au sujet de l'argent que Jésus en a dit le plus. Luc 12 offre un bon résumé de son attitude. Le Seigneur ne condamne pas les biens matériels, mais il cherche à nous dissuader de mettre notre foi dans l'argent pour assurer notre avenir. L'argent ne parvient pas à résoudre les plus grands problèmes de la vie.

Bien que Jésus aborde plusieurs dimensions de l'argent, il semble se concentrer sur la question : Quel effet produit l'argent sur vous ? L'argent risque de dominer la vie d'une personne, l'éloigner de Dieu. Jésus nous met donc au défi de nous dégager du pouvoir de l'argent – même s'il faut pour cela donner tout le nôtre.

Jésus exhorte ses auditeurs à chercher un trésor dans le royaume de Dieu, car ce genre de trésor leur profitera ici-bas et là-haut. « Ne vous inquiétez pas », dit-il (v. 22), car Dieu est celui qui répond à nos besoins. Et pour insister sur ce point, il évoque le roi Salomon, l'homme le plus riche de l'Ancien Testament. Jésus a dit que Dieu revêt une simple fleur sauvage de plus de gloire qu'un roi. Ne vous inquiétez donc pas (v. 27-29), « *[cherchez]* plutôt le royaume de Dieu ; et toutes ces choses vous seront données par-dessus » (v. 31).

Il vaut mieux mettre sa confiance dans le Dieu qui prend généreusement soin de toute la terre que de passer notre vie à nous soucier de notre argent et de nos biens matériels. —P.D.Y.

Notre richesse se mesure véritablement à ce que nous posséderons dans l'éternité.

25 mars

ÉCHECS ANONYMES

LISEZ : Jean 21.3-17

Lorsqu'ils furent descendus à terre, ils virent là des charbons allumés, du poisson dessus, et du pain. —Jean 21.9

LA BIBLE EN UN AN :
☐ Josué 19 – 21
☐ Luc 2.25-52

C'est à moi qu'il revient de faire griller les hamburgers, les steaks et tout ce que ma femme a au menu. Et même si je ne suis pas le plus grand des chefs de la cuisine en plein air, je me plais beaucoup à humer les arômes inoubliables des grillades sur feu de charbon de bois. La mention de « charbons allumés » dans Jean 21.9 retient donc mon attention. Et j'en viens à me demander pourquoi Jean inclut ce détail dans le récit par lequel Jésus appelle un Pierre fautif à se remettre à le servir et à le suivre.

Dans les versets 1 à 3, il est évident que Pierre a repris son commerce de pêcherie. À peine quelques jours plus tôt, Pierre se réchauffait les mains au-dessus d'un feu de charbons lorsqu'il a renié Jésus pour sauver sa peau (Jn 18.17,18). Alors, pourquoi ne pas retourner à la pêche ?

Tandis que Pierre et ses compagnons jetaient les filets à l'eau, Jésus a allumé un feu sur la berge. Une coïncidence ? J'en doute ! Et comme Pierre s'approchait de Jésus, je me demande si l'arôme âcre des charbons fumants a ramené à sa mémoire les souvenirs attachés à cet autre feu près duquel il avait trahi Christ. Cependant, dans sa miséricorde, Jésus a décidé de reprendre Pierre à son service.

Réfléchissez-y un peu : Jésus est prêt à nous pardonner nos échecs et à nous prendre à son service. Après tout, si seuls des gens parfaits étaient qualifiés pour le servir, il n'aurait personne parmi qui choisir ! —J.M.S.

Nos imperfections ne nous disqualifient pas pour le service de Dieu, elle ne fait qu'accentuer notre besoin de sa miséricorde.

26 mars

L'ÉCLIPSE DE COLOMB

Lisez :
2 Corinthiens 2.14-17

Car nous ne falsifions point la parole de Dieu, comme font plusieurs.
—2 Corinthiens 2.17

La Bible en un an :
☐ Josué 22 – 24
☐ Luc 3

Lors de l'un de ses voyages, Christophe Colomb a vu que la réserve de nourriture de l'équipage était presque épuisée. Ancré au large de l'île de la Jamaïque, c'est d'un coeur reconnaissant qu'il a accepté la nourriture que les insulaires leur donnaient. Par contre, avec le temps, ce don de nourriture s'étant mis à diminuer, l'équipage risquait de mourir de faim.

Or, Colomb avait lu dans un livre d'astronomie qu'une éclipse lunaire était sur le point de se produire. Il a réuni les chefs de l'île et leur a dit que Dieu était fâché contre eux à cause de leur égoïsme et qu'il ferait disparaître la Lune. Au début, les insulaires se sont moqués de lui, mais en voyant le grand disque argenté de la nuit s'obscurcir lentement, ils ont cédé à la terreur et leur ont vite apporté de quoi manger. Colomb leur a alors dit que, s'il priait, la Lune reviendrait. Même si nous pouvons comprendre Colomb, son présumé « message de Dieu » s'est avéré malhonnête et intéressé.

Conscient des imposteurs religieux qui « falsifiaient » la Parole de Dieu à leur propre avantage, l'apôtre Paul a écrit : « Car nous ne falsifions point la parole de Dieu, comme font plusieurs ; mais c'est avec sincérité, mais c'est de la part de Dieu, que nous parlons en Christ devant Dieu » (2 Co 2.17).

En toute situation, nous devons veiller à ne pas déformer le message de Dieu pour obtenir ce que nous voulons des autres. D'un coeur abandonné à Dieu, nous devons communiquer honnêtement les vérités spirituelles qui profiteront à ceux qui les entendront. —H.D.F.

La propagation de la vérité de Dieu vise à profiter aux autres, et non à nous-mêmes.

27 mars

La théologie est pour tous

Lisez :
Jérémie 23.25-32

[Je] suis l'Éternel, qui exerce la bonté, le droit et la justice sur la terre.
—Jérémie 9.24

La Bible en un an :
☐ Juges 1 – 3
☐ Luc 4.1-30

Selon certains, la théologie n'est réservée qu'aux « professionnels ». La situation à l'époque du prophète Jérémie illustre cependant en quoi il importe que tout le monde sache ce que Dieu dit de lui-même.

Les experts religieux de l'époque de Jérémie représentaient mal Dieu en prophétisant « la tromperie de leur coeur » (Jé 23.26) et en égarant les gens par leurs mensonges (v. 32). Par leur malhonnêteté, ils empêchaient les gens de connaître la vraie nature de Dieu.

Aujourd'hui, il y a des gens qui font passer Dieu pour colérique, vindicatif et désireux de punir les gens en raison de n'importe quelle petite faute. Dieu se décrit toutefois comme étant « miséricordieux et compatissant, lent à la colère, riche en bonté et en fidélité » (Ex 34.6). D'autres montrent de lui au monde l'image d'un Dieu aimant qui est trop bon pour punir les mauvaises actions. Pourtant, Dieu se décrit comme étant un Dieu qui exerce le droit et la justice » (voir Jé 9.24). Il est donc à la fois un juste Juge et un Père aimant. Si nous insistons sur l'un au détriment de l'autre, nous présentons une fausse image de Dieu.

La chose la plus importante que nous puissions connaître de Dieu et proclamer au monde est celle selon laquelle Dieu ne veut pas punir les gens ; il veut qu'ils se repentent, afin de leur pardonner (2 Pi 3.9). Toutefois, pour être véritablement aimant, il doit également être parfaitement juste. —J.A.L.

Tout le monde devra faire face à Dieu ;
soit en tant que Sauveur, soit en tant que Juge.

28 mars

Viser la médaille

Lisez : Philippiens 2.4-11

Que chacun de vous, au lieu de considérer ses propres intérêts, considère aussi ceux des autres.
—Philippiens 2.4

La Bible en un an :
- ☐ Juges 4 – 6
- ☐ Luc 4.31-44

Lors du championnat de course 2009 de niveau lycéen du Kansas, quelque chose d'inhabituel s'est produit. L'équipe féminine qui a remporté la course de relais de 3200 mètres a été disqualifiée, mais ce qui s'est produit ensuite s'est avéré encore plus inhabituel. L'équipe à qui la victoire du championnat d'État a été attribuée par défaut a décidé d'emblée de donner ses médailles à l'équipe qui s'était fait disqualifier.

Le premier lycée, le St. Mary's Colgan, avait perdu sa première place parce que les juges avaient déclaré qu'une des coureuses était sortie de son couloir en transmettant le bâton. Pour cette raison, la deuxième équipe, Maranatha Academy, était passée en première place. Après avoir reçu leurs médailles, les filles de Maranatha ont remarqué les visages défaits de l'équipe de St. Mary, si bien qu'elles leur ont donné leurs médailles.

Pourquoi ont-elles agi de la sorte ? Comme l'entraîneur de Maranatha, Bernie Zarda, l'a dit : « Nous avions choisi pour thème de l'année de courir non pour notre gloire, mais pour celle de Dieu. » Grâce au geste que ces coureuses ont posé, leur histoire s'est racontée dans tout le Kansas, et le nom de Dieu s'en est trouvé élevé.

Quand nous délaissons nos propres intérêts et réalisations parce qu'il vaut mieux veiller aux intérêts des autres (Ph 2.4), le nom de Dieu est glorifié. Agir avec grâce et bonté envers les autres est l'un des meilleurs moyens d'amener les gens à se tourner vers Dieu. —J.D.B.

Si nous aimons Dieu, nous servirons les gens.

Parle tout bas, et lentement

Lisez :
Juges 7.24 – 8.3

Une réponse douce calme la fureur.
—Proverbes 15.1

La Bible en un an :
☐ Juges 7 – 8
☐ Luc 5.1-16

John Wayne, célèbre acteur et icône du cinéma américain, a dit un jour : « Parle tout bas, parle lentement, et n'en dis pas trop. » Je trouve son conseil difficile à suivre, car je parle vite et pas toujours à voix basse en limitant mes mots. Par contre, l'idée de maîtriser notre langue peut se révéler être un outil utile en situation de colère. La Bible dit que l'on est censé être « lent à parler » (Ja 1.19) et : « Une réponse douce calme la fureur » (Pr 15.1).

Gédéon a donné une réponse douce lors d'une altercation avec quelques compatriotes israélites (Jg 8). Juste après que son armée a vaincu les Madianites, un groupe de ses compatriotes l'ont critiqué durement (v. 1). Ils n'avaient pas aimé manquer le plus fort de la bataille. Gédéon ne leur a toutefois pas répondu durement. Il leur a plutôt rappelé qu'ils avaient capturé et tué les princes de Madian. Il leur a également fait honneur en leur demandant : « Qu'ai-je donc pu faire en comparaison de vous ? » Finalement, « leur colère contre lui s'apaisa » (v. 3).

Avec l'aide du Seigneur, nous pouvons désamorcer les situations enflammées en maîtrisant nos propos. Répondre avec douceur et prudence à des gens en colère peut avoir pour effet de promouvoir l'unité, à la gloire de Dieu. —J.B.S.

Mordez-vous la langue
avant que celle-ci ne morde les autres.

30 mars

SERVEZ-LE AUJOURD'HUI

LISEZ :
1 Samuel 12.19-25

Vous avez fait tout ce mal ; mais ne vous détournez pas de l'Éternel, et servez l'Éternel de tout votre coeur.
—1 Samuel 12.20

LA BIBLE EN UN AN :
☐ Juges 9 – 10
☐ Luc 5.17-39

Il nous est arrivé à tous de vouloir quelque chose au point de chercher à l'obtenir à tout prix même si nous savions avoir tort. Par la suite, nous avons regretté notre entêtement spirituel et notre stupidité. Après avoir délibérément désobéi à Dieu, il se peut que nous nous en voulions, que nous soyons pris de remords ou que nous nous résignions à subir les conséquences de notre erreur insensée. Par contre, il existe une autre possibilité.

Lorsque les Israélites ont insisté pour avoir un roi en dépit des avertissements du prophète Samuel (1 S 8.4-9), Dieu leur a donné gain de cause. Cependant, lorsqu'ils ont pris conscience des résultats tragiques de leur choix, ils ont demandé l'aide et les prières de Samuel (12.19). Samuel leur a alors répondu : « N'ayez point de crainte ! Vous avez fait tout ce mal ; mais ne vous détournez pas de l'Éternel, et servez l'Éternel de tout votre coeur » (12.20).

Nous ne pouvons rien changer à hier, mais nous pouvons agir aujourd'hui de manière à influencer demain. Samuel a promis de prier pour eux et de leur enseigner la voie à suivre. Il les a exhortés ainsi : « Craignez seulement l'Éternel, et servez-le fidèlement de tout votre coeur ; car voyez quelle puissance il déploie parmi vous » (v. 24).

Dieu nous invite à le servir aujourd'hui, en reconnaissant avec humilité son pardon et sa fidélité. —D.C.M.

Ne laissez pas les échecs d'hier miner les efforts de demain.

31 mars

DROITS D'ACCÈS

LISEZ :
Jean 14.1-10

Jésus lui dit : Je suis le chemin, la vérité, et la vie. Nul ne vient au Père que par moi.
—Jean 14.6

LA BIBLE EN UN AN :
☐ Juges 11 – 12
☐ Luc 6.1-26

Durant une tournée d'enseignement en dehors des États-Unis, ma femme et moi avons essuyé un refus d'entrer dans notre pays de destination en raison d'un problème de visas. Bien que nous ayons cru que nos visas avaient été correctement délivrés par le pays où nous projetions de nous rendre, on les y a jugés invalides. Malgré les efforts de plusieurs autorités gouvernementales, rien n'a pu être fait. On nous interdisait l'entrée dans le pays. On nous a donc renvoyés aux États-Unis par le vol suivant. Aucune intervention n'a pu changer quoi que ce soit au fait que nous n'avions pas la bonne autorisation pour entrer dans le pays étranger en question.

Cette expérience de visa s'est révélée être un inconvénient, mais elle ne saurait se comparer à l'ultime interdiction d'entrée. Je parle ici de ceux qui se tiendront devant Dieu sans la bonne autorisation d'entrer au ciel. Et s'ils présentaient le dossier de leurs efforts religieux et de leurs bonnes oeuvres ? Cela ne suffirait pas. Et s'ils évoquaient leurs belles qualités ? Cela ne leur servirait à rien. Une seule chose peut leur ouvrir les portes du ciel. Jésus a dit : « Je suis le chemin, la vérité, et la vie. Nul ne vient au Père que par moi » (Jn 14.6).

Seul Christ, par sa mort et sa résurrection, a payé le prix de nos péchés. Et il est le seul à pouvoir nous donner l'autorisation d'accéder auprès du Père. Avez-vous mis votre foi en Jésus ? Veillez à avoir l'autorisation nécessaire pour entrer au ciel. —W.E.C.

Nous ne pouvons accéder auprès du Père que par Christ.

1er avril

Nous nourrir

Lisez :
Hébreux 5.12 – 6.2

Vous, en effet, qui depuis longtemps devriez être des maîtres. —Hébreux 5.12

La Bible en un an :
☐ Juges 13 – 15
☐ Luc 6.27-49

Les aiglons étaient affamés, mais maman et papa semblaient n'en faire aucun cas. Le plus vieux des trois a décidé de régler le problème en s'attaquant à un brin d'herbe. De toute évidence, son goût lui a déplu, car il n'a pas tardé à s'en désintéresser.

Ce qui a piqué ma curiosité dans ce petit drame, que le Norfolk Botanical Garden diffusait sur cybercaméra, c'est qu'il y avait un gros poisson juste derrière les aiglons. Ils n'avaient tout simplement pas encore appris à se nourrir eux-mêmes. Ils dépendaient encore de leurs parents pour déchiqueter leur nourriture et leur donner la béquée. En quelques semaines, toutefois, leurs parents leur auront enseigné à se nourrir eux-mêmes – leur donnant une de leurs premières leçons de survie. Si les aiglons n'acquièrent pas cette capacité, ils ne parviendront jamais à survivre par eux-mêmes.

L'auteur de l'épître aux Hébreux a abordé un problème similaire inhérent au règne spirituel. Il y avait des gens dans l'Église qui ne gagnaient pas en maturité spirituelle, car ils ignoraient encore la différence entre le bien et le mal (Hé 5.14). Comme les aiglons, ils ne différenciaient pas le brin d'herbe du poisson. Ils avaient encore besoin qu'on les nourrisse, alors qu'ils auraient dû savoir se nourrir eux-mêmes et en nourrir d'autres (v. 12).

Même s'il est bien de recevoir de la nourriture spirituelle de la part de prédicateurs et d'enseignants, il faut également savoir en nourrir d'autres si l'on veut grandir et survivre spirituellement. —J.A.L.

La croissance spirituelle exige la nourriture solide de la Parole de Dieu.

2 avril

Connu pour sa compassion

Lisez :
Actes 11.19-26

Car c'était un homme de bien, plein d'Esprit-Saint et de foi. Et une foule assez nombreuse se joignit au Seigneur. —Actes 11.24

La Bible en un an :
☐ Juges 16 – 18
☐ Luc 7.1-30

Durant les deux années où il a été commandant du Fort Carson, dans le Colorado, le major-général Mark Graham s'est fait connaître et aimer pour la manière dont il traitait les gens. Un collègue de l'armée des États-Unis a dit à son sujet : « Je n'ai jamais rencontré d'officier plus compatissant et plus soucieux du bien-être des soldats et de leurs familles. » Après avoir perdu un de leurs fils pour cause de suicide et un autre au champ d'honneur, Mark et sa femme, Carole, ont résolu d'aider les soldats et leurs familles à composer avec le stress, la dépression et le deuil liés au service militaire.

Dans le livre des Actes, un disciple de Christ s'est fait bien connaître pour son souci des autres. Il s'appelait Joseph, mais dans l'Église primitive, les apôtres l'appelaient Barnabas, un nom qui signifie « fils d'encouragement ». C'est Barnabas qui s'est porté garant de Saul, nouveau converti, quand les autres doutaient de la sincérité de sa foi (Ac 9.26,27). Plus tard, Barnabas a amené Saul de Tarse à enseigner aux croyants d'Antioche (11.25,26). Et c'est Barnabas qui a voulu donner à Jean Marc une deuxième chance, après que celui-ci a manqué à son devoir lors d'un voyage missionnaire antérieur (15.36-38).

La compassion est un sentiment intérieur donnant lieu à une action extérieure. Elle devrait constituer notre uniforme de service quotidien (Col 3.12). Par la grâce de Dieu, puissions-nous nous faire connaître pour notre compassion. —D.C.M.

La vraie compassion, c'est l'amour en action.

3 avril

À L'HEURE DU BILAN

Lisez :
1 Corinthiens 11.27-29

Que chacun donc s'éprouve soi-même, et qu'ainsi il mange du pain et boive de la coupe.
—1 Corinthiens 11.28

La Bible en un an :
☐ Juges 19 – 21
☐ Luc 7.31-50

Chaque année, je fais faire un bilan de santé – cette visite chez le médecin où je me fais palper, examiner sur écran et étudier. C'est quelque chose de facile à appréhender, et même à redouter, car nous ne sommes jamais certains de ce que les tests révéleront ou de ce que le médecin nous dira. Reste que nous savons devoir passer cet examen pour comprendre notre état physique et ce qu'il nous faut faire pour aller de l'avant.

Il en va de même de la véritable spiritualité dans la vie des disciples de Christ. Nous devons nous arrêter de temps à autre et réfléchir à l'état de notre coeur et de notre vie.

La table du Seigneur est l'endroit tout indiqué pour faire un examen de conscience. Paul a écrit aux croyants de Corinthe, dont certains prenaient le repas du Seigneur de manière répréhensible : « Que chacun donc s'éprouve soi-même, et qu'ainsi il mange du pain et boive de la coupe » (1 Co 11.28). En considérant la mort de Christ, qui a payé notre salut de sa vie, nous pouvons acquérir une pensée et une compréhension claires de l'état de notre coeur et de nos relations. Ensuite, avec une compréhension intègre de notre bien-être spirituel, nous pouvons nous tourner vers lui pour obtenir la grâce dont nous avons besoin pour aller de l'avant en son nom.

L'heure est-elle venue de faire votre bilan ? —W.E.C.

L'introspection est un examen dont aucun chrétien n'est exempt.

4 avril

UN BOYAU D'ALIMENTATION ATTACHÉ

LISEZ :
2 Timothée 2.1-7

Il n'est pas de soldat qui s'embarrasse des affaires de la vie.
—2 Timothée 2.4

LA BIBLE EN UN AN :
☐ Ruth 1 – 4
☐ Luc 8.1-25

Le pilote brésilien de Fomule 1 Felipe Massa aurait dû remporter le Grand Prix de Singapour en septembre 2008. Cependant, il a repris la course après un arrêt de ravitaillement avec le tuyau souple de carburant resté attaché au réservoir. Massa a toutefois perdu tellement de temps à attendre que son équipe retire le tuyau qu'il a fini la course au 13e rang.

L'apôtre Paul a mis Timothée en garde contre un autre genre d'attachement qui risquait de le faire tomber, en parlant « des affaires de la vie » (2 Ti 2.4). Il a incité Timothée à ne rien laisser le ralentir ou le distraire de la cause de son Seigneur et Maître.

Notre monde comporte beaucoup d'attraits auxquels il nous est facile de succomber : les passe-temps, les sports, la télévision, les jeux électroniques. Tout cela peut commencer comme des activités de « ravitaillement », mais risque par la suite d'accaparer tellement notre temps et nos pensées qu'il interférera avec la raison pour laquelle Dieu nous a créés : apporter la bonne nouvelle de Christ, le servir par nos dons et le glorifier.

Paul a dit à Timothée pourquoi il ne devait pas s'embarrasser des affaires du monde : afin de « plaire à celui qui l'a enrôlé » (v. 4). Si vous désirez plaire au Seigneur Jésus, vous chercherez à éviter de tomber dans les pièges du monde. Comme Jean nous le rappelle : « Et le monde passe, et sa convoitise aussi ; mais celui qui fait la volonté de Dieu demeure éternellement » (1 Jn 2.17). —C.P.H.

Bien que nous vivions ici-bas,
nous devons déclarer notre allégeance au ciel.

5 avril

LES DERNIERS BONBONS

LISEZ :
Psaume 34.2-11

Sentez et voyez combien l'Éternel est bon ! […] *[Ceux]* qui cherchent l'Éternel ne sont privés d'aucun bien.
—Psaume 34.9,11

LA BIBLE EN UN AN :
☐ 1 Samuel 1 – 3
☐ Luc 8.26-56

Un certain après-midi, Angela a donné quatre bonbons à sa fillette, en lui faisant savoir qu'elle n'en obtiendrait pas d'autres.

Après avoir englouti, pour ainsi dire, les trois premiers, Eliana a consacré beaucoup de temps au dernier. Elle l'a sucé, l'a sorti de sa bouche, l'a mordu, l'a sucé de nouveau, puis s'est mise à en gruger la coque. Sachant qu'il s'agissait de son dernier bonbon, elle a mis au moins 45 minutes à l'ingérer au complet.

C'est avec amusement qu'Angela a regardé faire sa fillette. Il lui est venu à l'esprit qu'elle était en train de regarder Eliana découvrir l'importance de savourer une chose – jouir du goût et de la texture de cette chose, et apprendre à tirer le plus grand plaisir possible de l'agréable expérience.

Quand nous lisons « Sentez et voyez combien l'Éternel est bon ! » (Ps 34.9), nous pouvons avoir la certitude que Dieu veut que nous « savourions » sa présence. Il nous permet d'acquérir une connaissance intime et satisfaisante de sa personne. Et si nous méditons sa Parole, nous en tirerons une compréhension plus profonde de ce qu'il est (Éz 3.1-3). Tandis que nous goûterons à sa bonté et à son amour, il nous révélera la saveur distincte de sa créativité, de sa souveraineté, de sa sainteté et de sa fidélité.

Notre Père doit nous regarder faire avec plaisir tandis que nous apprenons à jouir de sa présence en la savourant. —C.H.K.

Notre plus grand privilège est celui de jouir de la présence de Dieu.

6 avril

Superstars spirituelles

Lisez :
1 Corinthiens 3.1-15

Quand l'un dit : Moi, je suis de Paul ! Et un autre : Moi, d'Apollos ! n'êtes-vous pas des hommes ?
—1 Corinthiens 3.4

La Bible en un an :
☐ 1 Samuel 4 – 6
☐ Luc 9.1-17

Dans la culture d'aujourd'hui, les superstars abondent. De grands joueurs de foot peuvent susciter une exaltation telle qu'il arrive que des partisans déclenchent une émeute dans les gradins. Des musiciens prisés ont des fans qui les écoutent debout avec admiration pendant tous leurs concerts. Et des célébrités d'Hollywood engagent des gardes du corps pour se protéger contre des désaxés qui leur vouent un véritable culte.

Ayant leurs propres « superstars spirituelles », les croyants de Corinthe du Ier siècle ont laissé leur allégeance les diviser. Or, pour Paul, cette forme de favoritisme reflétait la nature pécheresse d'un coeur non soumis à Dieu : « Quand l'un dit : Moi, je suis de Paul ! Et un autre : Moi, d'Apollos ! n'êtes-vous pas des hommes ? » (1 Co 3.4.)

L'enseignement de l'apôtre au sujet de la manière dont nous considérons les leaders chrétiens donne à ce sujet une perspective biblique qui procure une juste perception mutuelle à ceux qui sont dans le ministère : « J'ai planté, Apollos a arrosé, mais Dieu a fait croître » (v. 6). Chacun apportait sa contribution : Paul avait planté par l'évangélisation et Apollos avait arrosé par son enseignement biblique éloquent. Par contre, seul Dieu avait fait croître la semence de la vie spirituelle. Lui seul était la « superstar ».

Nous devrions éviter de mettre tout leader chrétien sur un piédestal. Jouissons plutôt de la manière dont Dieu utilise un éventail de leaders spirituels pour son honneur et sa gloire.
—H.D.F.

Chaque personne a sa place au service de Dieu, et Dieu seul mérite la gloire.

7 avril

LA DURE ÉCOLE

LISEZ :
Hébreux 12.3-11

***[Tout]* châtiment semble d'abord un sujet de tristesse [...] mais il produit plus tard [...] un fruit paisible de justice.**
—Hébreux 12.11

LA BIBLE EN UN AN :
☐ 1 Samuel 7 – 9
☐ Luc 9.18-36

Parmi tous mes souvenirs d'enfance, il y en a un qui se distingue. Bien que je n'aie pas la moindre idée de ce que mon professeur a pu dire, je me rappelle clairement lui avoir dit de « la fermer ». Elle m'a renvoyé chez moi. Je me suis donc levé et j'ai quitté la maternelle pour rentrer chez moi à pied, un demi-pâté de maisons plus loin. Depuis le trottoir, j'ai vu ma mère en train de désherber le jardin derrière la maison. J'avais une décision stratégique à prendre : soit aller dire à ma mère pourquoi je rentrais tôt de l'école, soit retourner à l'école pour faire face à mon professeur.

À mon retour dans la classe, mon professeur m'a immédiatement escorté dans les toilettes, où elle m'a lavé la bouche à la savonnette. Ce genre de mesure disciplinaire ne passerait probablement pas de nos jours, mais croyez-moi, elle s'est montrée efficace ! Encore aujourd'hui, je reste très conscient du poids de mes paroles.

Dieu s'intéresse passionnément à la croissance positive de ses enfants. Voilà pourquoi il doit parfois nous faire passer par des situations désagréables. Il lui faut capter notre attention et réorienter notre vie afin de produire en nous « un fruit paisible de justice » plus durable (Hé 12.11).

Ne vous rebellez pas contre la main correctrice de Dieu. Accueillez ses châtiments d'un coeur reconnaissant, sachant qu'il vous aime assez pour se soucier du genre de personne que vous êtes en train de devenir. —J.M.S.

Le châtiment de Dieu
est notre espoir pour une vie meilleure.

8 avril

COMPRENDRE

LISEZ : 1 Corinthiens 9.11-23

Car, bien que je sois libre à l'égard de tous, je me suis rendu le serviteur de tous, afin de gagner le plus grand nombre.
—1 Corinthiens 9.19

LA BIBLE EN UN AN :
☐ 1 Samuel 10 – 12
☐ Luc 9.37-62

Un chroniqueur sportif chrétien se trouvait dans le club-house d'une ligue majeure de base-ball. Tandis qu'il conversait avec un joueur chrétien, un officiel d'équipe qui passait près d'eux a remarqué qu'ils discutaient de « choses chrétiennes » après une dure défaite. Il a reproché au chroniqueur de ne pas discuter du match, puis il est parti. Le lanceur étoile a alors dit au chroniqueur : « Désolé. Il n'y comprend rien. »

Nous vivons dans un monde où les gens « n'y comprennent rien ». Ils ne comprennent pas que, même si nous nous efforçons d'exceller dans ce que nous faisons, le plus important dans la vie, c'est de plaire à Dieu. C'est pour la gloire de Dieu et l'Évangile de Jésus que le croyant joue au base-ball, vend des primes d'assurance, exploite une imprimerie ou donne des cours.

Selon Paul, le disciple de Christ « *[souffre]* tout, afin de ne pas créer d'obstacle à l'Évangile de Christ » (1 Co 9.12). Il veut faire connaître Jésus. « *[Et]* malheur à moi si je n'annonce pas l'Évangile » (v. 16), a-t-il dit. Un moyen d'y parvenir consiste à vivre une vie de piété qui pousse les gens à nous demander raison de l'espérance qui est en nous (1 Pi 3.15).

Nous sommes entourés de gens qui accordent le plus d'importance aux choses de ce monde. Par contre, au lieu de nous laisser contrarier par la résistance que nous rencontrons, nous devrions chercher à propager l'Évangile en aidant les autres à le « comprendre ». —J.D.B.

Puisse Dieu faire de votre vie une fenêtre lumineuse sur la vie exemplaire de Christ.

9 avril

Courber l'échine

Lisez :
Ésaïe 46.1-9

***[Je]* vous soutiendrai.**
—Ésaïe 46.4

La Bible en un an :
- ☐ **1 Samuel 13 – 14**
- ☐ **Luc 10.1-24**

Dans Ésaïe 46, le prophète illustre le siège de Babylone et l'évacuation de ses idoles. Les chars et les chariots qui les portaient craquaient, et les bêtes fatiguées gémissaient sous leur fardeau (v. 1).

Par contraste, Ésaïe dit que Dieu porte ses enfants dès leur naissance (v. 3). « Jusqu'à votre vieillesse je serai le même, jusqu'à votre vieillesse je vous soutiendrai », a déclaré Dieu (v. 4). Dans le texte hébreu, le contraste est précis et frappant : c'est sur les bêtes que les idoles étaient « chargées » (v. 1), mais c'est sur Dieu que nous sommes chargés (v. 3). Les idoles sont un « fardeau », une chose dont on est chargé (v. 1), mais Dieu nous a « portés » avec plaisir depuis le sein maternel (v. 3).

C'est le Seigneur qui nous a créés (v. 4). Rien ne saurait être plus réconfortant que de savoir que notre Père aime ses enfants et en prend soin. Sa promesse, « je veux encore vous porter » (v. 4), inclut tous les tracas et tous les ennuis qui s'imposeront à nous au cours de notre vie.

Ainsi donc, nous pouvons lui laisser le soin de nous porter, nous et tous nos fardeaux. Il y a d'ailleurs une chanson d'Annie Johnson Flint qui nous met au défi de prendre Dieu au mot : « Ne crains point que répondre à ton besoin il ne sache pas ; notre Dieu désire ardemment partager ses ressources avec toi ; appuie-toi fermement sur son éternel bras ; car toi et ton fardeau ton Père portera. » —D.H.R.

Notre tâche consiste à rejeter tout souci ;
Dieu a pour tâche de se soucier de nous.

10 avril

UN SERVICE ÉTERNEL

LISEZ :
Apocalypse 22.1-7

Voici, je fais toutes choses nouvelles.
—Apocalypse 21.5

LA BIBLE EN UN AN :
☐ 1 Samuel 15 – 16
☐ Luc 10.25-42

Chaque dimanche, deux jeunes frères s'assoyaient dans la première rangée à l'église, à observer leur père en train de diriger le culte d'adoration. Un soir, après avoir envoyé les garçons se coucher, le papa a entendu l'un d'eux pleurer. Il lui a alors demandé ce qui se passait, mais le garçon hésitait à lui répondre. Puis, il a fini par s'ouvrir : « Papa, la Bible dit que nous allons adorer Dieu au ciel *pour toujours*. C'est affreusement long, ça ! » Étant donné qu'il s'imaginait le ciel comme un long culte d'adoration qu'il passerait à regarder son père diriger en avant, le ciel lui semblait être un endroit des plus ennuyeux !

Bien qu'il m'arrive de souhaiter avoir une meilleure idée de ce à quoi ressemblera le ciel, une chose est certaine : il sera tout, sauf *ennuyeux*. Il sera d'une beauté comme nous n'en aurons jamais vu auparavant, y compris « un fleuve d'eau de la vie, limpide comme du cristal » (Ap 22.1). Nous y ferons l'expérience de « la gloire de Dieu », qui éclairera le ciel (21.23 ; 22.5). Et nous y vivrons sans douleur et sans larmes (21.4).

Oui, nous adorerons assurément Dieu au ciel. Des gens « de toute tribu, de toute langue, de tout peuple, et de toute nation » (5.9) y loueront joyeusement Jésus, l'Agneau qui est digne, celui qui est mort pour nous et qui est ressuscité (5.12).

Nous baignerons dans la glorieuse présence de Dieu – *pour toujours*. Par contre, nous n'y vivrons pas un seul instant d'ennui ! —A.M.C.

Les plaisirs d'ici-bas ne sauraient être comparés aux joies de là-haut.

11 avril

LE SYNDROME DU CENT

LISEZ : 1 Samuel 17.32-37

L'Éternel, qui m'a délivré de la griffe du lion [...] me délivrera aussi de la main de ce Philistin.
—1 Samuel 17.37

LA BIBLE EN UN AN :
☐ 1 Samuel 17 – 18
☐ Luc 11.1-28

On a dit du cent qu'il est la pièce de monnaie la plus méprisée de la devise américaine. Beaucoup de gens ne se donnent pas la peine de ramasser un cent à terre. Cependant, certaines oeuvres de bienfaisance sont d'avis que les cents finissent par donner des sommes importantes et que les enfants sont de généreux donateurs. Comme un participant l'a dit : « De petites contributions peuvent faire toute la différence. »

Le récit biblique au sujet de David et de Goliath décrit une personne qui semblait insignifiante, mais dont la confiance en Dieu excédait la force de toutes les personnes puissantes qui l'entouraient. Lorsque David s'est porté volontaire pour faire face à Goliath, le roi Saül lui a dit : « Tu ne peux pas aller te battre avec ce Philistin » (1 S 17.33). Toutefois, David a fait confiance au Dieu qui l'avait délivré par le passé » (v. 37).

David ne souffrait pas du « syndrome du cent », à savoir un sentiment d'infériorité et d'impuissance devant un problème semblant insurmontable. S'il avait cédé au pessimisme de Saül ou aux menaces de Goliath, il n'aurait rien fait. Au lieu de cela, il a agi avec courage, en mettant sa confiance en Dieu.

Il est facile de se sentir comme un cent dans un déficit de milliards de dollars, mais si nous obéissons toujours au Seigneur, tous les petits riens ensemble finissent par faire beaucoup. Collectivement, nos pas de foi, petits et grands, font toute la différence. Et chaque cent compte. —D.C.M.

Lorsque la foi prend les devants, le courage suit.

12 avril

PRÊTER ATTENTION

LISEZ : Luc 11.29-45

Car, de même que Jonas fut un signe pour les Ninivites, de même le Fils de l'homme en sera un pour cette génération.
—Luc 11.30

LA BIBLE EN UN AN :
☐ 1 Samuel 19 – 21
☐ Luc 11.29-54

La route était belle et nous progressions bien vers la maison du père de Jay, en Caroline du Sud. Tandis que nous traversions les montagnes du Tennessee, j'ai commencé à voir des panneaux de détour, mais comme Jay continuait tout droit, je me suis dit qu'ils ne devaient pas nous concerner. Juste avant la Caroline du Nord, un panneau nous indiquait que l'autoroute était fermée à cause d'un éboulement. Il fallait faire demi-tour. Jay s'en est étonné. « Pourquoi n'y avait-il aucun panneau d'avertissement ? » a-t-il voulu savoir. « Il y en a eu plusieurs. Ne les as-tu pas vus ? » « Non, pourquoi ne me les as-tu pas mentionnés ? » « J'ai présumé que tu les avais vus. » Nous racontons maintenant cette aventure pour faire rire nos amis.

Tout au long de l'Histoire, Dieu a fourni aux gens beaucoup de « panneaux » pour leur indiquer comment vivre, mais ils ont poursuivi leur route à leur guise. Lorsque Dieu a fini par envoyer son Fils pour les avertir (Lu 11.30), les chefs religieux en ont fait peu de cas. Ils se la coulaient douce. Ils étaient bien en vue et respectés (v. 43). Ils détestaient se faire dire qu'ils avaient tort (v. 45).

Nous agissons parfois de la sorte nous aussi. Lorsque la vie nous sourit, nous avons tendance à ne pas prêter attention aux avertissements qui devraient nous faire faire demi-tour en revenant de nos mauvaises voies. Il importe que nous sachions que nous sommes peut-être dans l'erreur même lorsque la vie est belle. —J.A.L.

Dieu nous envoie des avertissements pour nous protéger, et non pour nous punir.

13 avril

Pain au levain

Lisez :
Luc 12.1-7

Avant tout, gardez-vous du levain des pharisiens, qui est l'hypocrisie.
—Luc 12.1

La Bible en un an :
☐ 1 Samuel 22 – 24
☐ Luc 12.1-31

Le pain au levain a fait l'objet d'un engouement particulier aux États-Unis durant la ruée vers l'or en Californie au milieu des années 1800. Dans les années 1890, tout le monde y avait pris goût durant la grande ruée vers l'or en Alaska. Les prospecteurs apportaient une petite quantité de mélange à pain au levain contenant une levure naturelle. Ils pouvaient alors s'en servir comme d'une base pour faire leur pain au levain préféré.

Dans la Bible, par contre, la levure et le levain peuvent avoir une connotation négative. Dans le Nouveau Testament, par exemple, on fait souvent un rapprochement entre « le levain » et une influence corruptrice. Voilà pourquoi Jésus a dit : « Avant tout, gardez-vous du levain des pharisiens, qui est l'hypocrisie » (Lu 12.1).

Les hypocrites se font passer pour des gens justes, alors qu'ils dissimulent des pensées et des comportements impies. Christ a prévenu les disciples et nous que les péchés secrets seront un jour dévoilés au grand jour. À ce sujet, il a dit : « Il n'y a rien de caché qui ne doive être découvert, ni de secret qui ne doive être connu » (v. 2). Pour cette raison, nous devons craindre Dieu, lui demander d'avoir la grâce de nous pardonner tout péché et devenir des croyants authentiques.

Il se peut que la levure soit une bénédiction en cuisine, mais elle peut également nous rappeler la nécessité de nous prémunir contre l'influence néfaste du péché dans notre coeur.
—H.D.F.

***[Sachez]* que votre péché vous atteindra.**
– Nombres 32.23

14 avril

SOUFFLE DE VIE

LISEZ :
Psaume 139.13-18

L'Esprit de Dieu m'a créé, et le souffle du Tout-Puissant m'anime.
—Job 33.4

LA BIBLE EN UN AN :
☐ 1 Samuel 25 – 26
☐ Luc 12.32-59

Dans son livre *Life After Heart Surgery*, David Burke explique comment il est passé à un cheveu de la mort. Dans son lit d'hôpital, après une deuxième opération à coeur ouvert, il s'est mis à souffrir beaucoup et à mal respirer. Se sentant glisser vers l'éternité, il a prié une dernière fois, en mettant sa confiance en Dieu et en le remerciant de lui avoir pardonné ses péchés.

David pensait qu'il allait bientôt revoir son père, mort plusieurs années auparavant, quand son infirmière lui a demandé comment il se sentait. Il lui a répondu : « Ça va aller, *maintenant* », pour expliquer qu'il était prêt à aller au ciel et à rencontrer Dieu. « Pas durant mon quart de travail, mon ami ! » lui a-t-elle dit. Peu de temps après, les médecins lui ouvraient la poitrine de nouveau et lui retiraient deux litres de liquide. Après cela, David s'est mis à reprendre du poil de la bête.

Il n'est pas rare que quelqu'un se demande à quoi ressembleront ses derniers instants ici-bas. Cependant, ceux qui « meurent dans le Seigneur » ont la certitude d'être bénis (« Heureux » : Ap 14.13) et que leur mort « a du prix aux yeux de l'Éternel » (Ps 116.15).

Dieu a façonné nos jours *avant* même que nous existions (Ps 139.16), et nous existons aujourd'hui uniquement parce que « le souffle du Tout-Puissant *[nous]* anime » (Job 33.4). Bien que nous ne sachions pas combien de temps il nous reste à vivre, nous pouvons nous reposer dans le fait que Dieu le sait. —C.H.K.

De notre premier à notre dernier souffle, nous sommes sous les bons soins de Dieu.

15 avril

COMPOSER AVEC LES RETARDS

LISEZ :
Ésaïe 26.1-9

À celui qui est ferme dans ses sentiments tu assures la paix, la paix, parce qu'il se confie en toi.
—Ésaïe 26.3

LA BIBLE EN UN AN :
☐ 1 Samuel 27 – 29
☐ Luc 13.1-22

En avril 2010, des nuages de cendres provenant d'un volcan islandais en éruption ont forcé les aéroports à fermer leurs portes pendant 5 jours partout au Royaume-Uni et en Europe. Près de 100 000 vols ont dû être annulés et des millions de passagers du monde entier ont été cloués au sol dans une mer de monde. Des gens ont manqué des événements importants, des entreprises ont perdu de l'argent et personne ne savait quand les choses rentreraient dans l'ordre.

Lorsque nos projets tombent à l'eau et que nous n'y pouvons rien, comment composons-nous avec les contrariétés et les retards ? Ésaïe 26.3,4 est une ancre pour notre âme dans toutes les tempêtes de la vie : « À celui qui est ferme dans ses sentiments tu assures la paix, la paix, parce qu'il se confie en toi. Confiez-vous en l'Éternel à perpétuité, car l'Éternel, l'Éternel est le rocher des siècles. » Que nous nous heurtions à un inconvénient irritant ou à un deuil qui nous brise le coeur, cette promesse ferme vaut la peine que nous la mémorisions et que nous nous la répétions chaque soir au moment de nous endormir.

Aujourd'hui, lorsque nos projets volent en éclats, notre esprit s'arrête-t-il sur la situation ou sur le Seigneur ? En dépit de retards contrariants, parvenons-nous encore à faire confiance au coeur aimant de Dieu ? Nous aurions bien raison de le faire.

—D.C.M.

Si nous mettons nos problèmes entre les mains de Dieu, il met la paix dans notre coeur.

16 avril

DOULEURS ET GAINS

LISEZ :
Psaume 32

**Beaucoup de douleurs sont la part du méchant, mais celui qui se confie en l'Éternel est environné de sa grâce.
—Psaume 32.10**

LA BIBLE EN UN AN :
☐ 1 Samuel 30 – 31
☐ Luc 13.23-35

Durant une période d'entraînement estivale, les entraîneurs d'une équipe de football portaient des t-shirts visant à inciter leurs joueurs à donner le meilleur d'eux-mêmes. Sur ces t-shirts, on pouvait lire : « Chaque jour, vous devez choisir entre la douleur de la discipline et la douleur des regrets. » La discipline n'est pas chose facile, et nous cherchons parfois peut-être à l'éviter. Cependant, dans le sport et la vie, une douleur éphémère est souvent le seul moyen de faire un gain durable. Au coeur de la bataille, il est trop tard pour s'y préparer. Soit que vous soyez prêt à relever les défis de la vie, soit que vous soyez hanté par les « et si », les « si seulement » et les « j'aurais dû » dont s'accompagne l'absence de préparation. Voilà ce qu'est la douleur des regrets.

Quelqu'un a défini le *regret* comme « une aversion intelligente et émotionnelle pour certains de ses propres gestes et comportements passés ». Cela fait mal de regarder nos choix par la lorgnette du regret et de supporter le poids de nos échecs. Cela a été le cas du psalmiste. Après avoir vécu un certain temps dans le péché et l'échec, il a écrit : « Beaucoup de douleurs sont la part du méchant, mais celui qui se confie en l'Éternel est environné de sa grâce » (Ps 32.10). Avec du recul, il a compris qu'il était plus sage de mener une vie qui honore Dieu, libre de tout regret.

Puissent nos choix d'aujourd'hui ne pas finir en regrets, mais s'avérer plutôt sages et utiles pour honorer Dieu. —W.E.C.

Les choix actuels déterminent les récompenses à venir.

17 avril

Qui est celui-ci ?

Lisez :
Luc 19.28-40

Béni soit le roi qui vient au nom du Seigneur !
—Luc 19.38

La Bible en un an :
☐ 2 Samuel 1 – 2
☐ Luc 14.1-24

Imaginez-vous debout, serré dans une foule dense en bordure d'une route de terre. La femme derrière vous se tient sur la pointe des pieds, cherchant à voir qui s'en vient. Au loin, vous apercevez un homme à dos d'âne. À son approche, les gens étendent leur manteau sur la route. Soudain, vous entendez un arbre craquer derrière vous. Un homme est en train de couper des rameaux, que les gens brandissent avant le passage de l'âne.

Les disciples de Jésus lui ont rendu honneur avec zèle lors de son entrée dans Jérusalem quelques jours avant sa crucifixion. La foule s'est réjouie et a loué Dieu pour « tous les miracles qu'ils avaient vus » (Luc 19.37). Les gens qui étaient dévoués à Jésus l'entouraient, en s'écriant : « Béni soit le roi qui vient au nom du Seigneur ! » (v. 38.) Leur hommage enthousiaste a gagné les habitants de Jérusalem. Lorsque Jésus a fini par arriver, « toute la ville fut émue, et l'on disait : Qui est celui-ci ? » (Mt 21.10.)

Aujourd'hui, Jésus pique encore la curiosité des gens. Même si nous ne pouvons pas couvrir son chemin de rameaux ou lui crier des louanges en personne, nous pouvons encore l'honorer. Nous pouvons parler de ses œuvres remarquables, venir en aide aux gens (Ga 6.2), supporter patiemment les insultes (1 Pi 4.14-16) et nous aimer les uns les autres d'un amour ardent (v. 8). Puis, nous devons nous tenir prêts à répondre aux gens en bordure de la route qui demandent : « Qui est Jésus ? » —J.B.S.

Nous honorons le nom de Dieu lorsque nous l'appelons Père et que nous vivons comme son Fils l'a fait.

18 avril

L'UTILITÉ DE LA BONTÉ DE DIEU

LISEZ :
Psaume 67

Que Dieu ait pitié de nous et qu'il nous bénisse, qu'il fasse luire sur nous sa face.
—Psaume 67.2

LA BIBLE EN UN AN :
☐ 2 Samuel 3 – 5
☐ Luc 14.25-35

Quand j'étais enfant, on chantait souvent un chant à l'école du dimanche qui ressemblait à ceci : Dieu est bon pour moi ! Dieu est bon pour moi ! Il me tient la main et m'aide à me tenir debout ! Dieu est bon pour moi ! »

Je dois vous dire d'emblée que je crois que Dieu est bon et qu'il aime faire du bien aux gens. Il nous tient effectivement la main durant l'épreuve et nous aide à résister aux assauts implacables des difficultés de la vie. Toutefois, je me demande si vous vous êtes déjà posé la question : *Pourquoi se montre-t-il bon ?* Ce n'est certainement pas parce que nous le méritons ou parce qu'il ressent le besoin d'acheter notre amour et notre allégeance par ses bienfaits.

Le psalmiste demande à Dieu de le bénir pour « que l'on connaisse sur la terre *[sa]* voie, et parmi toutes les nations *[son]* salut » (Ps 67.3). Les bénédictions quotidiennes de Dieu prouvent qu'il est effectivement un Dieu bon qui prend soin des siens. Cependant, comment notre monde saura-t-il cela au sujet de Dieu si nous ne le louons jamais pour sa bonté envers nous ? (v. 4.)

Ainsi donc, la prochaine fois que Dieu vous bénira, prenez soin de trouver des moyens de lui en reconnaître le mérite. Jouir de ses bénédictions sans faire connaître sa bonté a pour effet de nous priver de la raison même pour laquelle il nous accorde ses bienfaits. —J.M.S.

Dieu est bon – veillez donc à faire savoir à votre entourage ce qu'il a fait dans votre vie.

19 avril

Le mur de séparation

Lisez :
Éphésiens 2.11-22 ; 4.1-3

Car il est notre paix, lui qui des deux n'en a fait qu'un, et qui a renversé le mur de séparation.
—Éphésiens 2.14

La Bible en un an :
☐ 2 Samuel 6 – 8
☐ Luc 15.1-10

Le 9 novembre 2010 a marqué le 21e anniversaire de la chute du mur de Berlin. Ce jour-là de 1989, on a annoncé aux gens sur les ondes de la télévision d'Allemagne de l'Est qu'ils étaient libres d'aller en Allemagne de l'Ouest. Un jour plus tard, des bulldozers de l'Allemagne de l'Est ont commencé à détruire le mur qui avait divisé le pays pendant 28 ans.

Jésus-Christ « a renversé le mur de séparation » entre Juifs et non-Juifs (Ép 2.14), mais il existait une barrière encore plus difficile à renverser qui séparait l'homme de Dieu. La mort et la résurrection de Jésus ont rendu possible la réconciliation des hommes entre eux et des hommes avec Dieu (v. 16).

Tous les croyants sont maintenant des « gens de la maison de Dieu » (v. 19). Ensemble, nous devons grandir jusqu'à devenir « un temple saint dans le Seigneur » (v. 21) et permettre à l'Esprit de Dieu de vivre parmi nous et en nous (v. 22).

Malheureusement, les chrétiens édifient souvent de nouveaux murs entre eux. Voilà d'ailleurs pourquoi Paul nous exhorte ainsi : « *[Marchez]* d'une manière digne de la vocation […] vous supportant les uns les autres avec amour, vous efforçant de conserver l'unité de l'Esprit par le lien de la paix » (4.1-3). Plutôt que d'ériger des murs, travaillons à démanteler ce qui nous divise. Faisons voir au monde que nous sommes effectivement de la même maison. —C.P.H.

L'unité entre croyants vient de leur union avec Christ.

20 avril

CONNAÎTRE LA VOLONTÉ DIVINE

LISEZ :
Éphésiens 5.17-21

[…] afin que vous discerniez quelle est la volonté de Dieu, ce qui est bon, agréable et parfait.
—Romains 12.2

LA BIBLE EN UN AN :
☐ 2 Samuel 9 – 11
☐ Luc 15.11-32

Un jeune homme faisant face à l'avenir sans savoir ce que l'année suivante lui réservait en est venu à cette conclusion : « Personne ne sait quelle est la volonté de Dieu. » A-t-il raison ? L'incertitude par rapport à l'avenir se traduit-elle par l'ignorance de la volonté de Dieu ?

Notre conception de la connaissance de la volonté de Dicu se limite souvent au discernement de la situation précise qui sera la nôtre à un certain moment. Bien que la recherche de la direction précise de Dieu en fasse partie, une autre dimension tout aussi valable consiste à suivre jour après jour les éléments clairement définis de la volonté de Dieu.

Par exemple, Dieu veut que nous soyons de bons citoyens pour convaincre ceux qui s'opposent à Christ (1 Pi 2.15), que nous rendions grâce à Dieu en toutes choses (1 Th 5.18), que notre sexualité soit sanctifiée et que nous évitions ce qui est immoral (1 Th 4.3), que nous permettions au Saint-Esprit de nous diriger (Ép 5.18), que nous lui chantions des cantiques (v. 19) et que nous nous soumettions aux autres croyants (v. 21).

Si nous nous soumettons à Dieu en cela et dans d'autres domaines, nous avons plus de chances de vivre selon ce que Romains 12.2 dit être « bon, agréable et parfait » aux yeux de Dieu. Vivre en faisant sourire Dieu d'approbation nous permet de discerner sa direction pour l'avenir.

En cherchant à connaître la volonté de Dieu pour notre avenir, nous devons également agir en fonction de ce que nous savons déjà. —J.D.B.

Aimez le Seigneur et obéissez-lui chaque jour, et il vous révélera de quoi sera fait votre avenir.

21 avril

SURMONTER NOS PÉCHÉS

LISEZ :
2 Samuel 12.1-23

C'est moi, moi qui efface tes transgressions pour l'amour de moi, et je ne me souviendrai plus de tes péchés.
—Ésaïe 43.25

LA BIBLE EN UN AN :
☐ 2 Samuel 12 – 13
☐ Luc 16

Comment surmonter les périodes où la foi nous manque, lorsque nous avons terni la réputation du royaume de Dieu aux yeux de nos amis et de notre famille ou que nous avons déshonoré Dieu par nos actions ?

Nous pouvons tirer des leçons de l'humiliation qu'a connue le roi David après sa conduite scandaleuse avec Bath-Schéba. Même s'il lui était impossible d'échapper aux terribles conséquences de ce péché, il a retrouvé une relation avec Dieu qui lui a permis de continuer de le servir. Cela nous est également possible.

Le type de comportement de David dans 2 Samuel 12 nous sert bien : nous devons confesser notre erreur en toute franchise (v. 13) et demander à Dieu de nous pardonner. Ensuite, nous pouvons demander à Dieu d'épargner aux autres les conséquences de nos actions (v. 16). Finalement, nous devons reconnaître qu'il n'est tout simplement pas toujours possible d'éviter de subir les conséquences de nos fautes. Cependant, même si nous les regretterons toujours, nous ne devons pas les laisser nous consumer au point de nous empêcher de servir Dieu (v. 20-23).

Satan savoure non seulement notre échec, mais également l'inactivité spirituelle qui résulte parfois de nos remords. Quand nous avons terni notre témoignage, notre erreur doit nous enseigner l'humilité, sans toutefois réduire au silence l'ambassadeur de Christ en nous. Surmontons nos échecs.
—R.K.

Dieu nous pardonne complètement nos péchés, afin de nous accueillir de nouveau en sa présence et à son service.

22 avril

LE PÉCHÉ FAIT MAL

LISEZ :
Hébreux 2.10-18

[Parce] **qu'il s'est livré lui même à la mort, et qu'il a été mis au nombre des malfaiteurs, parce qu'il a porté les péchés de beaucoup d'hommes.**
—Ésaïe 53.12

LA BIBLE EN UN AN :
☐ Ésaïe 53.12
☐ Luc 17.1-19

Tôt ou tard, nous finissons tous par subir les effets douloureux du péché. Parfois, il s'agit du poids de notre propre péché, ainsi que la honte et l'embarras d'avoir misérablement échoué. D'autres fois, il s'agit du poids du péché de quelqu'un d'autre qui nous accable – quelqu'un qui nous a trahis, déçus, abandonnés, ridiculisés, trompés ou pris pour des imbéciles.

Rappelez-vous une occasion où le poids de votre culpabilité ou de votre douleur était tel que vous ne parveniez pas à sortir du lit. Tentez maintenant d'imaginer le poids de la tristesse dont les péchés de tout le monde ont accablé votre famille, votre Église, votre quartier. Ajoutez-y toute la souffrance dont les péchés ont accablé tout le monde dans votre ville, votre État, votre pays et le monde. Essayez maintenant d'imaginer la somme de tristesse que ces péchés ont causée au fil des siècles depuis la création.

N'y a-t-il rien d'étonnant à ce que le poids de tous ces péchés se soit mis à écraser le cœur de Jésus le soir où il a été appelé à les prendre sur lui (Mt 26.36-44) ? Le lendemain, même son Père bien-aimé allait l'abandonner. Aucune souffrance ne saurait se comparer à celle-là.

Le péché a fait subir à Jésus l'épreuve ultime. Toutefois, son amour l'a subie, sa force l'a supportée et sa puissance l'a surmontée. Grâce à la mort et à la résurrection de Jésus, nous savons sans l'ombre d'un doute que le péché n'aura pas la victoire, car il ne le peut pas. —J.A.L.

Le tombeau vide de Christ garantit notre victoire sur le péché et la mort.

23 avril

UNE FAMILLE EN DIFFICULTÉ

LISEZ :
Malachie 4.4-6 ; Matthieu 1.1,2

[Il] ramènera plusieurs des fils d'Israël au Seigneur, leur Dieu.
—Luc 1.16

LA BIBLE EN UN AN :
☐ 2 Samuel 16 – 18
☐ Luc 17.20-37

La vie de bon nombre des 30 millions de cerfs de Virginie des Amériques est mise en péril non pas à cause des armes à feu, mais des voitures qui circulent dans nos banlieues en expansion. Leur sort m'est venu à l'esprit lorsqu'une biche adulte s'est mêlée aux voitures en bondissant juste devant la mienne. En la regardant aller, je me suis demandé ce qui avait bien pu la pousser à courir un tel risque et pourquoi elle s'était arrêtée de l'autre côté de la route pour regarder derrière elle. En passant à côté d'elle, j'ai tourné la tête pour suivre son regard et j'ai vu deux petits faons regarder désespérément leur mère depuis l'autre côté de la rue très fréquentée. Au lieu de la suivre, ils ont fait demi-tour et sont retournés dans le bois.

Cette famille n'est pas la seule dans cette situation, car il peut nous arriver aussi d'être séparés de quelqu'un et d'être exposés à un danger que nous n'avions pas prévu. La lecture de Malachie et de Matthieu nous rappelle que nous sommes des enfants dans le pétrin issus de parents dans le pétrin qui ont désespérément besoin de l'aide de notre Père céleste. Parfois, son aide nous est nécessaire pour voir et éviter de répéter les péchés de nos pères (Né 9.2,3). Nous avons parfois besoin qu'il nous aide à retourner à l'exemple et aux bons soins de parents aimants (Lu 15.18).

Seul notre Père céleste peut nous apporter, en tant qu'enfants déchus de parents déchus, la grâce, le pardon et l'exemple parfaits nécessaires. Or, il nous offre même l'aide de son Esprit et le salut en son Fils. —M.R.D.

Il n'est jamais trop tôt pour retourner à Dieu.

24 avril

TROP BEAU POUR ÊTRE VRAI ?

LISEZ :
Luc 24.1-12

Ils [*les disciples*] prirent ces discours pour des rêveries, et ils ne crurent pas ces femmes.
—Luc 24.11

LA BIBLE EN UN AN :
☐ 2 Samuel 19 – 20
☐ Luc 18.1-23

Dans les années 1980, John Knoll et son frère Thomas se sont mis à faire des expériences en manipulation d'images à l'aide d'un logiciel. Les sociétés d'informatique les traitaient de fous, car les photographes de l'époque n'utilisaient pas d'ordinateur. Les frères ont appelé leur logiciel Display, puis Imaginator et ensuite Photoshop®. Aujourd'hui, partout dans le monde, les amateurs utilisent Photoshop® à la maison et les professionnels l'utilisent au bureau. Dans un article du *San Jose Mercury News*, on a mentionné son emploi dans le langage courant. Quand quelque chose est trop beau pour être vrai, on dit : « Y'a du Photoshop là-dessous. »

Le premier matin pascal, les femmes qui ont amené des aromates pour oindre le corps de Jésus ont trouvé le tombeau vide et ont entendu des anges dire : « Il n'est point ici, mais il est ressuscité » (Lu 24.6). Lorsque les femmes ont rapporté cette parole aux disciples, « *[ils]* prirent ces discours pour des rêveries, et ils ne crurent pas ces femmes » (v. 11). Insensé ! Impossible ! Trop beau pour être vrai !

Si quelqu'un a falsifié les preuves, des millions de gens dans le monde se réunissent de nos jours pour célébrer un mythe. Par contre, si Jésus a bel et bien vaincu la mort, alors tout ce qu'il a dit au sujet du pardon, du pouvoir de changer et de la vie éternelle est vrai.

Étant donné que Christ est ressuscité et qu'il vit aujourd'hui, cette nouvelle est trop belle pour ne pas être vraie ! —D.C.M.

La résurrection est un fait historique qui exige qu'on le reçoive par la foi.

25 avril

LA RÉSURRECTION ET LA VIE

LISEZ :
1 Corinthiens 15.1-11

Je suis la résurrection et la vie.
—Jean 11.25

LA BIBLE EN UN AN :
☐ 2 Samuel 21 – 22
☐ Luc 18.24-43

Jésus a dit : « Je suis la résurrection et la vie ». C'est une chose de faire une affirmation aussi audacieuse, c'en est une autre de l'étayer, ce que Jésus a pourtant fait en ressuscitant des morts.

George MacDonald a écrit : « Si vous croyez que le Fils de Dieu est mort et qu'il est ressuscité, tout votre avenir est rempli de l'aube d'un matin éternel, se levant derrière les collines de la vie, et d'espoirs tels que la plus grande imagination du poète n'en a pas encore le moindre soupçon. »

Le Fils de Dieu est mort et est ressuscité, et sa résurrection garantit que Dieu nous élèvera hors de la terre : une personne reconnaissable dotée de pensées, de sentiments et d'une mémoire vivra pour toujours.

Vivre pour toujours revient à vivre en pratique la pensée de l'éternité que Dieu a placée dans notre cœur ; à revoir nos êtres chers qui avaient la foi lorsque la mort nous les a enlevés ; à vivre dans un monde où il n'y aura plus de tristesse ; à voir notre Seigneur qui nous aime et qui a tout donné afin de nous unir à lui pour l'éternité.

J'y vois aussi un autre sens. Comme nous avons la vie ici-bas et là-haut, il nous est inutile de « tout avoir » maintenant. Nous pouvons vivre dans un corps brisé et gâché pendant un certain temps ; nous pouvons supporter la pauvreté et les épreuves pendant un certain temps ; nous pouvons subir la solitude, les blessures et les souffrances pendant un certain temps. Pourquoi ? Parce que nous renaîtrons au ciel pour l'éternité. —D.H.R.

La résurrection est le fondement de notre foi.

26 avril

DIFFICILE À IMAGINER

LISEZ : Philippiens 1.19-26

Je suis pressé des deux côtés : j'ai le désir de m'en aller et d'être avec Christ, ce qui de beaucoup est le meilleur.
—Philippiens 1.23

LA BIBLE EN UN AN :
☐ 2 Samuel 23 – 24
☐ Luc 19.1-27

Chaque fois que ma femme, Martie, et moi nous apprêtons à partir en vacances, nous aimons nous renseigner sur notre destination, étudier les cartes routières et anticiper la joie de finalement arriver au lieu tant rêvé.

Ceux d'entre nous qui connaissent Jésus-Christ ont une destination incroyable devant eux : le ciel. Cependant, je trouve intéressant que beaucoup d'entre nous ne semblent pas chercher à y aller avec grand enthousiasme. Pourquoi ? Peut-être parce qu'ils ne comprennent pas le ciel. On parle de rues d'or et de portes de perle, mais qu'est-ce que le ciel au juste ? Qu'y a-t-il au ciel qui vaille la peine que l'on cherche à y entrer ?

À mon avis, la description la plus profonde du ciel se trouve dans les paroles que Paul a adressées aux croyants de Philippe. Il a dit que « *[s'en]* aller et d'être avec Christ » est « de beaucoup le meilleur » (Ph 1.23). Voilà ce que j'ai dit à mon petit-fils de 8 ans lorsqu'il m'a demandé à quoi ressemblait le ciel. J'ai commencé par lui demander : « Quelle est la chose la plus passionnante de ta vie ? » Il m'a parlé de ses jeux électroniques et d'autres choses qu'il trouvait amusantes, puis je lui ai dit que le ciel était beaucoup mieux que tout cela. Après y avoir réfléchi une minute, il m'a dit : « Papa, c'est difficile à imaginer. »

Qu'attendez-vous avec impatience de la vie ? Qu'est-ce qui vous passionne ? Peu importe ce que c'est, et bien que la chose soit difficile à imaginer, dites-vous que le ciel sera bien mieux ! —J.M.S.

Plus vous attendez impatiemment d'aller au ciel, moins vous désirerez de choses ici-bas.

27 avril

La gallerie des murmures

Lisez :
Proverbes 10.13-23

Celui qui parle beaucoup ne manque pas de pécher, mais celui qui retient ses lèvres est un homme prudent.
—Proverbes 10.19

La Bible en un an :
☐ 1 Rois 1 – 2
☐ Luc 19.28-48

À Londres, la cathédrale à dôme St. Paul comporte un phénomène architectural intéressant que l'on appelle « la galerie des murmures ». Sur un certain site Web, on l'explique ainsi : « Elle tient son nom du fait que, si quelqu'un murmure quelque chose en se tenant face au mur d'un certain côté, on l'entendra clairement de l'autre côté, car le son y parviendra en suivant la vaste courbe du dôme. »

Autrement dit, vous pourriez vous asseoir avec un ami, chaque d'un côté de la grande cathédrale de l'architecte sir Christopher Wren, et discuter ensemble sans même avoir à élever la voix ; il vous suffirait de murmurer.

Or, bien qu'il s'agisse d'une particularité fascinante de la cathédrale St. Paul, celle-ci devrait nous servir de mise en garde. Ce que nous disons à quelqu'un dans le secret peut parvenir tout aussi facilement aux oreilles d'autres personnes que les murmures parviennent de l'autre côté de cette galerie. Or, non seulement nos cancans peuvent se rendre loin, mais ils causeront souvent aussi beaucoup de torts chemin faisant.

Peut-être cela explique-t-il que la Bible nous mette si souvent en garde contre les propos que nous tenons. Le sage roi Salomon a écrit : « Celui qui parle beaucoup ne manque pas de pécher, mais celui qui retient ses lèvres est un homme prudent » (Pr 10.19).

Plutôt que de murmurer et de médire, ce qui risque de blesser inutilement, nous aurions intérêt à ne rien dire. —W.E.C.

La médisance prend fin à l'oreille du sage.

Ceux qui haïssent Dieu

Lisez :
2 Timothée 2.23-26

Dieu les a livrés à leur sens réprouvé.
—Romains 1.28

La Bible en un an :
☐ 1 Rois 3 – 5
☐ Luc 20.1-26

Dernièrement, j'ai écouté le livre audio d'un fervent défenseur de l'athéisme. En écoutant l'auteur lire son propre livre avec un sarcasme mordant et méprisant, je me suis demandé pourquoi il était si en colère.

La Bible nous dit que le fait de rejeter Dieu risque en fait de conduire à unc attitude plus haineuse envers lui : « Comme ils ne se sont pas souciés de connaître Dieu, Dieu les a livrés à leur sens réprouvé, pour commettre des choses indignes » (Ro 1.28).

Le fait de tourner le dos à Dieu ne conduit personne à la neutralité séculière. En effet, des militants de l'athéisme ont indiqué récemment leur désir d'éliminer de la culture toute allusion au Créateur.

Lorsque nous entendons parler des athées qui tentent de faire disparaître les croix ou les dix commandements de la société, il nous serait facile de réagir à leur haine de Dieu par notre propre haine. Cependant, la Bible nous exhorte à défendre la vérité avec amour, à « redresser avec douceur les adversaires, dans l'espérance que Dieu leur donnera la repentance pour arriver à la connaissance de la vérité » (2 Ti 2.25).

La prochaine fois que vous verrez les œuvres ou entendrez les propos d'une personne qui déteste Dieu, faites un examen de conscience. Demandez ensuite à Dieu de vous donner de l'humilité et priez pour que son adversaire arrive à la connaissance de la vérité. —H.D.F.

Défendez la vérité avec amour.

29 avril

LE POUVOIR DES ASTRES

LISEZ :
Job 38.1-11,31-33

Connais-tu les lois du ciel ? Règles-tu son pouvoir sur la terre ?
—Job 38.33

LA BIBLE EN UN AN :
☐ 1 Rois 6 – 7
☐ Luc 20.27-47

À tous ceux d'entre nous qui, comme Job, ont subi une tragédie et ont ensuite osé adresser leurs questions à Dieu, le chapitre 38 du livre de Job devrait donner largement matière à réflexion. Imaginez ce que le grand homme de l'Orient a dû ressentir lorsque, « du milieu de la tempête », il a entendu Dieu lui dire : « Qui est celui qui obscurcit mes desseins par des discours sans intelligence ? Ceins tes reins comme un vaillant homme ; je t'interrogerai, et tu m'instruiras » (v. 1-3). Encaisse le coup !

Job a dû se sentir minuscule comme une fourmi. En posant ses questions dans le verset suivant, Dieu a tenu des propos tout aussi inattendus que puissants. Il n'a pas vraiment répondu aux « pourquoi » de Job. Dieu semblait plutôt lui demander de remarquer la puissance avec laquelle il avait créé le monde et d'observer le savoir faire avec lequel il en maîtrisait chaque élément. *N'est-ce pas là une raison suffisante pour faire confiance à Dieu ?* Job aurait dû se poser la question à lui-même.

En exemple de sa puissance extraordinaire, Dieu a évoqué le ciel et a demandé à Job d'observer deux de ses créations admirables : les Pléiades et l'Orion (v. 31). En soulignant sa propre grandeur et l'insignifiance relative de l'homme, Dieu a mentionné deux constellations dont la puissance dépasse notre entendement.

Voilà un Dieu en qui nous pouvons avoir confiance. S'il tient les astres dans sa main, il peut certainement aussi prendre soin de nous. —J.D.B.

Celui qui tient les astres dans l'espace tient les gens dans sa main.

30 avril

Abuser de la grâce ?

Lisez :
Romains 6.1-14

**Que le péché ne règne donc point dans votre corps mortel.
—Romains 6.12**

La Bible en un an :
☐ 1 Rois 8 – 9
☐ Luc 21.1-19

Paul a dit : « *[Là]* où le péché a abondé, la grâce a surabondé » (Ro 5.20). Toutefois, ce concept radical ouvre une écluse théologique. Jude, l'auteur biblique, fait une mise en garde selon laquelle il est possible de « *[changer]* la grâce de notre Dieu en dérèglement » (Jud 4). Pourquoi bien agir quand on sait que l'on sera pardonné ? On aura beau insister sur la repentance, rien n'enrayera jamais complètement ce danger.

Dans Romains 6, Paul va droit au but : « Demeurerions-nous dans le péché, afin que la grâce abonde ? » À cette question, il fournit une réponse courte et explosive : « Loin de là ! » (v. 1,2.) Puis il emploie une analogie mettant la mort et la vie en contraste marqué : « Nous qui sommes morts au péché, comment vivrions-nous encore dans le péché ? » (v. 2.) Aucun chrétien ressuscité pour la nouvelle vie ne devrait s'adonner au péché.

Pourtant, la méchanceté ne semble pas toujours avoir la puanteur de la mort. Le péché est parfois extrêmement attrayant.

Ayant admis cette vérité, Paul prodigue les conseils suivants : « Ainsi vous-mêmes, regardez-vous comme morts au péché, et comme vivants pour Dieu en Jésus-Christ » et « Que le péché ne règne donc point dans votre corps mortel » (v. 11,12).

Si nous comprenions véritablement l'amour que Dieu nous porte, nous passerions nos journées à admirer et à communiquer, et non à exploiter, sa grâce. —P.D.Y.

Dieu ne nous sauve pas par grâce pour que nous vivions dans la disgrâce. – Fabre

1er mai

Si je pouvais arrêter le temps

Lisez :
1 Rois 10.23 – 11.4

***[Car]* la gloire de l'Éternel remplissait la maison de l'Éternel.**
—1 Rois 8.11

La Bible en un an :
☐ 1 Rois 10 – 11
☐ Luc 21.20-38

Chaque année, à l'arrivée du mois de mai au Michigan, j'aimerais arrêter le temps. Je me réjouis de voir des pousses fragiles, qui refusent de se laisser confiner par de l'argile durcie et des branches cassées, vaincre la mort. Sur une période de quelques semaines, le paysage nu se transforme et se couvre de feuilles verdoyantes et de fleurs éclatantes et parfumées. Je ne me lasse jamais de la vue, des sons et des senteurs du printemps. J'aimerais vraiment que le temps s'arrête.

En mai également, selon mon échéancier de lectures bibliques, j'arrive à 1 Rois. Rendue au chapitre 10, j'éprouve ce même sentiment : j'aimerais que le récit prenne fin. La nation d'Israël est florissante. Salomon est devenu roi et a fait bâtir une demeure somptueuse pour Dieu, où celui-ci s'est installé et que sa gloire remplit (8.11). Enfin réunis sous le règne d'un roi juste, les Israélites vivaient en paix. Les belles fins me plaisent tant !

Toutefois, l'histoire ne se termine pas là. Elle se poursuit ainsi : « Le roi Salomon aima beaucoup de femmes étrangères » (11.1) et « ses femmes inclinèrent son cœur vers d'autres dieux » (v. 4).

Les saisons de l'année se suivent, ainsi en est-il des cycles de la vie : naissance et mort, réussite et échec, péché et confession. Bien que nous ne puissions pas arrêter le temps durant les bons moments, nous avons l'assurance de la promesse de Dieu selon laquelle toutes les mauvaises choses cesseront un jour (Ap 21.4). —J.A.L.

Dans les bons comme dans les mauvais moments, Dieu est toujours le même.

2 mai

DEUX RÈGLES À SUIVRE

LISEZ : Matthieu 22.34-40

De ces deux commandements dépendent toute la loi et les prophètes.
—Matthieu 22.40

LA BIBLE EN UN AN :
☐ 1 Rois 12 – 13
☐ Luc 22.1-20

Vous êtes-vous déjà senti dépassé par des règles et des attentes ? Réfléchissez à ce que les Juifs ont dû ressentir lorsqu'ils s'efforçaient d'observer plus de 600 règles tirées de l'Ancien Testament et de nombreuses autres que les chefs religieux de leur époque leur avaient imposées. Et imaginez quelle a été leur surprise lorsque Jésus a simplifié la recherche de la justice en réduisant la liste à deux règles : « Tu aimeras le Seigneur, ton Dieu » (Mt 22.37) et « Tu aimeras ton prochain comme toi-même » (v. 39).

Jésus nous dit essentiellement que Dieu reconnaît notre amour pour lui à la manière dont nous traitons les gens. Tout le monde. Regardons les choses en face, il peut nous être difficile d'aimer notre prochain. Cependant, lorsque nous le faisons pour exprimer notre amour à Dieu, nous libérons une puissante motivation pour aimer, et cela, que la personne le mérite ou non. Et en aimant Dieu et notre prochain, tout le reste tombe en place. Si j'aime mon prochain, je ne porterai pas de faux témoignage contre lui, je ne convoiterai pas sa richesse ou sa femme, et je ne lui déroberai rien. Le fait d'aimer les autres par amour pour Dieu nous procure même la grâce et la force de pardonner à ceux qui nous ont fait subir de grandes injustices.

Qui aujourd'hui a besoin de voir l'amour de Dieu se manifester par vous ? Plus la personne est difficile à aimer, plus en l'aimant vous prouvez combien vous aimez Dieu !
—J.M.S.

L'amour pour Dieu est le secret de l'amour pour les autres.

3 mai

Jamais seul

Lisez :
Hébreux 13.1-8

Ne vous livrez pas à l'amour de l'argent ; contentez-vous de ce que vous avez ; car Dieu lui-même a dit : Je ne te délaisserai point, et je ne t'abandonnerai point.
—Hébreux 13.5

La Bible en un an :
☐ 1 Rois 14 – 15
☐ Luc 22.21-46

Ayant joué au foot de niveau collégial, je n'ai jamais perdu mon amour pour « le beau jeu ». J'aime surtout regarder jouer l'English Premier League, en partie pour l'habileté et la rapidité avec lesquelles on joue au foot en Angleterre. J'aime aussi énormément que les supporteurs y chantent pour soutenir leur équipe préférée. Par exemple, Liverpool a adopté pendant des années la chanson « You'll Never Walk Alone » (Tu ne marcheras jamais seul). Comme c'est émouvant de voir 50 000 supporteurs se lever comme un seul homme et de les écouter chanter ce classique ! C'est encourageant tant pour les joueurs que pour les supporteurs de savoir qu'ils iront ensemble jusqu'au bout. Marcher seul ? Jamais.

Ce sentiment est évocateur. Comme chacun de nous a été créé en vue de la vie communautaire, l'isolement et la solitude font partie des expériences humaines les plus douloureuses. En période difficile, la foi est primordiale.

L'enfant de Dieu n'a jamais à redouter l'abandon. Même si l'on nous tourne le dos, des amis nous laissent tomber ou une situation nous sépare de nos êtres chers, nous ne sommes jamais seuls. Dieu a dit : « Je ne te délaisserai point, et je ne t'abandonnerai point » (Hé 13.5). Il ne s'agit pas simplement d'un bel air ou de belles paroles offrant un sentiment vide. Il s'agit de la promesse que Dieu lui-même fait aux destinataires de son amour. Il est là – et il ne s'en va pas.

Avec Christ, vous ne marcherez jamais seul. —W.E.C.

La présence de Dieu auprès de nous est l'un de ses plus grands présents pour nous.

4 mai

Le slogan

Lisez :
Jacques 4.7-10

Soumettez-vous donc à Dieu.
—Jacques 4.7

La Bible en un an :
☐ 1 Rois 16 – 18
☐ Luc 22.47-71

Dans l'histoire de la publicité aux États-Unis, l'un des slogans les plus efficaces des producteurs laitiers en Californie est « Got milk ? » (T'as du lait ?) Par lui, on a capté l'attention de presque tout le monde. Dans les sondages, plus de 90 p. cent des répondants ont reconnu ce slogan.

Si « Got milk ? » rappelle si bien aux gens la nécessité de boire « du jus de vache », peut-être pourrions-nous créer de courts slogans pour nous rappeler la nécessité de mener une vraie vie de piété. Regardons Jacques 4, qui nous donne quatre lignes directrices bien précises, et tentons le coup.

1. *Soumettez-vous !* Le verset 7 nous demande de nous soumettre à Dieu. Notre Dieu souverain nous aime, alors pourquoi ne pas le laisser diriger la barque ? La soumission nous aide à résister au diable. 2. *Approchez-vous !* Le verset 8 nous rappelle la nécessité de nous approcher de Dieu. Il n'en tient qu'à nous de réduire l'écart entre nous et Dieu. 3. *Nettoyez vos mains !* Le verset 8 nous rappelle aussi de veiller à ce que notre cœur soit pur. Cela se produit lorsque nous confessons nos péchés à Dieu. 4. *Humiliez vous !* Jacques dit que nous devons nous humilier devant Dieu (v. 10). Cela inclut le fait de percevoir notre péché comme quelque chose sur lequel pleurer.

Soumettez-vous ! Approchez-vous ! Nettoyez vos mains ! Humiliez-vous ! Il se peut que ces paroles ne paraissent pas aussi bien sur un t-shirt que « Got milk ? » mais elles paraîtront certainement bien sur nous. —J.D.B.

Le témoignage le plus puissant est celui d'une vie de piété.

5 mai

C'EST L'HEURE DE PRIER ?

LISEZ :
Psaume 70

Ô Dieu, hâte-toi de me délivrer !
—Psaume 70.2

LA BIBLE EN UN AN :
☐ 1 Rois 19 – 20
☐ Luc 23.1-25

Enfant, un matin, j'étais assis à la cuisine à regarder ma mère en train de préparer le petit déjeuner. Soudain, la graisse du poêlon dans lequel elle faisait frire du bacon a pris feu. Des flammes se sont mises à jaillir et ma mère s'est rendue au garde-manger au pas de course pour y prendre un sac de farine à jeter sur le feu.

« À l'aide ! » ai-je crié. Puis, j'ai ajouté : « Oh, j'aimerais que ce soit le temps de prier ! » « C'est l'heure de prier » devait se dire souvent chez moi, et j'ai dû penser que nous ne devions prier que dans certaines situations.

Bien entendu, il convient de prier en tout temps – surtout en temps de crise. La peur, les inquiétudes, l'angoisse et les soucis sont les occasions les plus courantes de prier. C'est lorsque nous sommes désespérés, abandonnés et privés de toute ressource humaine que nous avons naturellement recours à la prière. Nous nous exclamons en prononçant les paroles de David : « Ô Dieu, hâte-toi de me délivrer ! » (Ps 70.2.)

Jean Cassien, un chrétien du Ve siècle, a écrit au sujet de ce verset : « Il s'agit du cri terrifié de quelqu'un qui voit les pièges de l'ennemi, le cri de quelqu'un d'assiégé jour et nuit s'exclamant qu'il lui est impossible d'y échapper, à moins que son Protecteur vienne à son secours. »

Puisse « Aide-moi, Seigneur ! » être notre simple prière en toute crise et toute la journée. —D.H.R.

Il n'existe ni lieu ni temps où l'on ne peut prier.

6 mai

LA SAGE FOURMI

LISEZ :
Proverbes 6.6-11

[*La fourmi*] prépare en été sa nourriture, elle amasse pendant la moisson de quoi manger.
—Proverbes 6.8

LA BIBLE EN UN AN :
☐ 1 Rois 21 – 22
☐ Luc 23.26-56

Chaque année, je fais quelque chose de spécial pour célébrer l'arrivée du printemps : j'achète des pièges à fourmis. Ces petits envahisseurs viennent toujours dans notre cuisine pour y chercher des miettes tombées au sol. Elles ne font pas les difficiles ; un morceau de chips, un grain de riz ou même un tout petit bout de fromage fera l'affaire.

Bien que les fourmis puissent être une vraie plaie, Salomon a loué leur excellente éthique de travail (Pr 6.6-11). Il a fait remarquer que les fourmis se dirigent elles-mêmes. Même si elles n'ont « ni chef, ni inspecteur, ni maître » (v. 7), elles sont très productives. Elles se tiennent également occupées même si cela ne leur est pas immédiatement nécessaire, préparant leur nourriture en été et amassant de quoi manger pendant la moisson (v. 8). L'hiver venu, elles savent de quoi elles se nourriront. Petit à petit, ces insectes ingénieux ont économisé assez pour subvenir à leur subsistance.

Nous avons des leçons à tirer des fourmis. Lorsque Dieu nous accorde des périodes d'abondance, nous pouvons nous préparer en vue de périodes de vaches maigres. C'est Dieu qui nous procure tout ce que nous avons, y compris notre capacité de travailler. Nous devons travailler avec zèle, être de bons économes de ce qu'il nous procure, puis compter sur lui pour prendre soin de nous comme il nous l'a promis (Mt 6.25-34).

Rappelons-nous le conseil de Salomon : « Va vers la fourmi […] ; considère ses voies, et deviens sage » (Pr 6.6).
—J.B.S.

Faites confiance à Dieu aujourd'hui,
et préparez-vous à demain.

7 mai

PAIX ET RÉCONCILIATION

LISEZ : Matthieu 18.21-35

***[Ne]* devrais-tu pas aussi avoir pitié de ton compagnon, comme j'ai eu pitié de toi ? —Matthieu 18.33**

LA BIBLE EN UN AN :
☐ 2 Rois 1 – 3
☐ Luc 24.1-35

À la fin de la guerre de Sécession, en 1865, plus d'un demi-million de soldats étaient morts, l'économie était au plus mal et les gens étaient très divisés sur le plan politique. La fête des Mères aux États-Unis a vu le jour grâce aux efforts de paix et de réconciliation que deux femmes ont fournis en ce temps d'angoisse. En 1870, Julia Ward Howe a demandé que soit instaurée une fête des Mères internationale lors de laquelle les femmes se réuniraient pour s'opposer à la guerre sous toutes ses formes. Quelques années plus tard, Anna Reeves Jarvis a lancé sa journée annuelle de Fraternité des mères dans une tentative pour réunir les familles et les voisins séparés par la guerre. Les amis et les familles qui sont divisés et qui refusent de pardonner s'attirent toujours de grandes souffrances.

L'Évangile de Jésus-Christ est porteur d'une promesse de paix et de réconciliation avec Dieu et les uns avec les autres. Lorsque Pierre a demandé à Jésus combien de fois il devait pardonner à un frère qui a péché contre lui (Mt 18.21), le Seigneur a étonné tout le monde en répondant : «soixante-dix fois sept fois » (v. 22). Puis, Jésus a raconté une histoire inoubliable au sujet d'un serviteur qui, ayant reçu le pardon, l'a ensuite refusé à quelqu'un (v. 23-35). Or, comme Dieu nous pardonne librement, il demande que nous donnions à notre tour ce que nous avons reçu.

Avec l'amour et la puissance de Dieu, le pardon est toujours possible. —D.C.M.

Le pardon, c'est le christianisme en action.

8 mai

Apprendre à faire confiance

Lisez :
Ésaïe 66.7-13

Confie-toi en l'Éternel, et pratique le bien ; aie le pays pour demeure et la fidélité pour pâture.
—Psaume 37.3

La Bible en un an :
☐ 2 Rois 4 – 6
☐ Luc 24.36-53

Lorsque j'ai installé mon appareil dans le buisson pour prendre une photo des bébés rouges-gorges, ils ont ouvert le bec sans ouvrir les yeux. Ils étaient tellement habitués à ce que leur maman les nourrisse lorsque les branches bougeaient qu'ils n'ont même pas regardé pour voir qui (ou ce qui) causait la perturbation.

Voilà le genre de confiance qu'une mère aimante inspire à ses enfants. C'est le genre de mère que j'ai la bénédiction d'avoir. En grandissant, je pouvais manger tout ce qu'elle mettait sur la table sans craindre de me faire du tort. Bien qu'elle m'ait forcée à manger des choses qui me déplaisaient, je savais qu'elle le faisait parce que ces choses étaient bonnes pour moi. Si elle ne s'était souciée que de se faciliter la tâche, elle m'aurait laissée manger n'importe quoi. Peu importe ce que ma mère me disait de faire, ou de ne pas faire, je savais qu'elle avait mes intérêts à cœur. Elle ne cherchait pas à m'empêcher de m'amuser ; elle cherchait à me protéger.

Voilà le genre de relation que nous avons avec Dieu, qui s'est comparé à une mère : « Comme un homme que sa mère console, ainsi je vous consolerai » (És 66.13). En tant que ses enfants, nous n'avons rien à craindre pour nous-mêmes, ni rien à envier aux autres : « *[N'envie]* pas ceux qui font le mal » (Ps 37.1). Lorsque nous comptons sur sa bonté, sa fidélité nous nourrit. —J.A.L.

Dieu nous entoure de ses tendres soins.

9 mai

UN AMOUR UTILE

LISEZ :
Jean 1.9-14

Et la Parole a été faite chair, et elle a habité parmi nous.
—Jean 1.14

LA BIBLE EN UN AN :
☐ 2 Rois 7 – 9
☐ Jean 1.1-28

Au terme du passage de ma mère sur la terre, elle et papa étaient encore très amoureux l'un de l'autre et partageaient une foi solide en Christ. Ma mère était atteinte de démence et commençait à perdre le souvenir même de sa famille. Papa lui rendait quand même souvent visite à la résidence et trouvait des moyens de composer avec ses facultés affaiblies.

Par exemple, il lui apportait du saltwater taffy, lui en développait un morceau et le lui mettait dans la bouche, ce qu'elle ne pouvait plus faire d'elle-même. Puis, tandis qu'elle mâchait lentement la friandise, papa restait assis là à lui tenir la main en silence. Lorsque leur temps ensemble prenait fin, papa, le visage illuminé d'un grand sourire, disait : « J'éprouve une telle paix et une telle joie en sa compagnie. »

Même si j'étais touché de voir papa se réjouir autant de venir en aide à maman, la réalité selon laquelle il dépeignait la grâce de Dieu me touchait davantage. Jésus était prêt à s'humilier pour entrer en relation avec nous malgré nos faiblesses. En réfléchissant à l'incarnation de Christ, Jean a écrit : « Et la Parole a été faite chair, et elle a habité parmi nous » (1.14). En endossant nos limites humaines, il a accompli d'innombrables gestes de compassion afin de nous accommoder dans nos faiblesses.

Connaissez-vous une personne qui pourrait bénéficier de l'amour utile et accommodant de Jésus, que celui-ci pourrait déverser sur elle par vous ? —H.D.F.

Pour être un canal de bénédiction, laissez Dieu déverser son amour par vous.

10 mai

VIENS, ET VOIS

LISEZ :
Jean 1.35-46

Venez, leur dit-il, et voyez.
—Jean 1.39

LA BIBLE EN UN AN :
☐ 2 Rois 10 – 12
☐ Jean 1.29-51

Pourriez-vous me dire où se trouvent les ampoules ? »

« Bien sûr. Suivez-moi, je vais vous montrer. »

Dans beaucoup de grandes surfaces, on demande aux employés de conduire les clients aux articles que ces derniers cherchent plutôt que de simplement leur en indiquer le chemin verbalement. Ce geste élémentaire de courtoisie et le fait d'accompagner une personne dans sa recherche peut nous aider à élargir notre compréhension de ce que signifie conduire quelqu'un à Christ.

Dans Jean 1, l'expression « Venez [...] et voyez » apparaît deux fois. Lorsque deux disciples curieux de Jean-Baptiste ont demandé à Jésus où il demeurait, le Seigneur leur a répondu : « Venez [...] et voyez » (v. 39). Après avoir passé la journée avec lui, André est allé trouver son frère, Simon Pierre, et l'a conduit à Jésus (v. 40,41). Plus tard, Philippe a répondu à Nathanaël qu'il avait trouvé le Messie. À la réponse sceptique de Nathanaël, Philippe a dit : « Viens, et vois » (v. 46).

Le témoignage en faveur de Christ peut être un événement ponctuel lorsque nous annonçons aux autres la bonne nouvelle à son sujet. Toutefois, il peut nous amener à marcher aux côtés de personnes ayant besoin d'aide et de complétude. Notre intérêt sincère pour leur bien spirituel, nos prières et notre engagement envers elles disent sans que nous ouvrions la bouche : « Viens, et vois. Parlons un peu, et je vais te conduire à lui. » —D.C.M.

La bonté et la compassion ont conduit plus de gens à Christ que la seule proclamation de son Évangile.

11 mai

Le bénéfice du doute

Lisez :
1 Corinthiens 13

***[L'amour]* excuse tout, il croit tout, il espère tout, il supporte tout.**
—1 Corinthiens 13.7

La Bible en un an :
☐ 2 Rois 13 – 14
☐ Jean 2

En 1860, Thomas Inman a recommandé que ses collègues médecins ne prescrivent pas de médicament, à moins d'être certains qu'il fonctionnera. Ils devaient donner au patient « le bénéfice du doute ». Cette expression est également un terme juridique signifiant que, si un jury est en présence de preuves conflictuelles qui suscitent le doute chez les jurés, ceux-ci doivent rendre un verdict de « non-culpabilité ».

Il se peut qu'en tant que chrétiens, nous puissions tirer des leçons de ce terme médical et juridique et les appliquer à nos relations. Mieux encore, nous pouvons apprendre en lisant la Bible comment donner le bénéfice du doute. L'Écriture dit de l'amour : « il excuse tout, il croit tout, il espère tout, il supporte tout » (1 Co 13.7). Dans les *Tyndale New Testament Commentaries*, Leon Morris dit au sujet de l'expression « il croit tout » : « Voir le meilleur chez les gens. […] Cela ne signifie pas que l'amour est crédule, mais qu'il ne pense pas le pire (comme c'est le cas dans le monde). Il garde la foi. L'amour ne se laisse pas berner […] mais il est toujours prêt à donner le bénéfice du doute. »

Lorsque nous entendons quelque chose de négatif au sujet de quelqu'un ou que nous entretenons des soupçons par rapport aux motifs qui le poussent à agir comme il le fait, arrêtons-nous avant de juger ses intentions comme étant bonnes ou mauvaises. Donnons-lui le bénéfice du doute. —A.M.C.

L'amour donne aux autres le bénéfice du doute.

12 mai

Reviens à la maison

Lisez :
Psaume 51.1-14

Rends-moi la joie de ton salut, et qu'un esprit de bonne volonté me soutienne !
—Psaume 51.14

La Bible en un an :
☐ 2 Rois 15 – 16
☐ Jean 3.1-18

Tandis qu'Amelia, 19 ans, patientait dans le cabinet de son médecin, elle a reconnu le cantique bien connu « Softly and Tenderly Jesus Is Calling » (Doucement et tendrement Jésus t'appelle) qui venait des haut-parleurs. Elle a souri en se remémorant les paroles. Un chant disant « les ombres se réunissent, les lits de mort arrivent » n'était toutefois peut-être pas la meilleure des musiques de fond pour un cabinet de médecin !

Certains trouvent ce vieux cantique trop sentimental à leur goût, mais le message du refrain peut être encourageant pour le pécheur rebelle : *Rentre à la maison, rentre à la maison, toi qui est fatigué, rentre à la maison ; avec hâte et tendresse Jésus t'appelle, t'appelle « Ô pécheur, rentre à la maison ! »*

Lorsqu'un croyant fait passer sa volonté avant celle de Dieu, il s'éloigne de Dieu, il se prive de la communion avec lui et il se retrouve dans un état peu enviable. Bien que parfois nous cédions à notre nature égocentrique, Dieu est toujours prêt à nous accueillir de nouveau. En raison de sa « bonté » et de sa « grande miséricorde », il éprouve de la joie lorsque nous renonçons à marcher dans la rébellion, nous retournons à lui et nous lui demandons pardon (Ps 51.2,3 ; Lu 15).

Votre cœur et votre esprit se sont-ils éloignés de votre Sauveur ? Jésus vous appelle et attend que vous rentriez à la maison. —C.H.K.

L'enfant de Dieu est toujours le bienvenu chez lui.

13 mai

L'ORTEIL PUISSANT

LISEZ :
1 Corinthiens 12.14-26

Si le pied disait : Parce que je ne suis pas une main, je ne suis pas du corps, ne serait-il pas du corps pour cela ?
—1 Corinthiens 12.15

LA BIBLE EN UN AN :
☐ 2 Rois 17 – 18
☐ Jean 3.19-36

Dernièrement, j'ai entendu parler d'un sport qui défie mon imagination et dont je ne vois pas l'intérêt : « la lutte d'orteils ». Chaque année, des gens du monde entier se réunissent en Angleterre pour participer au championnat mondial. Les adversaires s'assoient à même le sol, face à face, puis bloquent le gros orteil du pied nu de l'autre. Le but de ce sport consiste à coincer le pied de son adversaire un peu comme on fait dans une partie de bras de fer où l'on coince le poignet de son adversaire. Tout cela me semble bien étrange.

Dans un sens, cette compétition inhabituelle rend honneur à une partie du corps à laquelle on accorde très peu d'importance, du moins jusqu'à ce que, par mégarde, on laisse tomber quelque chose dessus. Nos orteils et nos pieds sont des parties vitales de notre anatomie, mais nous n'y accordons que peu d'attention, à moins qu'ils nous fassent mal.

Paul évoque peut être le pied pour nous rappeler qu'aucune partie du corps de Christ n'est superflue : « Si le pied disait : Parce que je ne suis pas une main, je ne suis pas du corps, ne serait-il pas du corps pour cela ? » (1 Co 12.15.) La seule bonne réponse : « Bien sûr qu'il en fait partie. »

Paul veut nous faire réaliser que tout membre du corps de Christ a son importance. Même si vous vous considérez comme le membre du corps de Christ auquel on accorde le moins d'importance et que l'on néglige le plus, vous avez de la valeur. Et vous pouvez honorer Dieu en vrai champion en employant vos aptitudes uniques à la gloire de Dieu. —W.E.C.

Le Seigneur emploie de petits outils pour accomplir de grandes tâches

14 mai

LA PATIENCE DE PATIENTER

LISEZ :
Psaume 130.1-8

J'espère en l'Éternel, mon âme espère, et j'attends sa promesse.
—Psaume 130.5

LA BIBLE EN UN AN :
☐ 2 Rois 19 – 21
☐ Jean 4.1-30

Les enfants veulent tout obtenir sans devoir attendre : « Mais je veux du dessert tout de suite ! » « On est rendus ? » « On peut ouvrir les cadeaux maintenant ? » Par contraste, en vieillissant, nous apprenons à attendre. Les étudiants en médecine attendent la fin de leur formation. Les parents attendent que l'enfant prodigue rentre au bercail. Nous attendons ce qui vaut la peine d'être attendu et, chemin faisant, nous apprenons la patience.

Dieu, qui est infini, exige de notre part que nous fassions preuve d'une foi mûre impliquant parfois des retards qui ressemblent à des épreuves. La patience est un signe de cette maturité, une qualité qui ne peut s'acquérir qu'avec le passage du temps.

Plusieurs prières de la Bible résultent d'une attente. Jacob a attendu 7 ans pour une femme, puis il a travaillé 7 années de plus parce que le père de celle-ci l'a trompé (Ge 29.15-20). Les Israélites ont attendu 4 siècles pour leur délivrance ; Moïse a attendu 4 décennies pour être appelé à les diriger, puis 4 autres pour voir de loin une Terre promise qui lui serait refusée.

« Mon âme compte sur le Seigneur, plus que les gardes ne comptent sur le matin », a dit le psalmiste (Ps 130.6). Il me vient à l'esprit l'image d'un vigile qui compte les minutes le séparant de la fin de sa nuit de travail.

Je prie pour avoir la patience de supporter les périodes éprouvantes, de continuer de prévoir, de garder l'espoir, de continuer de croire. Je prie pour avoir la patience de patienter. —P.D.Y.

Dieu fait rarement de grandes choses à la hâte.

DES MOTS PERCUTANTS

LISEZ :
1 Jean 3.10-18

Quiconque ne pratique pas la justice n'est pas de Dieu.
—1 Jean 3.10

LA BIBLE EN UN AN :
☐ 2 Rois 22 – 23
☐ Jean 4.31-54

Dans un livre intitulé *UnChristian*, on énumère des raisons pour lesquelles certains non-croyants n'aiment pas les gens qui disent croire en Jésus-Christ. Ce qu'ils reprochent surtout au christianisme, c'est la façon dont certains chrétiens se comportent envers les non-croyants. Ces derniers qui ont participé à l'étude avaient tendance à percevoir les chrétiens comme hypocrites, enclins à juger les autres, durs et dépourvus d'amour envers les gens différents d'eux.

Je suis certain qu'il vous est tout aussi désagréable qu'à moi de les entendre parler de la perception qu'ils ont des chrétiens. Parfois, il y a néanmoins plus de vérité dans leur perception que nous ne le voudrions. Dans 1 Jean 3, qui commence par les paroles : « Voyez quel amour le Père nous a témoigné, pour que nous soyons appelés enfants de Dieu ! » (v. 1), Jean présente un contraste marqué : les croyants aiment la justice, se gardent de pécher et s'aiment les uns les autres ; les non-croyants pratiquent le péché, haïssent les autres et sont morts.

Ce sont là de fortes paroles ! Nous sommes des disciples soit de Jésus-Christ, soit du diable. Nous sommes comme Caïn et Abel (v. 12 ; Ge 4.8-15). Jean dit que notre amour pour les autres prouve que nous sommes de véritables enfants de Dieu (3.10,18,19 ; 4.7,8). Nous ne pouvons à la fois persister dans le péché et prétendre suivre Christ. Veillons toujours à ce que nos paroles et nos actions étayent nos croyances. —D.C.E.

Pour suivre Christ, il faut faire deux choses : croire en lui et agir en conséquence.

16 mai

QUAND LA VIE SEMBLE INJUSTE

LISEZ :
Psaume 73

***[Car]* je portais envie aux insensés, en voyant le bonheur des méchants.**
—Psaume 73.3

LA BIBLE EN UN AN :
☐ 2 Rois 24 – 25
☐ Jean 5.1-24

Vous arrive-t-il de trouver la vie injuste ? Pour ceux d'entre nous qui sont résolus à suivre la volonté et les voies de Jésus, c'est facile de se sentir contrariés en voyant que des gens qui ne se soucient pas de lui semblent faire la belle vie. Un homme d'affaires triche, mais décroche un contrat important, et le gars qui fait constamment la fête est robuste et en bonne santé, alors que vous ou vos êtres chers avez des problèmes financiers ou de santé. Nous en éprouvons un sentiment d'injustice, comme si cela n'avait peut-être servi à rien de faire le bien.

S'il vous est déjà arrivé d'avoir ce sentiment, vous n'êtes pas le seul. L'auteur du Psaume 73 explique en longueur que le méchant prospère, puis il ajoute : « C'est donc en vain que j'ai purifié mon cœur » (v. 13). Cependant, ses pensées changent au souvenir des moments passés en présence de Dieu : « *[J'ai]* pris garde au sort final des méchants » (v. 17).

Lorsque nous passons du temps en présence de Dieu et que nous adoptons sa perception des choses, cela change notre perspective du tout au tout. Il se peut que nous jalousions actuellement le sort des non-croyants, mais ce ne sera pas le cas au jour du jugement dernier. Comme on le dit, à quoi bon gagner la bataille si l'on perd la guerre ?

Comme le psalmiste, louons Dieu pour sa présence dans notre vie et sa promesse de la vie à venir (v. 25-28). Il est tout ce dont vous avez besoin, même lorsque la vie semble injuste.
—J.M.S.

En passant du temps avec Dieu,
on met tout le reste en perspective.

17 mai

PLUTÔT QUE LA VENGEANCE

LISEZ :
Deutéronome 19.16-21
Matthieu 5.38-45

Tu ne te vengeras point […]. Tu aimeras ton prochain comme toi même.
—Lévitique 19.18

LA BIBLE EN UN AN :
☐ 1 Chroniques 1 – 3
☐ Jean 5.25-47

Un dimanche, un homme a abordé et frappé un pasteur durant son sermon. Celui ci a continué de prêcher et l'homme s'est fait arrêter. Le pasteur a prié pour lui et est même allé lui rendre visite en prison quelques jours plus tard. Quel exemple de bonne réaction aux insultes et aux blessures !

Bien que l'autodéfense ait sa place, on interdisait la vengeance personnelle dans l'Ancien Testament : « Tu ne te vengeras point, et tu ne garderas point de rancune contre les enfants de ton peuple. Tu aimeras ton prochain comme toi-même » (Lé 19.18 ; voir aussi De 32.35). Jésus et les apôtres l'ont également interdit (Mt 5.38-45 ; Ro 12.17 ; 1 Pi 3.9).

La loi de l'Ancien Testament prônait que l'on rende coup pour coup (Ex 21.23-25 ; De 19.21), afin de veiller à ce que le châtiment imposé par la loi des hommes ne soit ni injuste ni malveillant. Par contre, il se dégage un principe plus large lorsqu'il s'agit de vengeance personnelle : justice doit être rendue, mais il faut la laisser entre les mains de Dieu ou entre celles des autorités que Dieu a établies.

Au lieu de rendre les blessures et les insultes, puissions-nous vivre selon une solution de rechange qui honore Christ et qui porte la puissance de l'Esprit : soyez en paix avec tout le monde (Ro 12.18), soumettez-vous à un médiateur spirituel (1 Co 6.1-6) et remettez-vous-en aux autorités et, par-dessus tout, à Dieu. —M.L.W.

Laissez la justice finale entre les mains d'un Dieu juste.

18 mai

NOUS SERONS CHANGÉS

LISEZ :
2 Corinthiens 4.16 – 5.8

[Nous] **serons semblables à lui, parce que nous le verrons tel qu'il est.**
—1 Jean 3.2

LA BIBLE EN UN AN :
☐ 1 Chroniques 4 – 6
☐ Jean 6.1-21

Atteint de la maladie d'Alzheimer, Thomas DeBaggio a tenu un journal relatant la perte graduelle de sa mémoire qui a donné le jour au livre *Losing My Mind* (Je perds l'esprit). Ce livre rapporte le processus bouleversant par lequel – petit à petit – tâches, lieux et gens sombrent tous dans l'oubli.

La maladie d'Alzheimer implique que les cellules nerveuses du cerveau cessent de fonctionner, ce qui aboutit à la perte graduelle de la mémoire, à la confusion et à la désorientation. La vue d'une personne qui était mentalement alerte en train d'oublier lentement comment s'habiller ou le visage de ses êtres chers peut être tragique. C'est comme si l'on perdait la personne avant qu'elle meure.

La perte de mémoire peut survenir pour d'autres raisons également, comme une blessure ou un traumatisme. Et pour ceux d'entre nous qui sont rendus dans la vieillesse, la détérioration du corps est inévitable.

Pour le chrétien, il y a toutefois de l'espoir. Lorsqu'il recevra son corps glorifié, au moment de sa résurrection, celui-ci sera parfait (2 Co 5.1-5). Plus important encore, cependant, nous reconnaîtrons au ciel celui qui est mort pour nous racheter. Nous nous souviendrons de ce qu'il a fait et nous le reconnaîtrons aux traces de clous sur ses mains (Jn 20.25 ; 1 Co 13.12).

Il se peut que l'oubli assaille notre corps terrestre, mais lorsque nous verrons le Seigneur, « nous serons semblables à lui, parce que nous le verrons tel qu'il est » (1 Jn 3.2). —H.D.F.

***[Tous]* nous serons changés [...] en un clin d'œil.**
– l'apôtre Paul

19 mai

DES RELATIONS BRISÉES

LISEZ :
Philippiens 4.2-7

Ne faites rien par esprit de parti ou par vaine gloire.
—Philippiens 2.3

LA BIBLE EN UN AN :
☐ 1 Corinthiens 7 – 9
☐ Jean 6.22-44

De mon balcon, j'ai regardé la démolition d'un immeuble d'appartements de 20 étages. Cette démolition s'est effectuée en tout au plus une semaine. On est en train de construire un nouvel immeuble à sa place. Il y a maintenant des mois que l'on y travaille jour, nuit et week-end sans pour autant en voir la fin. Combien il est plus facile de démolir que de bâtir !

Ce qui vaut pour la démolition et la construction d'immeubles vaut également pour les relations personnelles. Dans une de ses épîtres, Paul a écrit ceci à deux femmes de l'Église : « J'exhorte Évodie et j'exhorte Syntyche à être d'un même sentiment dans le Seigneur » (Ph 4.2). Si elle ne se réglait pas, la querelle entre ces deux femmes menaçait de démolir le témoignage de l'Église de Philippes. Si bien que Paul a exhorté un « fidèle collègue » (v. 3) à contribuer à la reconstruction de cette relation.

Malheureusement, il y a des querelles entre certains chrétiens, mais nous devrions « *[être]* en paix » avec tout le monde (Ro 12.18). À moins de régler nos conflits, nous verrons se démolir le témoignage chrétien que nous avons eu tant de mal à bâtir. Il faut beaucoup d'efforts et de temps pour réconcilier des relations brisées, mais cela en vaut la peine. Comme un nouvel immeuble s'élevant au milieu des ruines, les croyants s'étant réconciliés entre eux peuvent émerger avec force.

Puissions-nous chercher à nous bâtir les uns les autres par nos paroles et nos actions aujourd'hui même ! —C.P.H.

Deux chrétiens valent mieux qu'un,
lorsqu'ils ne forment qu'un.

20 mai

RECEVEZ HUMBLEMENT

LISEZ :
Jacques 1.13-22

C'est pourquoi, rejetant toute souillure et tout débordement de méchanceté, recevez avec douceur la parole qui a été plantée en vous, et qui peut sauver vos âmes.
—Jacques 1.21

LA BIBLE EN UN AN :
☐ 1 Chroniques 10 – 12
☐ Jean 6.45-71

En lisant le premier chapitre de l'épître de Jacques, une phrase m'a frappé : « recevez avec douceur la parole qui a été plantée en vous, et qui peut sauver vos âmes » (v. 21). Une décision que je trouvais difficile à prendre m'est venue à l'esprit et je me suis dit : *Je n'ai pas à lire d'autre livre, à assister à un autre séminaire ou à demander conseil à un autre ami. Je dois obéir à ce que la Bible me dit de faire.* Mes efforts pour être mieux informé étaient devenus un moyen pour moi de résister aux instructions de Dieu plutôt que de les recevoir.

Jacques s'adressait aux disciples de Christ lorsqu'il a dit : « C'est pourquoi, rejetant toute souillure et tout débordement de méchanceté, recevez avec douceur la parole qui a été plantée en vous, et qui peut sauver vos âmes. Mettez en pratique la parole et ne vous bornez pas à l'écouter en vous trompant vous-mêmes par de faux raisonnements » (Ja 1.21,22).

L'érudit biblique W. E. Vine a dit que le mot grec rendu ici par recevez signifie « une réception intentionnelle et immédiate de ce qui est offert ». La douceur est une attitude envers Dieu « nous poussant à accepter sa façon de faire dans notre vie comme étant bonne, et donc à ne pas argumenter ou lui résister ». Le cœur humble ne se bat pas contre Dieu.

La puissante Parole de Dieu, implantée dans nos cœurs, est une source fiable de sagesse et de force spirituelles. Elle est mise à la disposition de tous ceux qui la recevront avec humilité. —Author

Ouvrez votre bible dans une attitude de prière, lisez-la attentivement et obéissez-y avec joie.

21 mai

FRUIT FRAIS

LISEZ :
Psaume 92

Les justes [...] portent encore des fruits dans la vieillesse.
—Psaume 92.13,15

LA BIBLE EN UN AN :
☐ 1 Chroniques 13 – 15
☐ Jean 7.1-27

J'aime les vieilles photos qui paraissent souvent dans la rubrique nécrologique de notre journal local. Un jeune soldat souriant en uniforme et des paroles comme : *92 ans, il a combattu pour son pays durant la Seconde Guerre mondiale*. Ou encore, une jeune femme aux yeux pétillants : *89 ans, elle a grandi dans une ferme du Kansas durant la Crise de 1929*. On laisse entendre : « Je n'ai pas toujours été vieux/vieille, vous savez. »

Trop souvent, lorsqu'une personne entre dans la vieillesse, elle se sent mise sur la touche. Le Psaume 92 nous rappelle toutefois que, peu importe notre âge avancé, nous pouvons avoir une vie toute nouvelle et fructueuse. Les hommes et les femmes qui ont été « plantés » dans le sol riche du vignoble de Dieu « portent encore des fruits » et « ils sont pleins de sève et verdoyants » (v. 14). Jésus a promis que « *[celui]* qui demeure en *[lui]* et en qui *[il]* demeure » continuera de porter « beaucoup de fruit » (Jn 15.5).

Oui, il se peut que nos muscles et nos jointures soient endoloris, et que la vie ralentisse un peu, mais intérieurement nous pouvons encore être « *[renouvelés]* de jour en jour » (2 Co 4.16).

Dernièrement, j'ai vu une belle femme aux cheveux blancs porter un t-shirt sur lequel on pouvait lire : « Je n'ai pas 80 ans. J'en ai 18, avec 62 années d'expérience. » Qu'importe notre âge, nous pouvons encore avoir le cœur jeune, mais avec l'avantage d'avoir une vie bien vécue et riche en connaissance et en sagesse. —C.H.K.

La fidélité est ce que Dieu exige,
les fruits sont sa récompense.

22 mai

LE LANGAGE DES SIGNES

LISEZ :
Jean 1.14-18

Et que le Seigneur fasse croître et abonder l'amour que vous avez les uns pour les autres, et pour tous.
—1 Thessaloniciens 3.12

LA BIBLE EN UN AN :
☐ 1 Chroniques 16 – 18
☐ Jean 7.28-53

Un de mes amis est pasteur d'une église située non loin de Boise, dans l'Idaho. La congrégation est blottie dans une vallée boisée qu'un agréable ruisseau traverse en serpentant. Derrière l'église et le long du ruisseau se trouvent un bosquet de saules, une étendue gazonnée et une plage de sable. Des membres de l'assemblée se réunissent depuis longtemps dans ce lieu idyllique pour pique-niquer.

Un jour, un homme de l'assemblée a émis des réserves d'ordre juridique par rapport au fait que des « étrangers » utilisaient les lieux : « Si quelqu'un devait se blesser, il pourrait intenter un procès contre l'Église. » Bien que les anciens aient hésité à agir en conséquence, l'homme les a convaincus de planter sur le terrain un panneau indiquant aux visiteurs qu'il s'agissait d'une propriété privée, ce que le pasteur a fait. Sur ce panneau se lisait : « Attention ! Quiconque fréquente cette plage risque de se retrouver à tout moment entouré de gens qui vous aiment. » En lisant le panneau une semaine après qu'il l'a planté, je suis tombé sous le charme. Je me suis dit : *Parfait. Une fois encore la grâce a triomphé de la loi !*

Cet amour pour notre prochain nous vient de la bonté, de la patience et de la longanimité de Dieu envers nous. Ce n'est pas la loi, mais la bonté de Dieu qui attire les hommes et les femmes à la repentance (Ro 2.4) et à la foi salvatrice en son Fils Jésus-Christ. —D.H.R.

L'amour est l'aimant qui attire les croyants entre eux et qui attire les non-croyants à Christ.

23 mai

NOTRE DÉPENDANCE

LISEZ :
1 Jean 2.24 – 3.3

***[Car]* en lui nous avons la vie, le mouvement, et l'être.**
—Actes 17.28

LA BIBLE EN UN AN :
☐ 1 Chroniques 19 – 21
☐ Jean 8.1-27

Même si je me réjouissais de l'arrivée d'une nouvelle petite-nièce, je me suis rappelé combien de soins exige un nouveau-né. Ce sont de petites créatures nécessiteuses qui veulent être nourries, changées, tenues dans nos bras, nourries, changées, tenues dans nos bras, nourries, changées,tenues dans nos bras. Totalement incapables de prendre soin d'eux-mêmes, les nouveau-nés dépendent des gens plus vieux et plus sages qui les entourent.

Nous sommes nous aussi des enfants dépendants, qui comptent sur leur Père céleste. De quoi avons-nous besoin de sa part que nous ne pouvons nous procurer nous-mêmes ? « *[Car]* en lui nous avons la vie, le mouvement et l'être » (Ac 17.28). Il nous procure même le souffle. Il répond également à nos besoins « selon sa richesse, avec gloire, en Jésus-Christ » (Ph 4.19).

Nous avons besoin de la paix de notre Père dans les tribulations (Jn 16.33), de son amour (1 Jn 3.1) et de son aide dans la détresse (Ps 46.2 ; Hé 4.16). Il nous accorde la victoire sur la tentation (1 Co 10.13), le pardon (1 Jn 1.9), des projets d'avenir (Jé 29.11) et la vie éternelle (Jn 10.28). Sans lui, nous « ne *[pouvons]* rien faire » (Jn 15.5). « Et nous avons tous reçu de sa plénitude, et grâce sur grâce » (Jn 1.16).

Ne nous considérons pas nous-mêmes entièrement indépendants, car ce n'est pas le cas. Le Seigneur nous soutient jour après jour. De bien des manières, nous avons autant de besoins que le nouveau-né. —A.M.C.

Dépendre de Dieu n'est pas une faiblesse, c'est reconnaître sa force.

24 mai

La simplicité

Lisez :
Matthieu 6.25-34

Ne vous inquiétez pas du lendemain ; car le lendemain aura soin de lui-même. À chaque jour suffit sa peine.
—Matthieu 6.34

La Bible en un an :
☐ 1 Chroniques 22 – 24
☐ Jean 8.28-59

Dans une entrevue radiophonique, on a questionné une superstar du basket-ball au sujet du chic qu'il avait pour marquer le point de la victoire en situation cruciale. Le journaliste lui a demandé comment il parvenait à être aussi calme sous une telle pression. Le joueur lui a répondu qu'il simplifiait la situation : « Tu n'as qu'un panier à réussir. » Un seul. Voilà comment en gros on simplifie une situation difficile. Concentrez-vous sur ce que vous avez immédiatement devant vous. Ne vous inquiétez pas des attentes de votre entraîneur ou de vos coéquipiers. Simplifiez.

Reconnaissant que les défis de la vie peuvent être à la fois déroutants et suffocants, Jésus nous incite à prendre les choses en main en les simplifiant. Il a dit : « Ne vous inquiétez pas du lendemain ; car le lendemain aura soin de lui même. À chaque jour suffit sa peine » (Mt 6.34). Voilà la conclusion sage à laquelle conduisent ses enseignements au sujet du pouvoir débilitant des inquiétudes. Ces dernières n'accomplissent rien de positif ; elles ne font qu'empirer le sentiment que nous avons de sombrer dans les difficultés auxquelles nous faisons face. Nous devons prendre les choses comme elles viennent – un jour à la fois – et avoir confiance que Dieu nous donnera la sagesse nécessaire pour bien composer avec la situation.

Si vous vous sentez dépassé, faites ce que vous pouvez aujourd'hui, puis confiez le reste à Dieu. Comme Jésus l'a dit : « À chaque jour suffit sa peine. » —W.E.C.

Nous perdons la joie de vivre dans le présent lorsque nous nous inquiétons de l'avenir.

25 mai

LE VRAI PRIX

LISEZ :
Éphésiens 5.23-33

Maris, que chacun aime sa femme, comme Christ a aimé l'Église, et s'est livré lui-même pour elle.
—Éphésiens 5.25

LA BIBLE EN UN AN :
☐ 1 Chroniques 25 – 27
☐ Jean 9.1-23

Je m'émerveille de l'influence que ma femme, Martie, a eue sur la vie de nos enfants. Très peu de rôles exigent le genre de persévérance et d'engagement inconditionnels et sacrificiels de la maternité. Je sais très bien que ma mère, Corabelle, a façonné mon caractère et ma foi. Regardons les choses en face, où serions-nous sans notre femme et notre mère ?

Cela me rappelle l'un de mes meilleurs souvenirs de toute l'histoire des sports. Phil Mickelson s'est avancé sur le 18e fairway durant le Tournoi des maîtres de 2010 après le roulé final qui lui a valu de remporter pour la troisième fois l'un des prix les plus convoités du golf. Par contre, ce n'est pas son saut de la victoire sur le vert qui m'a frappé, mais de le voir se frayer un chemin parmi la foule jusqu'à sa femme, qui luttait contre un cancer risquant de l'emporter. Ils se sont enlacés, et la caméra a capté une larme qui coulait sur la joue de Phil, tandis qu'il gardait sa femme serrée contre lui pendant un long moment.

Notre femme doit fait l'expérience du genre d'amour sacrificiel et désintéressé dont le grand Amoureux de notre âme nous aime. Comme Paul l'a dit : « Maris, que chacun aime sa femme, comme Christ a aimé l'Église, et s'est livré lui-même pour elle » (Ép 5.25). Les prix vont et viennent, mais ce sont les gens que nous aimons – et qui nous aiment – qui comptent le plus. —J.M.S.

L'important dans la vie, ce ne sont pas les prix que l'on remporte, mais les gens que l'on aime.

26 mai

Confiance et tristesse

Lisez :
2 Corinthiens 1.3-11

Au milieu même du rire le cœur peut être affligé.
—Proverbes 14.13

La Bible en un an :
☐ 1 Chroniques 28 – 29
☐ Jean 9.24-41

Au début de 1994, lorsque notre famille a découvert que l'équipe de foot des États-Unis participerait à la coupe du monde au Michigan, nous avons su que nous devions y assister.

Quels grands moments nous avons connus au Pontiac Silverdome, à regarder les Américains se mesurer aux Suisses ! Cela a été l'un des événements les plus remarquables de notre vie.

Le seul nuage dans notre ciel ce jour-là, c'est que l'un de nos quatre enfants, Melissa, alors âgée de 9 ans, ne pouvait être avec nous. Bien que l'événement nous ait réjouis, ce n'était pas pareil sans elle. Malgré notre joie d'être là, nous avons ressenti de la tristesse en raison de son absence.

La tristesse que nous avons éprouvée alors ressemble quelque peu à celle que nous éprouvons maintenant que Melissa a quitté notre monde, dans un accident de voiture survenu 8 ans après ce match. Même si nous chérissons l'aide que le « Dieu de toute consolation » (2 Co 1.3) nous apporte, cette grande consolation ne change rien au fait que sa chaise reste inoccupée lors des réunions de famille. L'Écriture ne nous dit pas que Dieu effacera tout chagrin ici-bas, mais que notre Dieu fidèle nous consolera.

Si vous avez perdu un être cher, comptez fermement sur la consolation de Dieu. Continuez de lui faire confiance, et sachez qu'il n'y a rien de mal dans le fait d'être attristé de son absence. Considérez-la comme une raison de plus de vous décharger sur votre Père céleste qui vous aime. —J.D.B.

La terre n'éprouve aucune tristesse que le ciel n'éprouve pas lui aussi.

27 mai

LE JOURNAL DE BORD

LISEZ : Psaume 119.129-136

Affermis mes pas dans ta parole.
—Psaume 119.133

LA BIBLE EN UN AN :
☐ 2 Chroniques 1 – 3
☐ Jean 10.1-23

À l'époque de l'exploration des vastes mers du monde, aux XVe et XVIe siècles, les navires traversaient de vastes océans périlleux et naviguaient le long de côtes dangereuses. Les pilotes employaient diverses techniques et divers équipements de navigation, y compris un journal de bord dans lequel ils inscrivaient les événements que les premiers navigateurs vivaient en naviguant sur des eaux antérieurement inconnues et difficiles. En lisant les détails d'un journal de bord, les capitaines pouvaient éviter les dangers qui y étaient signalés et traverser avec succès des eaux périlleuses.

De bien des manières, la vie chrétienne est comparable à une traversée et le croyant a besoin d'aide pour naviguer sur les eaux périlleuses de la vie. Nous avons cette aide parce que Dieu nous a donné sa Parole en guise de « journal de bord spirituel ». Souvent, lorsque nous méditons des passages chargés de sens, nous nous rappelons la fidélité de Dieu en situations éprouvantes. Comme le psalmiste le suggère, il n'y a pas que les situations de la vie qui recèlent des dangers, mais aussi notre inclination à pécher. En raison de ce double sujet d'inquiétude, il a écrit : « Affermis mes pas dans ta parole, et ne laisse aucune iniquité dominer sur moi ! » (Ps 119.133.)

En méditant cet enseignement de la Bible, Dieu vous rappellera la manière dont il a pris soin de vous par le passé, il vous convaincra qu'il vous guidera en situation éprouvante et il vous mettra en garde contre le péché. Voilà l'avantage d'avoir « un journal de bord spirituel ». —H.D.F.

Avec la Parole de Dieu pour carte et son Esprit pour compas, vous avez l'assurance de tenir le cap.

28 mai

ÉCOUTEZ-VOUS ?

LISEZ :
Nombres 20.1-13

Vous parlerez en leur présence au rocher, et il donnera ses eaux.
—Nombres 20.8

LA BIBLE EN UN AN :
☐ 2 Chroniques 4 – 6
☐ Jean 10.24-42

Il était contrarié. Il était en colère. Il en avait assez de se faire imputer la faute de tout ce qui allait de travers. Année après année, les catastrophes se succédaient. Il ne cessait d'intercéder en leur faveur afin de leur éviter des ennuis, mais tout ce qu'il récoltait, c'était encore plus d'ennuis. Exaspéré, il a fini par leur dire : « Écoutez donc, rebelles ! Est-ce de ce rocher que nous vous ferons sortir de l'eau ? » (No 20.10.)

Il se pourrait que cette suggestion vous semble grotesque, mais elle ne l'était pas. Quarante ans plus tôt, la génération d'avant avait émis le même grief : pas d'eau. Dieu avait alors demandé à Moïse de frapper un rocher de sa verge (Ex 17.6). En obéissant, il en a fait sortir beaucoup d'eau. Quand le peuple s'est remis à maugréer plusieurs années après, Moïse a fait ce qui avait fonctionné auparavant. Par contre, cette fois-ci, ce n'était pas la chose à faire. Ce que Moïse a demandé aux Israélites de faire – écouter –, il ne l'a lui-même pas fait. Dieu lui avait demandé de *parler* au rocher cette fois-ci, et non de le frapper.

Cédant à l'épuisement ou à l'exaspération, il nous arrive parfois de ne pas prêter autant attention à Dieu que nous le devrions. Nous présumons qu'il œuvrera toujours de la même manière. Par contre, ce n'est pas le cas. Il nous demande parfois d'agir ; d'autres fois, il nous demande de parler ; d'autres fois encore, il nous demande d'attendre. Voilà pourquoi nous devons toujours prendre soin d'écouter avant de passer à l'action. —J.A.L.

Écoutez, puis obéissez.

29 mai

ENTRETENIR L'ÉMERVEILLEMENT

LISEZ : 2 Pierre 1.2-11

Car si ces choses sont en vous, et y sont avec abondance, elles ne vous laisseront point oisifs ni stériles pour la connaissance de notre Seigneur Jésus-Christ. —2 Pierre 1.8

LA BIBLE EN UN AN :
☐ 2 Chroniques 7 – 9
☐ Jean 11.1-29

Lors d'un récent voyage, ma femme était assise à côté d'une mère accompagnée d'un garçon qui faisait son baptême de l'air. Au décollage, il s'est exclamé : « Maman, regarde combien nous sommes haut ! Et tout rapetisse ! » Quelques minutes plus tard, il s'est écrié : « Ces nuages sont-ils plus bas ? Mais qu'est-ce qu'ils font en dessous de nous ? » Au fil du temps, les autres passagers se sont mis à lire, à dormir et à regarder une vidéo après avoir abaissé leur pare-soleil. Ce garçon est par contre resté rivé au hublot, absorbé dans le merveilleux spectacle qui s'offrait à ses yeux.

Les « voyageurs d'expérience » dans la vie chrétienne courent un grand danger : perdre leur émerveillement. L'Écriture, qui nous enthousiasmait avant, risque de devenir plus familière et plus académique. Nous risquons de sombrer dans la prière léthargique qui vient de l'esprit et non du cœur.

Pierre a exhorté les premiers disciples de Christ à continuer de grandir dans la foi, la vertu, la connaissance, la maîtrise de soi, la patience, la piété, l'amitié fraternelle et l'amour (2 Pi 1.5-7). Il a dit : « Car si ces choses sont en vous, et y sont avec abondance, elles ne vous laisseront point oisifs ni stériles pour la connaissance de notre Seigneur Jésus-Christ » (v. 8). Sans elles, nous perdons la vue et nous oublions de nous émerveiller d'avoir été purifiés de nos péchés (v. 9).

Puisse Dieu nous accorder toute la grâce nécessaire pour que nous continuions de nous émerveiller de le connaître. —D.C.M.

La croissance continue en Christ provient d'une connaissance toujours plus profonde de lui.

30 mai

L'HONNEUR

LISEZ :
Matthieu 6.1-6

Gardez-vous de pratiquer votre justice devant les hommes, pour en être vus ; autrement, vous n'aurez point de récompense auprès de votre Père qui est dans les cieux.
—Matthieu 6.1

LA BIBLE EN UN AN :
☐ 2 Chroniques 10 – 12
☐ Jean 11.30-57

La simplicité solennelle et magnifique de la Relève de la garde à la tombe des soldats inconnus au cimetière national Arlington m'a toujours impressionné. L'événement soigneusement chorégraphié est un hommage émouvant rendu aux soldats dont les noms – et les sacrifices – sont « connus de Dieu seul ». La marche en privé à rythme régulier lorsque les foules sont parties m'émeut tout autant : aller-retour, heure après heure, jour après jour, et même par les pires intempéries.

En septembre 2003, lorsque l'ouragan Isabel s'est abattu sur Washington, D.C., on a permis aux gardiens d'aller s'abriter durant le pire de la tempête. Fait étonnant, presque tous ont refusé de quitter leur poste ! Avec altruisme, ils sont restés là afin d'honorer leurs camarades morts au combat, et cela, en bravant même un ouragan.

Je crois que le désir de Jésus de nous voir vivre selon une consécration inébranlable et désintéressée envers lui sous-tend son enseignement dans Matthieu 6.1-6. La Bible nous appelle à de bonnes œuvres et à une vie de sainteté, mais celles-ci doivent traduire notre adoration et notre obéissance (v. 4-6), et non viser notre propre glorification (v. 2). L'apôtre Paul endosse cette fidélité de toute une vie en nous exhortant à faire de notre corps « un sacrifice vivant » (Ro 12.1).

Puissent nos moments en privé et en public attester notre consécration et notre engagement total envers toi, Seigneur.
—R.K.

Plus nous servons Christ,
moins nous servirons nos propres intérêts.

31 mai

MAUVAIS CHOIX

LISEZ :
Apocalypse 20.11-15

Plusieurs de ceux qui dorment dans la poussière de la terre se réveilleront, les uns pour la vie éternelle, et les autres pour l'opprobre, pour la honte éternelle.
—Daniel 12.2

LA BIBLE EN UN AN :
☐ 2 Chroniques 13 – 14
☐ Jean 12.1-26

L'animateur de talk-show Larry King a demandé à une vedette âgée de la télévision ce qu'elle pensait du ciel. King a présenté sa question en évoquant Billy Graham, qui avait dit à King qu'il « savait ce qui l'attendait. C'était le paradis. Il allait au ciel. »

King a alors demandé à son invité : « Que croyez-vous ? » Son invité lui a répondu : « J'aimerais beaucoup d'activités. Le ciel semble trop placide à mon goût. Il y a beaucoup à faire en enfer. »

Malheureusement, cet homme n'est pas le seul à croire que le royaume de Satan est une destination préférable au ciel. J'ai entendu des gens dire qu'ils préféreraient aller en enfer parce que tous leurs amis s'y trouvaient. Une personne a écrit : « Si l'enfer existait réellement, je crois que ce ne serait pas plus mal. On y trouverait beaucoup de gens intéressants. »

Comment convaincre des gens se leurrant ainsi que l'enfer et ses horreurs sont à éviter ? Peut-être en leur racontant les réalités de l'enfer que l'Écriture nous révèle. Dans Daniel 12.2, on y décrit l'enfer comme un lieu d'opprobre et de honte éternelle. Luc 16.23 parle des tourments que l'on y subit. Matthieu 8.12 décrit les pleurs et les grincements de dents qui le caractérisent. Et Apocalypse 14.11 dit qu'il n'y aura là aucun repos.

La vérité biblique ne permet à personne de croire que l'enfer puisse être un endroit où il fait bon vivre. Il est évident que rejeter Jésus et faire face à l'éternité dans le royaume de Satan est un mauvais choix. —J.D.B.

Le même Christ qui parle des gloires du ciel décrit également les horreurs de l'enfer.

1er juin

PÉCHÉ CACHÉ

LISEZ :
1 Jean 1.5-10

Ô Dieu ! tu connais ma folie, et mes fautes ne te sont point cachées.
—Psaume 69.6

LA BIBLE EN UN AN :
☐ 2 Chroniques 15 – 16
☐ Jean 12.27-50

Chuck avait presque immobilisé sa voiture lorsqu'on l'a emboutie par-derrière et qu'il a subséquemment embouti le véhicule qui le précédait. Un son affolant et assourdissant lui a indiqué que d'autres véhicules s'étaient emboutis derrière lui.

Tandis que Chuck attendait là bien calmement, il a vu le véhicule directement derrière lui sortir du carambolage pour entrer dans la circulation. Cherchant manifestement à éviter les policiers, le fuyard n'a pas remarqué qu'il avait laissé quelque chose derrière. À l'arrivée des policiers, un agent a ramassé la plaque d'immatriculation au sol et a dit à Chuck : « Quelqu'un l'attendra à son arrivée à la maison. Il ne s'en tirera pas aussi facilement. »

L'Écriture nous dit : « *[Sachez]* que votre péché vous atteindra » (No 32.23), comme le fuyard l'a découvert. Il se peut que nous parvenions parfois à cacher notre péché aux gens qui nous entourent, mais rien n'est caché devant Dieu (Hé 4.13). Il voit toutes nos fautes, toutes nos pensées et tous nos motifs (1 S 16.7 ; Lu 12.2,3).

Les croyants ont reçu une merveilleuse promesse : « Si nous confessons nos péchés, il [*Dieu*] est fidèle et juste pour nous les pardonner, et pour nous purifier de toute iniquité » (1 Jn 1.9). Ne permettez donc pas à des péchés non confessés et soi-disant « cachés » de s'immiscer entre Dieu et vous (v. 6,7). —C.H.K.

Il se peut qu'un péché passe inaperçu aux yeux des gens, mais pas aux yeux de Dieu.

2 juin

SOLEIL, LÈVE-TOI !

LISEZ :
Malachie 4.1-6

Mais […] se lèvera le soleil de la justice, et la guérison sera sous ses ailes.
—Malachie 4.2

LA BIBLE EN UN AN :
☐ 2 Chroniques 17 – 18
☐ Jean 13.1-20

Selon une certaine légende, le nom de mon État, « Idaho », viendrait du mot shoshone *ee-dah-how*. En français, ce mot signifie en gros « Voilà le soleil qui se lève au-dessus de la montagne ! » J'y pense souvent quand je vois le soleil apparaître au-dessus des sommets à l'est et répandre lumière et vie sur notre vallée.

Je repense alors aussi à la promesse de Malachie : « Mais […] se lèvera le soleil de la justice, et la guérison sera sous ses ailes » (Ma 4.2). Selon cette promesse irrévocable de Dieu, notre Seigneur Jésus reviendra et toute la création « sera affranchie de la servitude de la corruption, pour avoir part à la liberté de la gloire des enfants de Dieu » (Ro 8.21).

Chaque nouveau lever de soleil nous rappelle le matin éternel lors duquel « le Soleil éclatant des cieux » se lèvera avec la guérison sous ses ailes. Tout ce qui a été créé sera alors recréé et rendu irrévocablement parfait. Il n'y aura plus de dos et de genoux endoloris, plus de difficultés financières, plus de deuils, plus de vieillesse. La Bible dit que, lorsque Jésus reviendra, « *[nous sortirons]*, et *[nous sauterons]* comme les veaux d'une étable » (Ma 4.2). Voilà ce que je peux le mieux imaginer et espérer.

Jésus a dit : « Oui, je viens bientôt » (Ap 22.20). Oui, viens, Seigneur Jésus ! —D.H.R.

Si vous attendez le retour de Christ, vous avez raison d'être optimiste.

3 juin

DEUX CONTES D'UNE CITÉ

LISEZ :
Nahum 1

L'Éternel est bon, il est un refuge au jour de la détresse ; il connaît ceux qui se confient en lui.
—Nahum 1.7

LA BIBLE EN UN AN :
☐ 2 Chroniques 19 – 20
☐ Jean 13.21-38

Le livre de Jonas a tout ce qu'il faut pour faire un grand film. On y parle d'un prophète en fuite, d'une terrible tempête en mer, du prophète se faisant avaler par un gros poisson, de Dieu qui épargne la vie du prophète et de la repentance d'une ville païenne.

Par contre, les conséquences du comportement de Jonas – le livre de Nahum – risquent de ne pas être aussi bien reçues. Nahum a œuvré à Ninive, exactement comme Jonas l'avait fait, mais environ 100 ans plus tard. Cette fois-ci, les Ninivites ne désiraient nullement se repentir. Nahum a donc condamné Ninive et a prononcé un jugement contre ses habitants.

À cette Ninive impénitente, le prophète a prêché : « L'Éternel est lent à la colère, il est grand par sa force ; il ne laisse pas impuni » (Na 1.3). Par contre, Nahum avait également un message de miséricorde. Pour consoler le peuple de Judée, il a proclamé : « L'Éternel est bon, il est un refuge au jour de la détresse ; il connaît ceux qui se confient en lui » (v. 7).

Nous voyons dans les histoires de Jonas et de Nahum qu'avec toute nouvelle génération vient la nécessité de répondre individuellement à l'appel de Dieu. Personne ne peut transmettre sa vie spirituelle à un autre ; nous devons tous choisir de servir le Seigneur de nous-mêmes. Le message de Dieu est aussi d'actualité maintenant qu'il l'était il y a des siècles de cela : le jugement pour l'impénitent, mais la miséricorde pour le repentant. Comment répondrez-vous à l'appel de Dieu ? —H.D.F.

Le jugement de Dieu est certain,
et sa miséricorde l'est tout autant.

4 juin

INFLUENCER POUR CHRIST

LISEZ : 1 Timothée 4.10-16

***[Mais]* sois un modèle pour les fidèles, en parole, en conduite, en amour, en foi, en pureté.**
—1 Timothée 4.12

LA BIBLE EN UN AN :
☐ 2 Chroniques 21 – 22
☐ Jean 14

Au cours des dernières années, j'ai eu le privilège de faire huit voyages missionnaires avec des ado-lescents. S'il y a une chose que j'ai apprise durant ces périples, c'est que les adolescents ne sont pas trop jeunes pour influencer les gens en faveur de Jésus, et cela vaut tant pour moi-même que pour les autres dont ils touchent la vie.

J'ai également remarqué que les adolescents qui ont eu la plus grande influence en faveur de Christ ont les traits de caractère dont Paul a parlé à Timothée dans 1 Timothée 4.12. Cherchant à convaincre Timothée que sa relative jeunesse ne faisait pas forcément obstacle à son ministère, Paul l'a exhorté à être « un modèle pour les fidèles » en plusieurs choses.

En parole : les jeunes qui influencent en faveur de Christ maîtrisent leur langue, évitent de parler de manière négative et honorent Dieu par leurs paroles. *En conduite* : les adolescents au comportement discret brillent sous les yeux du monde entier. *En amour* : en aimant Dieu et notre prochain (Mt 22.37-39), les adolescents plaisent à Jésus et touchent des cœurs. *En foi* : ceux qui mettent leur foi en action transforment des vies. *En pureté* : il est difficile d'être moralement pur et doctrinalement intègre, mais les jeunes qui le sont peuvent établir la norme pour nous.

Paul n'a pas parlé uniquement pour la jeune génération. Nous devrions tous être des exemples en parole, en conduite, en amour, en foi et en pureté. Voilà comment influencer le monde en faveur de Christ. —J.D.B.

Le commentaire biblique le plus précieux est une vie de piété.

5 juin

AU-DEDANS ET AU-DEHORS

LISEZ :
Jean 15.1-8

Déjà vous êtes purs, à cause de la parole que je vous ai annoncée.
—Jean 15.3

LA BIBLE EN UN AN :
☐ 2 Chroniques 23 – 24
☐ Jean 15

Au cours d'une conférence internationale portant sur la publication, un jeune Français a décrit l'expérience qu'il a faite lors d'un événement de signature de livre. Une femme a pris un de ses livres, l'a feuilleté et s'est exclamée : « Enfin une histoire propre ! » Il lui a répondu gentiment : « J'écris proprement parce que je pense proprement. Cela ne m'est pas difficile. » Ce qu'il exprimait par écrit émanait de son être intérieur, où Christ avait transformé le centre même de sa vie.

Jean 15 rapporte la leçon par laquelle Jésus incite ses disciples à demeurer en lui, car c'est le seul moyen de vivre une vie fructueuse. Au cœur de son illustration du cep et des sarments, Jésus a dit : « Déjà vous êtes purs, à cause de la parole que je vous ai annoncée » (v. 3). L'érudit de la Bible W. E. Vine dit que le mot grec rendu par « purs » signifie « sans mélange impur, sans défaut et sans tache ».

Le cœur pur est l'œuvre de Christ, et c'est uniquement par sa puissance que nous pouvons rester purs. Nous échouons souvent, mais « *[si]* nous confessons nos péchés, il est fidèle et juste pour nous […] purifier de toute iniquité » (1 Jn 1.9). Le renouvellement est une œuvre intérieure.

Jésus nous a purifiés par son sacrifice et sa Parole. Si nous demeurons en Christ, nos paroles et nos actions, dont la fraîcheur et la pureté sont frappantes, émanent de l'intérieur et s'expriment à l'extérieur. —D.C.M.

La confession à Dieu engendre
la purification par Dieu.

6 juin

Des requins-bouledogues

Lisez :
1 Pierre 4.12-19

Mes bien-aimés, ne trouvez pas étrange d'être dans la fournaise de l'épreuve, comme s'il vous arrivait quelque chose d'extraordinaire.
—1 Pierre 4.12

La Bible en un an :
☐ 2 Chroniques 25 – 27
☐ Jean 16

Au terme d'une récente discussion à table, j'ai décidé de me renseigner au sujet d'une remarque qu'on avait faite au sujet de l'attaque d'un requin-bouledogue qui se serait produite au lac Michigan. La chose semblait si improbable que nous avons tous ri en entendant dire que des requins se seraient rendus jusqu'à un lac d'eau douce situé aussi loin de la côte. Or, j'ai trouvé un site Web sur lequel on rapportait qu'un requin-bouledogue était bel et bien passé à l'attaque dans le lac Michigan en 1955, mais que la chose n'avait jamais été vérifiée. L'attaque d'un requin dans le lac Michigan ? Si c'était vrai, l'événement serait rarissime.

Ne serait-ce pas formidable si les périodes difficiles étaient aussi rares, ou même fausses, que les attaques de requins-bouledogues dans le lac Michigan ? Épreuves et difficultés sont toutefois monnaie courante. C'est que, lorsqu'elles surviennent, nous croyons qu'elles ne le devraient pas.

Voilà qui explique peut-être que l'apôtre Pierre, en écrivant aux disciples de Christ du Ier siècle qui traversaient des moments difficiles, ait dit : « Mes bien-aimés, ne trouvez pas étrange d'être dans la fournaise de l'épreuve, comme s'il vous arrivait quelque chose d'extraordinaire » (1 Pi 4.12). Ces épreuves n'ont rien d'anormal – et une fois la surprise surmontée, nous pouvons aller auprès du Père qui œuvre profondément dans notre cœur et notre vie. Son amour est inconditionnel. Et dans notre monde rempli d'épreuves, ce genre d'amour est désespérément nécessaire. —W.E.C.

En faisant briller son amour de tous ses feux,
Dieu peint sur nos nuages l'arc-en-ciel de sa grâce.

7 juin

DIEU EST DIEU

LISEZ :
Daniel 3

Des femmes recouvrèrent leurs morts par la résurrection ; d'autres furent livrés aux tourments, et n'acceptèrent point de délivrance, afin d'obtenir une meilleure résurrection.
—Hébreux 11.35

LA BIBLE EN UN AN :
☐ 2 Chroniques 28 – 29
☐ Jean 17

Lorsque les autorités romaines ont demandé à Polycarpe (69 à 155), qui était évêque de Smyrne, de maudire Christ s'il voulait qu'on le relâche, il leur a répondu : « Il y a quatre-vingt-six ans que je le sers, et il ne m'a jamais fait de mal. Comment blasphémerais-je contre mon Roi, lui qui m'a sauvé ? » Un officier romain l'a alors menacé : « Si tu ne te rétractes pas, je te ferai brûler vif. » Polycarpe ne s'est pas laissé fléchir. Parce qu'il a refusé de maudire Christ, on l'a brûlé au bucher.

Des siècles plus tôt, lorsque trois jeunes hommes nommés Schadrac, Méschac et Abed-Nego ont été menacés de manière similaire, ils ont répondu à Nebucadnetsar : « Voici, notre Dieu que nous servons peut nous délivrer de la fournaise ardente, et il nous délivrera de ta main, ô roi. Sinon, sache, ô roi, que nous ne servirons pas tes dieux » (Da 3.16-18). Une expérience similaire, mais deux résultats différents. Polycarpe a été brûlé vif, alors que Schadrac, Méschac et Abed-Nego sont sortis indemnes de la fournaise.

Deux résultats différents, mais la même manifestation de foi. Ces hommes nous ont montré que la foi en Dieu ne se résume pas à la foi en ce que Dieu peut faire. La vraie foi, c'est croire que Dieu est Dieu, et cela, peu importe qu'il nous délivre ou non. C'est lui qui a le mot de la fin. Et c'est à nous que revient la décision de le suivre envers et contre tout. —A.L.

La vie est difficile, mais Dieu est bon – tout le temps.

8 juin

Bons à rien

Lisez :
Apocalypse 2.1-7

Mais ce que j'ai contre toi, c'est que tu as abandonné ton premier amour.
—Apocalypse 2.4

La Bible en un an :
☐ 2 Chroniques 30 – 31
☐ Jean 18.1-18

Ma femme, Martie, est un cordon-bleu. M'asseoir à table après une journée chargée pour savourer ses délices culinaires, c'est formidable. Après le dîner, il lui arrive parfois d'aller faire des courses, me laissant seul avec le choix entre saisir la télécommande de la télévision et ranger la cuisine. Dans mes bons jours, je me relève les manches, je remplis le lave-vaisselle et je récure les casseroles – tout cela pour avoir le plaisir d'entendre Martie m'exprimer sa gratitude, habituellement comme ceci : « Ça alors, Joe ! Tu n'étais pas obligé de ranger la cuisine ! » Ce qui me procure l'occasion de lui dire : « Je voulais te montrer combien je t'aime ! »

Lorsque Jésus a réprimandé l'Église d'Éphèse pour avoir abandonné son « premier amour » (Ap 2.4), c'est parce qu'elle faisait beaucoup de bonnes choses, mais pas par amour pour lui. Même si l'on faisait l'éloge de ses membres pour leur persévérance et leur patience, selon Christ, ils n'étaient « bons » à rien.

La bonne conduite devrait toujours être un acte d'adoration. Résister à la tentation, pardonner, servir et nous aimer les uns les autres sont toutes des occasions d'exprimer de manière tangible notre amour pour Jésus, et non des moyens d'obtenir une étoile à côté de notre nom ou de se faire tapoter le dos en guise d'approbation.

À quand remonte la dernière fois où vous avez fait une « bonne » chose par amour pour Jésus ? —J.M.S.

L'amour en action, c'est l'amour en effet !

9 juin

DES PENSÉES DÉROBÉES

LISEZ :
Psaume 13 ;
Colossiens 3.1-4

Jusqu'à quand, Éternel ! m'oublieras-tu sans cesse ?
—Psaume 13.2

LA BIBLE EN UN AN :
☐ 2 Chroniques 32 – 33
☐ Jean 18.19-40

Tandis que ma femme et moi voyagions dans un autre État, quelqu'un a cambriolé notre voiture après que nous l'avons garée pour déjeuner. La vue du verre brisé a suffi à nous faire réaliser que nous avions oublié de ranger notre GPS à l'abri des regards.

Après avoir jeté un rapide coup d'œil à la banquette arrière, j'ai conclu que le voleur avait pris aussi mon portable, mon passeport et mon chéquier.

Puis est venue la surprise. Plus tard le soir même, après avoir fait des appels téléphoniques et avoir passé des heures à m'inquiéter de plus en plus, l'inattendu s'est produit. En ouvrant ma valise, j'y ai trouvé rangé entre mes vêtements ce que je pensais avoir perdu. Je n'en croyais pas mes yeux ! Ce n'est qu'alors que je me suis rappelé que je n'avais pas mis ces choses sur la banquette arrière, finalement, mais dans ma valise, qui avait été rangée en sécurité dans le coffre de la voiture.

Parfois, sous le coup de l'émotion, notre esprit nous joue des tours. Nous jugeons notre perte pire qu'elle ne l'est. Nous éprouvons peut-être ce que le psalmiste, David, a éprouvé lorsque, confus, il a cru que Dieu l'avait oublié.

Lorsque David s'est rappelé ultérieurement ce qu'il *savait* plutôt que ce qu'il *craignait*, son sentiment de deuil s'est changé en chant de louanges (Ps 13.6,7). Sa joie renouvelée laissait prévoir ce que nous pouvons maintenant nous rappeler : si notre vie est « cachée avec Christ en Dieu » (Col 3.3), rien ne saurait nous dérober le plus important. —M.R.D.

Appuyez votre assurance sur l'amour de Dieu dans votre cœur, et non sur la peur dans votre esprit.

10 juin

CARTE DE VISITE

LISEZ :
1 Timothée 1.1,12-17

Paul, apôtre de Jésus-Christ, par ordre de Dieu notre Sauveur et de Jésus-Christ.
—1 Timothée 1.1

LA BIBLE EN UN AN :
☐ 2 Chroniques 34 – 36
☐ Jean 19.1-22

Dans certaines cultures, le titre apparaissant sous votre nom sur votre carte de visite est très important. Il précise votre rang. La manière dont on vous traite dépend de votre titre, par rapport aux gens de votre entourage.

Si Paul avait eu une carte de visite, elle l'aurait identifié comme « apôtre » (1 Ti 1.1), c'est-à-dire « envoyé ». Il employait ce titre non par orgueil, mais avec étonnement. Il n'a pas mérité ce rang, il lui a été conféré « par ordre de Dieu notre Sauveur et de Jésus-Christ ». Autrement dit, son ordination était à caractère non humain, mais divin.

Par le passé, Paul avait été « un blasphémateur, un persécuteur, un homme violent » (v. 13). Il a dit qu'il se considérait comme le « premier » des pécheurs (v. 15). Toutefois, en raison de la miséricorde de Dieu, il était maintenant apôtre, un de ceux à qui l'« immortel, invisible, seul Dieu » (v. 17) avait confié l'Évangile de gloire et qu'il avait envoyé pour propager cet Évangile.

Le plus étonnant, c'est que le Roi des rois nous envoie tous dans le monde comme il l'a fait de l'apôtre Paul (Mt 28.18-20 ; Ac 1.8). Reconnaissons donc avec humilité à notre tour que nous ne méritons pas non plus que Dieu nous confie un tel mandat. C'est un privilège pour nous de les représenter, lui et sa vérité éternelle, en parole et en action, chaque jour, auprès des gens qui nous entourent. —C.P.H.

Dieu vous a donné un message à communiquer.
Ne le gardez pas pour vous-même.

11 juin

UN MARIAGE PRINCIER

LISEZ : Apocalypse 19.1-10

**Réjouissons-nous, soyons dans l'allégresse, et donnons-lui gloire ; car les noces de l'Agneau sont venues, son épouse s'est préparée.
—Apocalypse 19.7**

LA BIBLE EN UN AN :
☐ Esdras 1 – 2
☐ Jean 19.23-42

Les mariages sont depuis longtemps une occasion de faire des extravagances. Les mariages des temps modernes sont devenus une occasion pour les jeunes femmes de réaliser le fantasme de devenir « une princesse d'un jour ». Une robe élégante, une coiffure élaborée, des bouquets de fleurs, une abondance de nourriture et de grandes célébrations en compagnie d'amis et de membres de la famille contribuent à l'atmosphère d'un conte de fées. Beaucoup de parents commencent à économiser tôt afin de pouvoir payer le prix fort pour réaliser le rêve de leur fille. Et les mariages princiers poussent l'extravagance à un extrême que nous, « commun des mortels », voyons rarement. En 1981, toutefois, plusieurs d'entre nous en ont eu un aperçu lorsque l'on a diffusé le mariage du prince Charles et de la princesse Diana sur la scène internationale.

Or, il y a un autre mariage princier en planification, qui sera plus élaboré que tout autre. Dans ce mariage, par contre, la personne la plus importante sera l'époux, Christ lui-même ; et nous, l'Église, serons son épouse. Dans le livre de l'Apocalypse, Jean dit que l'épouse se préparera (19.7) et que notre robe de mariage sera nos œuvres justes (v. 8).

Bien que les mariages terrestres ne durent que peu de temps, toutes les mariées travaillent dur pour rendre leur mariage parfait. À combien plus forte raison, en tant qu'épouse de Christ, devrions-nous redoubler d'efforts pour nous préparer à un mariage qui durera toute l'éternité. —J.A.L.

Les bonnes œuvres ne font pas le chrétien, mais le chrétien fait de bonnes œuvres.

12 juin

LA GRANDE REMONTÉE

LISEZ :
Actes 2.14-21,37-41

Alors Pierre, se présentant avec les onze, éleva la voix, et leur parla en ces termes : Hommes Juifs […] prêtez l'oreille à mes paroles !
—Actes 2.14

LA BIBLE EN UN AN :
☐ Esdras 3 – 5
☐ Jean 20

Nous aimons entendre parler de remontées – de gens ou de sociétés qui côtoient la catastrophe et renversent la vapeur. La Ford Motor Company en est un exemple. Dans les années 1940, les réticences de la direction par rapport à la nécessité de moderniser la société l'ont presque détruite. En fait, le gouvernement a failli prendre les commandes de la société tant sa situation fâcheuse menaçait les efforts de guerre du pays. Cependant, lorsque le gouvernement a dégagé Henry Ford fils de son devoir militaire pour qu'il dirige la société, les choses ont commencé à changer. Ford est devenu l'une des plus grandes sociétés du monde.

Il nous faut parfois faire une remontée. Nous devons rectifier le tir ou compenser de mauvaises décisions. Durant ces périodes, nous trouvons un exemple en Pierre. Il a échoué lamentablement. D'abord, il s'est presque noyé lorsque sa foi a faibli (Mt 14.30). Puis, il a prononcé des paroles d'une telle fausseté que Jésus l'a appelé « Satan » (16.22,23). Et lorsque Jésus a eu le plus besoin de Pierre, celui-ci a nié même le connaître (26.74).

Toutefois, l'histoire ne se termine pas là. Par la puissance de l'Esprit, Pierre a fait une remontée. Le jour de la Pentecôte, il a prêché et 3000 personnes ont mis leur foi en Christ (Ac 2.14,41). Pierre a retrouvé son efficacité parce que sa foi a été renouvelée, il a fait attention à ce qu'il disait et il a pris le parti de Jésus.

Or, si Pierre a pu faire une remontée, vous le pouvez aussi.
—J.D.B.

Pour que votre âme guérisse, cédez au Saint-Esprit.

13 juin

VOTRE OLÉODUC SPIRITUEL

LISEZ :
Psaume 57

Car en toi mon âme cherche un refuge ; je cherche un refuge à l'ombre de tes ailes.
—Psaume 57.2

LA BIBLE EN UN AN :
☐ Esdras 6 – 8
☐ Jean 21

Un oléoduc traverse l'Alaska sur une longueur de 1300 km. Étant donné qu'il a été construit dans une zone sujette aux séismes, les ingénieurs devaient s'assurer que l'oléoduc supporterait les secousses sismiques. Ils ont opté pour un réseau de coulisseaux de téflon conçus pour absorber le choc lors des mouvements de terrain sous l'oléoduc. Les ingénieurs se sont réjouis de voir celui-ci réussir le premier gros test. En 2002, un tremblement de terre a déplacé le sol de 5,5 m d'un côté. Les coulisseaux de téflon ont bougé légèrement de manière à accommoder le mouvement du sol sans endommager le moindrement l'oléoduc. Le secret : la flexibilité.

L'oléoduc spirituel du croyant le menant au ciel repose sur une confiance ferme en Dieu. Toutefois, si nous sommes inflexibles dans nos attentes par rapport à la manière dont Dieu devrait œuvrer, nous risquons de nous attirer des ennuis. En crise, nous risquons de faire l'erreur de détourner le regard de Dieu pour le poser sur notre situation douloureuse. Notre prière devrait être : « Mon Dieu, je ne comprends pas pourquoi tu as permis cette situation douloureuse, mais je crois à ta délivrance ultime en dépit de tout ce qui se passe autour de moi. » Cette confiance, le psalmiste l'a tellement bien exprimée en écrivant : « Car en toi mon âme cherche un refuge [...] jusqu'à ce que les calamités soient passées » (Ps 57.2).

Si le sol semble bouger sous nos pas, soyons flexibles dans nos attentes, mais fermes dans la foi en la bonté et l'amour constants de Dieu. —H.D.F.

Il se peut que Dieu tarde à nous exaucer ou refuse de le faire, mais il ne trahira jamais notre confiance.

14 juin

Sous Dieu

Lisez :
Marc 2.23-28

Car l'amour de Dieu consiste à garder ses commandements. Et ses commandements ne sont pas pénibles.
—1 Jean 5.3

La Bible en un an :
☐ Esdras 9 – 10
☐ Actes 1

Tout parent connaît la différence entre les règles visant principalement à avantager le parent et celles à avantager l'enfant. Les règles de Dieu s'inscrivent dans la dernière catégorie. En tant que Créateur de la race humaine, Dieu sait comment la société humaine fonctionne le mieux.

Je me suis mis à méditer les dix commandements en tant que règles visant principalement à nous avantager. Jésus a d'ailleurs souligné ce principe en disant : « Le sabbat a été fait pour l'homme, et non l'homme pour le sabbat » (Mc 2.27).

La Bible est un livre des plus réalistes. Elle présume que les êtres humains seront tentés de convoiter une personne ou le bien d'un autre, de travailler trop dur, de se mettre en colère contre ceux qui leur font du tort. Elle présume que l'humanité sèmera le désordre dans tout ce qu'elle touchera. Chacun des dix commandements offre une protection contre ce désordre. Nous avons la liberté de refuser de nous abandonner à nos inclinations pécheresses. Ce faisant, nous évitons certains péchés.

Pris ensemble, les dix commandements tissent la vie ici-bas en un tout plus significatif et mieux structuré, ce qui a pour avantage de nous permettre de vivre au sein d'une collectivité paisible et saine sous la direction de Dieu. —P.D.Y.

Puissent mes actions être bien réglées, afin que je garde tes statuts ! Alors je ne rougirai point. – Psaume 119.5,6

15 juin

DOIS-JE LIRE LE LIVRE DU LÉVITIQUE ?

LISEZ :
Ésaïe 55.6-13

***[Ma]* parole […] ne retourne point à moi sans effet.**
—Ésaïe 55.11

LA BIBLE EN UN AN :
☐ Néhémie 1 – 3
☐ Actes 2.1-21

Suis-je obligé de lire le livre du Lévitique ? » Un jeune chef d'entreprise m'a posé la question en toute sincérité tandis que nous parlions de la nécessité de passer du temps à lire la Bible. « L'Ancien Testament semble tellement ennuyeux et difficile à comprendre », m'a-t-il dit.

Beaucoup de chrétiens sont du même avis. Bien entendu, l'Ancien Testament, y compris le livre du Lévitique, offre un arrière-plan et même des contrastes essentiels à la compréhension du Nouveau Testament. Bien qu'Ésaïe nous incite à chercher Dieu (55.6), il nous promet également que la Parole de Dieu accomplira ce que le Seigneur veut accomplir (v. 11). L'Écriture est vivante et puissante (Hé 4.12), et elle est utile pour nous enseigner, nous corriger et nous instruire (2 Ti 3.16). La Parole de Dieu ne retourne jamais à lui sans effet (És 55.8-11), mais c'est parfois plus tard que les paroles de Dieu nous viennent à l'esprit lorsque nous en avons besoin.

Le Saint-Esprit se sert des vérités que nous avons récoltées au fil de nos lectures ou de notre mémorisation, et il nous aide à les mettre en application juste au bon moment. Par exemple, Lévitique 19.10,11 parle de la concurrence commerciale et même de s'occuper des pauvres. L'Esprit peut nous rappeler ces concepts, et nous pouvons les employer, si nous avons passé du temps à lire et à méditer ce passage.

La lecture de la Bible change notre esprit en entrepôt dans lequel l'Esprit peut œuvrer. Voilà une excellente raison pour lire « toute » la Bible. —R.K.

Pour comprendre la Parole de Dieu, fiez-vous à l'Esprit de Dieu.

16 juin

DÉLIVRÉS

LISEZ :
Colossiens 1.3-18

[Il] **nous a délivrés de la puissance des ténèbres et nous a transportés dans le royaume de son Fils bien-aimé.**
—Colossiens 1.13

LA BIBLE EN UN AN :
☐ Néhémie 4 – 6
☐ Actes 2.22-47

Après le tremblement de terre qui a dévasté Haïti en janvier 2010, les scènes de destruction et de mort ont souvent été ponctuées de scènes où l'on voyait quelqu'un être sorti vivant des décombres, même après que tout espoir avait disparu. Le soulagement et les larmes de joie succédaient à une profonde gratitude envers ceux qui travaillaient jour et nuit, en risquant souvent leur propre vie pour donner à quelqu'un d'autre la chance de vivre.

Comment vous sentiriez-vous si cela vous arrivait ? Avez-vous déjà été secouru ?

Dans Colossiens 1, Paul a écrit à des gens qui avaient connu Jésus-Christ et dont la vie prouvait leur foi. Après les avoir assurés de ses prières afin qu'ils connaissent la volonté de Dieu et qu'ils plaisent à celui-ci, Paul s'est servi d'une illustration puissante pour décrire ce que Dieu avait fait pour eux tous : « *[Il]* nous a délivrés de la puissance des ténèbres et nous a transportés dans le royaume de son Fils bien-aimé, en qui nous avons la rédemption, le pardon des péchés » (v. 13,14).

En Christ, nous avons été secourus ! Il nous a fait passer du danger à la sécurité, d'un pouvoir et d'une destinée à d'autres, de la mort à la vie.

Il vaut la peine que nous nous interrogions sur ce qu'être secourus signifie pleinement pour nous, tandis que nous remercions Dieu pour sa grâce et sa puissance. —D.C.M.

Ceux que Dieu a délivrés du péché sont le mieux en mesure de participer à la délivrance des autres.

17 juin

La vraie richesse

Lisez :
1 Timothée 6.6-19

Recommande aux riches du présent siècle de ne pas être orgueilleux, et de ne pas mettre leur espérance dans les richesses incertaines, mais de la mettre en Dieu.
—1 Timothée 6.17

La Bible en un an :
☐ Néhémie 7 – 9
☐ Actes 3

L'argent est une force puissante. On travaille pour le gagner, on l'économise, on le dépense, on l'emploie à satisfaire ses désirs terrestres, et l'on aimerait en avoir plus. Conscient du danger qu'il comporte, Jésus a plus parlé d'argent que de tout autre sujet. Or, à ce que l'on sache, Jésus n'a jamais lui-même accepté d'offrande. Il n'a manifestement pas enseigné au sujet de l'argent pour se remplir les poches. Jésus a plutôt voulu nous dissuader de mettre notre confiance dans les richesses et de l'employer pour acquérir du pouvoir, ce qui obstruerait nos artères spirituelles plus que toute autre chose nuisant à notre perfectionnement spirituel. Par l'histoire du « riche insensé », Jésus a fait honte à ses auditeurs qui ne mettaient pas leurs richesses en Dieu (Lu 12.13-21), indiquant ainsi que Dieu possède une définition de la richesse très différente de celle de la plupart d'entre nous.

Que signifie mettre notre richesse en Dieu ? Paul nous dit que ceux qui sont riches ne devraient pas céder à la suffisance en raison de leur richesse et « ne pas mettre leur espérance dans les richesses incertaines » (1 Ti 6.17). Nous nous devons plutôt « d'être riches en bonnes œuvres, d'avoir de la libéralité, de la générosité » (v. 18).

Intéressant ! Dieu mesure la richesse à la qualité de notre vie et à la générosité avec laquelle pour bénissons les autres. Rien à voir avec la pensée de celui qui croit que sa sécurité et sa réputation sont attribuables à la taille de son compte bancaire. —J.M.S.

La richesse est une bénédiction uniquement pour ceux qui en font une bénédiction pour les autres.

18 juin

SE CONCENTRER

LISEZ :
Philippiens 3.8-16

***[Oubliant]* ce qui est en arrière […] je cours vers le but, pour remporter le prix de la vocation céleste de Dieu en Jésus-Christ.**
—Philippiens 3.13,14

LA BIBLE EN UN AN :
☐ Néhémie 10 – 11
☐ Actes 4.1-22

J'aime jouer au golf, si bien que je regarde occasionnellement des vidéos de perfectionnement. Une de ces vidéos m'a toutefois déçu. L'instructeur présentait un swing en au moins 8 étapes et une douzaine de sous-points pour chaque étape. C'était franchement trop d'information !

Bien que je ne sois pas un excellent golfeur, des années de jeu m'ont enseigné ceci : plus on a de pensées en tête au moment du swing, moins on a de chances de le réussir. On doit simplifier son processus mental et se concentrer sur le plus important, c'est-à-dire frapper la balle d'aplomb. Les nombreux points de l'instructeur nuisaient plus qu'autre chose.

Au golf comme dans la vie, on doit se concentrer sur le plus important.

Dans Philippiens 3, Paul décrit en quoi cette nécessité concerne le chrétien. Plutôt que de se laisser distraire par des choses de moindre importance, il désirait se concentrer sur ce qui en avait le plus, comme ses paroles en témoignent : « [Je] *fais une chose*, oubliant ce qui est en arrière et me portant vers ce qui est en avant, je cours vers le but, pour remporter le prix de la vocation céleste de Dieu en Jésus-Christ » (v. 13,14).

« *[Je]* fais une chose. » Dans un monde où pullulent les distractions, il est primordial que l'enfant de Dieu reste concentré, et il n'existe rien de mieux sur quoi se concentrer dans l'univers que la personne même de Jésus-Christ. Est-il le plus important pour vous ? —W.E.C.

Nous vivons avec le plus d'efficacité pour Christ lorsque nous gardons les yeux fixés sur lui.

19 juin

Le chapeau de papa

Lisez :
Éphésiens 6.1-4

Honore ton père.
—Éphésiens 6.2

La Bible en un an :
☐ Néhémie 12 – 13
☐ Actes 4.23-37

Au cœur de la célébration, une tragédie a frappé. C'était la cérémonie d'ouverture des Jeux olympiques d'été de 1992 à Barcelone. Une par une, les équipes sont entrées dans le stade et ont paradé sur la piste sous les acclamations de 65 000 personnes. Toutefois, dans une section du stade olympique, un choc et la tristesse se sont emparés des gens qui ont vu Peter Karnaugh, le père du nageur américain Ron Karnaugh, succomber à une crise cardiaque.

Cinq jours plus tard, Ron s'est présenté à sa course coiffé du chapeau de son père, qu'il a soigneusement rangé avant le début de sa compétition. Pourquoi le chapeau ? C'était l'hommage que le nageur rendait à son père, qu'il a décrit comme son « meilleur ami ». Ce chapeau, son père le portait lorsqu'ils pêchaient et faisaient d'autres choses ensemble. Porter ce chapeau était un moyen pour Ron d'honorer son père, qui s'était tenu à ses côtés, qui l'avait encouragé et qui l'avait guidé. Lorsque Ron a plongé dans l'eau, il l'a fait sans la présence de son père, mais inspiré de sa mémoire.

En ce jour de la fête des Pères, nous avons plusieurs moyens d'honorer notre père, comme l'Écriture nous le commande (Ép 6.2). Un de ces moyens consiste, même si notre père n'est plus là, à le respecter pour les bonnes valeurs qu'il nous a inculquées.

Que pouvez-vous faire pour votre père aujourd'hui afin de lui témoigner le genre d'hommage dont la Bible parle ?
—J.D.B.

Les meilleurs pères nous donnent non seulement la vie, mais ils nous enseignent aussi à vivre.

20 juin

EN BREF

LISEZ :
Psaume 117

Car sa bonté pour nous est grande.
—Psaume 117.2

LA BIBLE EN UN AN :
☐ Esther 1 – 2
☐ Actes 5.1-21

Pour les avoir comptés, je sais que le discours qu'Abraham Lincoln a prononcé à Gettysburg contenait moins de 300 mots. Cela indique qu'entre autres choses, les mots n'ont pas à être nombreux pour être mémorables.

C'est d'ailleurs une des raisons pour lesquelles j'aime le Psaume 117. Il se démarque par sa brièveté. Le psalmiste a dit tout ce qu'il avait à dire en 29 mots (en seulement 17 dans le texte hébreu).

Louez l'Éternel, vous toutes les nations, célébrez-le, vous tous les peuples ! Car sa bonté pour nous est grande, et sa fidélité dure à toujours. Louez l'Éternel !

Ah, voilà la bonne nouvelle ! Ce psaume du genre alléluia contient un message adressé à toutes les nations du monde selon lequel « sa bonté [*celle de Dieu*] » – l'amour selon son alliance – « pour nous est grande » (v. 2).

Réfléchissez à la signification de l'amour de Dieu. Avant même que nous naissions, Dieu nous aimait déjà ; il nous aimera encore après notre mort. Rien « ne pourra nous séparer de l'amour de Dieu manifesté en Jésus-Christ notre Seigneur » (Ro 8.39). Son cœur est une fontaine d'amour intarissable et irrépressible !

En lisant ce court psaume de louanges à Dieu, je ne peux penser à une source d'encouragement plus grande pour notre séjour ici-bas que son rappel de la bonté et de la miséricorde de Dieu. Dieu soit loué ! —D.H.R.

Ce que nous savons de Dieu devrait nous le faire louer à cœur joie.

21 juin

BÉNÉDICTION INATTENDUE

LISEZ :
Ruth 2.11-23

***[Ta]* belle-fille, qui t'aime […] vaut mieux pour toi que sept fils.**
—Ruth 4.15

LA BIBLE EN UN AN :
☐ Esther 3 – 5
☐ Actes 5.22-42

Naomi et Ruth sont unies dans une situation moins qu'idéale. Pour échapper à la famine en Israël, la famille de Naomi va s'établir dans le pays de Moab. Là, ses deux fils épousent des femmes moabites : Orpa et Ruth. Puis, le mari et les fils de Naomi meurent. Comme dans cette culture les femmes dépendent des hommes, ces trois veuves se retrouvent en difficulté.

Quand Naomi entend dire que la famine a pris fin en Israël, elle décide de faire le long voyage pour rentrer chez elle. Orpa et Ruth veulent l'accompagner, mais Naomi les exhorte à rentrer chez elles : « *[La]* main de l'Éternel s'est étendue contre moi » (1.13). Opra rentre donc chez elle, mais Ruth décide de rester avec Naomi, à qui elle dit qu'elle croit à son Dieu, même si la foi de Naomi est vacillante (1.15-18).

La situation initiale est désespérément pénible : famine, mort et désespoir (1.1-5). Elle change du tout au tout en raison de gestes de bonté imméritée : Ruth envers Naomi (1.16,17 ; 2.11,12) et Boaz envers Ruth (2.13,14). Le choix des personnages est surprenant : deux veuves (une Juive âgée et une jeune païenne) et Boaz, le fils d'une prostituée (Jos 2.1 ; Mt 1.5). Tout dépend d'une intervention inattendue : Ruth glane « comme par hasard » dans le champ de Boaz (2.3). L'histoire aboutit à une bénédiction inimaginable : un bébé de la lignée du Messie (4.16,17). Dieu accomplit des miracles avec ce qui semble insignifiant : une foi faible, un geste de bonté et des gens ordinaires. —J.A.L.

Parmi tous les revers que vous essuyez en tant que croyant, Dieu planifie en vue de votre joie. – John Piper

22 juin

FAIRE FACE À NOS CRAINTES

LISEZ :
Juges 6.11-23

L'ange de l'Éternel lui apparut, et lui dit : L'Éternel est avec toi, vaillant héros !
—Juges 6.12

LA BIBLE EN UN AN :
☐ Esther 6 – 8
☐ Actes 6

Une mère a demandé à son fils de 5 ans d'aller lui chercher une boîte de soupe aux tomates dans le garde-manger. Il a refusé en protestant : « Mais il fait noir là-dedans. » Sa mère lui a alors dit pour le rassurer : « Tout ira bien. Ne crains rien. Jésus est là. » Johnny a donc ouvert lentement la porte et, voyant qu'il y faisait noir, s'est écrié : « Jésus, peux-tu me passer une boîte de soupe aux tomates. »

Cette anecdote comique au sujet de la peur de Johnny me rappelle Gédéon. Le Seigneur est apparu à Gédéon, en l'appelant « vaillant héros » (Jg 6.12), puis lui a demandé de délivrer Israël des mains de Madian (v. 14). Toutefois, la réponse de Gédéon trahissait sa peur : « Voici, ma famille est la plus pauvre en Manassé, et je suis le plus petit dans la maison de mon père » (v. 15). Même après que le Seigneur a dit à Gédéon qu'avec son aide celui-ci vaincrait Madian (v. 16), il continuait d'avoir peur. C'est alors que Gédéon a demandé au Seigneur des signes pour confirmer la volonté de Dieu et son secours (v. 17,36-40). Pourquoi donc, alors, le Seigneur s'est-il adressé à Gédéon en l'appelant « vaillant héros » ? En raison de la personne que Gédéon deviendrait un jour avec l'aide de Dieu.

Il peut nous arriver aussi de douter de nos capacités et de notre potentiel, mais ne doutons jamais de ce que Dieu peut faire par nous si nous lui faisons confiance et lui obéissons. Le Dieu de Gédéon est le même Dieu qui nous aidera à accomplir tout ce qu'il nous demande de faire. —A.L.

Si nous savons que le Seigneur est avec nous, nous pouvons surmonter toutes nos craintes.

23 juin

Radicale et inversée

Lisez :
Luc 14.7-14

Et voici, il y en a des derniers qui seront les premiers, et des premiers qui seront les derniers.
—Luc 13.30

La Bible en un an :
☐ Esther 9 – 10
☐ Actes 7.1-21

Les valeurs du royaume que Jésus est venu établir étaient radicalement différentes de celles de son époque. Les pharisiens et les docteurs de la loi étaient en mal de visibilité et d'importance, comme c'est le cas encore aujourd'hui de beaucoup d'entre nous.

Dans Luc 14, Jésus raconte une parabole destinée à enseigner à ses disciples à ne pas les imiter. Cette parabole parle de gens qui se choisissaient les meilleures places à des noces (v. 7,8). Jésus dit qu'ils auraient honte si l'hôte leur demandait devant tout le monde « d'aller occuper la dernière place » (v. 9). Jésus a poursuivi son histoire en indiquant à ses disciples qu'à de tels repas ils doivent inviter d'autres convives que leurs amis et leur famille : « Mais, lorsque tu donnes un festin, invite des pauvres, des estropiés, des boiteux, des aveugles. Et tu seras heureux de ce qu'ils ne peuvent pas te rendre la pareille » (v. 13,14).

Déçu de ne pas avoir été inclus parmi l'élite de votre Église ou de votre quartier ? Pris à l'échelon deux, alors que vous préféreriez être à l'échelon huit ou en train de gravir l'échelle sociale ? Écoutez ce que Jésus a dit : « Car quiconque s'élève sera abaissé, et quiconque s'abaisse sera élevé » (v. 11). Voilà la façon de procéder radicale et inversée du royaume de Dieu !
—D.C.E.

Dans le royaume de Christ,
l'humilité surpasse l'orgueil à tout coup.

24 juin

PARCE QUE

LISEZ :
Job 2

Quoi ! nous recevons de Dieu le bien, et nous ne recevrions pas aussi le mal !
—Job 2.10

LA BIBLE EN UN AN :
☐ Job 1 – 2
☐ Actes 7.22-43

Un jour, mon fils de trois ans s'est exclamé : « Je t'aime, maman ! » Curieuse de savoir ce qui motivait un enfant de cet âge, je lui ai demandé pourquoi. Il m'a répondu : « Parce que tu joues aux voitures avec moi. » Quand je lui ai demandé s'il avait d'autres raisons que celle-là, il m'a répondu : « Non, c'est ça. » Sa réponse m'a fait sourire, mais elle m'a également fait réfléchir à la manière dont je me comporte avec Dieu. Est-ce que je l'aime et je lui fais confiance simplement en raison de ce qu'il fait pour moi ? Qu'en est-il lorsque les bénédictions disparaissent ?

Job a dû répondre à ces questions lorsque des catastrophes lui ont enlevé ses enfants et ont détruit toute sa propriété. Sa femme lui a conseillé : « Maudis Dieu, et meurs ! » (2.9.) Au lieu de cela, Job lui a demandé : « Quoi ! nous recevons de Dieu le bien, et nous ne recevrions pas aussi le mal ! » (v. 10.) Oui, Job a eu de la difficulté à se remettre des tragédies qui l'ont frappé, il s'est mis en colère contre ses amis et il a mis en doute la bonté du Tout-Puissant. Reste qu'il s'est promis une chose : « Voici, quand même il me tuerait, je ne cesserais d'espérer en lui » (13.15).

L'amour de Job pour son Père céleste ne dépendait pas d'une solution pratique à ses problèmes. Il l'aimait et lui faisait confiance en raison de tout ce qu'est Dieu. Job a dit : « À lui la sagesse et la toute-puissance » (9.4).

Notre amour pour Dieu ne doit pas reposer uniquement sur ses bénédictions, mais sur son identité. —J.B.S.

Le fait de nous concentrer sur les attributs de Dieu nous aide à détourner le regard de notre situation.

25 juin

RECALCULE

LISEZ :
2 Timothée 3.10-17

Toute Écriture est inspirée de Dieu, et utile pour enseigner, pour convaincre, pour corriger, pour instruire dans la justice.
—2 Timothée 3.16

LA BIBLE EN UN AN :
☐ Job 3 – 4
☐ Actes 7.44-60

En voyage avec un ami, nous avons utilisé son GPS pour nous guider chaque jour sur la route. Après avoir entré notre destination à l'écran, une voix nous disait quelle route suivre, ainsi que le moment et l'endroit où nous devions changer de route. Lorsque nous sortions de l'itinéraire, accidentellement ou intentionnellement, la voix nous disait : « Recalcule. » Puis, elle nous indiquait comment retourner sur la bonne route.

Or, 2 Timothée 3.16 décrit la Bible comme une sorte de GPS spirituel conçu en vue de notre voyage à travers la vie : « Toute Écriture est inspirée de Dieu, et utile pour enseigner, pour convaincre, pour corriger, pour instruire dans la justice. » Ainsi donc, *l'enseignement* nous indique quelle route emprunter ; *la conviction* nous indique quand nous quittons la bonne route ; *la correction* nous indique comment retourner sur la bonne route ; *l'instruction dans la justice* nous indique comment rester sur la route de Dieu.

Les erreurs et les choix qui nous font contourner Dieu ne doivent pas être pris à la légère. Cependant, l'échec est rarement irrémédiable et peu de décisions sont finales. Dès l'instant où nous prenons une tangente, le Saint-Esprit « recalcule » et nous exhorte à retourner sur la voie du Père.

Si nous avons perdu le cap, le moment ne saurait être mieux choisi que maintenant pour écouter la voix de Dieu et retourner sur sa route. —D.C.M.

Pour garder le cap,
fiez-vous au compas de la Parole de Dieu.

26 juin

Repose-toi intérieurement

Lisez :
Romains 8.31-39

Venez à moi, vous tous qui êtes fatigués et chargés, et je vous donnerai du repos.
—Matthieu 11.28

La Bible en un an :
☐ Job 5 – 7
☐ Actes 8.1-25

La partie que je préfère dans mon cours d'exercices d'étirement et d'assouplissement, ce sont les 5 dernières minutes. Nous sommes couchés sur le dos, sur notre matelas, à relaxer avec les lumières tamisées. Durant un de ces moments, l'instructeur nous a dit doucement : « Trouvez un lieu intérieur où vous reposer. » J'ai réfléchi au meilleur endroit où «se reposer intérieurement » mentionné dans les paroles du cantique de Cleland B. McAfee intitulé « Near to the Heart of God » (Près du cœur de Dieu) : *Il y a un endroit où se reposer, près du cœur de Dieu ; un endroit où le péché ne peut déranger, près du cœur de Dieu. Ô Jésus, Rédempteur béni, dans tes bras, tiens-nous blottis, près du cœur de Dieu.*

Ce cantique a été écrit en 1901 après que les deux nièces de McAfee sont mortes de la diphtérie. La chorale de son Église l'a chanté devant la maison en quarantaine de son frère, pour lui offrir des paroles d'espoir en Dieu.

L'apôtre Paul nous dit que Dieu a le cœur rempli d'amour pour nous (Ro 8.31-39). Rien – tribulation, angoisse, persécution, faim, nudité, péril, épée, mort, vie, anges, dominations, puissances, hauteur ou profondeur – ne peut nous séparer de l'amour éternel de notre Seigneur. « Si Dieu est pour nous, qui sera contre nous ? » (v. 31.)

Quelles que soient nos sources de stress et d'inquiétude, le cœur de Dieu est *l'endroit idéal* où « nous reposer intérieurement ». Confiez-lui tout, « car lui-même prend soin de vous » (1 Pi 5.7). —A.M.C.

Lorsque vous êtes las de vivre des difficultés, trouvez le repos dans le Seigneur.

27 juin

À QUOI VOUS RECONNAÎT-ON ?

LISEZ :
Philippiens 2.25-30

***[Mon]* frère Épaphrodite, mon compagnon d'œuvre et de combat.**
—Philippiens 2.25

LA BIBLE EN UN AN :
☐ Job 8 – 10
☐ Actes 8.26-40

Dans l'Empire romain, les païens invoquaient souvent le nom d'un dieu ou d'une déesse lorsqu'ils misaient à un jeu de hasard. Une de leurs divinités préférées était Aphrodite, le nom grec désignant Vénus, la déesse de l'amour. En jetant les dés, ils disaient « epaphroditus ! » ce qui signifiait littéralement « par Aphrodite ! »

L'épître aux Philippiens nous parle d'un Grec du nom d'Épaphrodite qui s'est converti à la foi chrétienne. Cet intime de Paul le servait bien dans son œuvre missionnaire. Au sujet de cet ami, Paul a écrit : « *[Mon]* frère Épaphrodite, mon compagnon d'œuvre et de combat » (Ph 2.25).

Épaphrodite était un frère spirituel en Christ, un ouvrier fidèle qui avait part aux efforts du ministère, un brave soldat dans la foi et le porteur de la lettre inspirée de Dieu que Paul a adressée à l'Église de Philippe. Il a donné l'exemple en matière d'amour fraternel, d'éthique de travail, d'endurance spirituelle et de service. Il ne fait aucun doute qu'Épaphrodite méritait la réputation d'homme ne vivant pas selon une divinité païenne, mais par la foi en Jésus-Christ.

Plus importantes encore que notre nom sont les qualités chrétiennes qui se voient dans notre vie : la fiabilité, la tendresse, l'encouragement et la sagesse. Par quelle autre qualité voudriez-vous que l'on vous décrive ? —H.D.F.

Si nous soignons notre caractère,
notre réputation aura soin d'elle-même !

REGARDER DEVANT SOI

LISEZ : Hébreux 11.23-31

Moïse [...] refusa d'être appelé fils de la fille de Pharaon ; il préféra être maltraité.
—Hébreux 11.24,25

LA BIBLE EN UN AN :
☐ Job 11 – 13
☐ Actes 9.1-21

Au cours de la guerre froide (1947-1991), une période de tension entre les superpuissances du monde, Albert Einstein a dit : « J'ignore avec quelles armes on livrera la Troisième Guerre mondiale, mais la Quatrième se livrera avec des bâtons et des pierres. » C'était un moment de grande lucidité quant aux conséquences du choix d'une guerre nucléaire. Peu importe ce qui motivera un tel choix, les résultats seront dévastateurs.

Malheureusement, nous ne voyons pas toujours devant nous avec une telle clarté. Les implications de nos choix sont parfois difficiles à anticiper. Et parfois nous ne réfléchissons qu'au moment présent.

Moïse a considéré l'avenir et a fait un choix en fonction de conséquences possibles : « C'est par la foi que Moïse, devenu grand [...] préféra être maltraité avec le peuple de Dieu plutôt que d'avoir pour un temps la jouissance du péché ; il regarda l'opprobre de Christ comme une richesse plus grande que les trésors de l'Égypte, car il avait les yeux fixés sur la rémunération » (Hé 11.24-26).

Le choix de Moïse n'était pas facile, mais son bien-fondé lui est apparu clairement, car il savait que sa récompense à venir lui rendrait supportables les ennuis que lui causait sa vie de piété. Lorsque nous considérons notre avenir, sommes-nous prêts à supporter « l'opprobre de Christ » – les épreuves que nous vaut notre association à Jésus – en échange contre la récompense qui nous est promise si nous plaisons à Dieu ?
—W.E.C.

Si nous dépendons de Christ pour tout, nous pourrons tout supporter.

29 juin

NUL AUTRE ESPOIR QUE DIEU

LISEZ :
Romains 5.1-5

Mais si nous espérons ce que nous ne voyons pas, nous l'attendons avec persévérance.
—Romains 8.25

LA BIBLE EN UN AN :
☐ Job 14 – 16
☐ Actes 9.22-43

Dans son livre intitulé *Through the Valley of the Kwai*, l'officier écossais Ernest Gordon raconte les années qu'il a passées en tant que prisonnier de guerre durant la Seconde Guerre mondiale. L'homme de 1,88 m a alors souffert du paludisme, de la diphtérie, de la typhoïde, du béribéri, de la dysenterie et d'ulcères, sans compter que les gros travaux et la rareté de la nourriture ont eu tôt fait de réduire son poids à moins de 45 kilos.

L'insalubrité de l'hôpital de la prison a poussé un Ernest désespéré à demander qu'on l'envoie dans un lieu plus propre : la morgue. Là, il attendait de mourir. Chaque jour, toutefois, un autre prisonnier venait laver ses plaies et l'encourager à manger une partie de sa propre ration. Tandis que Dusty Miller, cet homme discret et modeste, ramenait Ernest à la santé, il parlait à l'Écossais agnostique de sa propre foi solide en Dieu et lui montrait que – même au cœur de la douleur – il y a des raisons d'espérer.

L'espérance dont l'Écriture nous parle n'est pas une forme d'optimisme vague et vacillant. Cette espérance est une attente ferme et empreinte d'assurance : ce que Dieu a promis dans sa Parole, il l'accomplira. Les tribulations sont souvent le catalyseur produisant la persévérance, la victoire dans l'épreuve et, finalement, l'espérance (Ro 5.3,4).

Il y a 70 ans, brutalisé dans un camp de prisonniers de la Seconde Guerre mondiale, Ernest Gordon a lui-même découvert cette vérité et a dit : « La foi grandit lorsque Dieu est notre seul espoir » (voir Ro 8.24,25). —C.H.K.

Christ, le Rocher, est notre espoir assuré.

30 juin

PERDU ET RETROUVÉ

LISEZ :
Luc 15.1-10

Réjouissez-vous avec moi, car j'ai trouvé ma brebis qui était perdue.
—Luc 15.6

LA BIBLE EN UN AN :
☐ Job 17 – 19
☐ Actes 10.1-23

Jusqu'au jour où j'ai été trouvée, j'ignorais que j'étais perdue. Je faisais ma vie, allant de tâche en tâche, de distraction en distraction. Puis, j'ai reçu un courriel ayant pour entête : « Je crois que vous êtes ma cousine. » En lisant le message de ma cousine, j'ai appris qu'elle et une autre cousine étaient à la cherche des membres de ma branche de la famille depuis près de 10 ans. L'autre cousine avait promis à son père, peu avant qu'il meure, qu'elle retrouverait la famille de celui-ci.

Je n'avais rien fait pour me perdre, et je n'avais rien à faire pour être retrouvée, sauf reconnaître que j'étais la personne qu'elles cherchaient. En apprenant qu'elles avaient consacré autant de temps et d'énergie à chercher ma famille, j'ai éprouvé le sentiment d'être spéciale.

Cela m'a fait réfléchir aux paraboles « perdu et retrouvé » de Luc 15 – la brebis perdue, la drachme perdue et le fils perdu. Chaque fois que nous nous éloignons de Dieu, que ce soit intentionnel comme dans le cas du fils prodigue ou non comme dans celui de la brebis, Dieu nous cherche. Bien que nous ne nous « sentions » pas forcément perdus, si nous n'avons pas de relation avec Dieu, nous le sommes néanmoins. Pour être retrouvés, nous devons réaliser que Dieu est à notre recherche (Lu 19.10) et admettre que nous sommes séparés de lui. En renonçant à nos mauvaises voies, nous pouvons être réunis avec lui et intégrés dans sa famille. —J.A.L.

Pour être retrouvé,
vous devez vous reconnaître perdu.

Dialoguer avec Dieu tout au long de la journée

Avez-vous déjà consacré une grande attention spirituelle à votre culte personnel, mais en cherchant par la suite à surmonter les problèmes de la journée par vos propres forces ? La rencontre de notre Seigneur avec les deux hommes marchant sur le chemin d'Emmaüs, relatée dans Luc 24.13-32, abonde en moyens d'entretenir le dialogue avec Dieu tout au long de la journée.

À la rencontre de Jésus au cœur des problèmes de la vraie vie

Jésus n'a jamais voulu que nous nous débrouillions seuls dans la vie. Il désire ardemment nous aider à surmonter nos problèmes. Regardons comment il s'y est pris sur le chemin d'Emmaüs.

> *Et voici, ce même jour, deux disciples allaient à un village nommé Emmaüs, éloigné de Jérusalem de soixante stades ; et ils s'entretenaient de tout ce qui s'était passé. Pendant qu'ils parlaient et discutaient, Jésus s'approcha, et fit route avec eux. Mais leurs yeux étaient empêchés de le reconnaître (Lu 24.13-16).*

Nous en savons peu au sujet des deux hommes qui marchaient sur le chemin très fréquenté menant de Jérusalem au village d'Emmaüs, mais la Bible indique qu'ils étaient attristés. Ils se sentaient bouleversés ; une expérience décevante suscitait en eux un conflit émotionnel, dont ils discutaient justement. Il est dans la nature de l'être humain de chercher à résoudre les problèmes, ce qu'il ne fait généralement pas seul.

C'est dans le contexte de ce besoin humain que Jésus a abordé les deux hommes en chemin : « Jésus s'approcha, et fit route avec eux » (v. 15). Quelles belles paroles ! Le Christ ressuscité tient réellement à s'intégrer dans notre situation humaine et à dialoguer avec nous. La vie est un voyage au cours duquel Christ désire nous accompagner, plutôt que d'être simplement quelqu'un avec qui nous parlons en dernier recours.

Essayer de donner un sens aux voies de Dieu

L'un des grands défis de la vie chrétienne consiste à essayer de donner un sens aux contradictions et aux revers apparents, auxquels nous faisons tous face. Une grande partie de notre perplexité est attribuable au fait que nous n'avons pas toute l'image d'ensemble, ce qui déforme notre perspective. Les deux hommes sur le chemin d'Emmaüs illustrent cette perspective faussée et la manière dont le Seigneur Jésus les a aidés à la corriger. Jésus leur a dit : « De quoi vous entretenez-vous en marchant ? Et ils s'arrêtèrent, l'air attristé » (Lu 24.17).

En réponse à la question de Christ, les deux hommes lui ont expliqué en détail ce qui les dérangeait. Ils évoquent brièvement l'espoir qu'ils avaient eu que Jésus de Nazareth soit le Messie qui allait racheter la nation d'Israël. Au lieu de cela, il avait été mis à mort en subissant la plus cruelle des formes d'exécution : la crucifixion. Et on leur avait rapporté que son tombeau avait été trouvé vide et que des messagers angéliques y avaient fait leur apparition, ce qui les bouleversait encore plus.

Les deux hommes qui marchaient aux côtés du Seigneur avaient vu, à leur grand désarroi, leurs espoirs grandir avant que leurs rêves volent en éclats. Leur expérience est semblable à ce que nous sommes nombreux à avoir vécu. Tout être humain regarde les événements de la vie par le trou d'une serrure. Chacun de nous est un être fini qui ne peut assimiler qu'une partie de l'image d'ensemble de toute situation.

Ce que nous croyons que la Bible enseigne n'a souvent aucun sens selon notre perspective limitée de ce qui semble être une tragédie.

Qu'il s'agisse de nos attentes quant à la manière dont Dieu devrait répondre à une prière ou de notre façon de percevoir les malheurs apparents de la vie, nous sommes limités dans notre compréhension des choses. Jésus désire toutefois que nous lui disions quelles sont nos inquiétudes. Il nous prête l'oreille et se soucie des moindres détails de notre vie. Notre relation unique avec Christ nous permet de communiquer avec lui au moyen de la prière dans toutes les expériences de la vie.

Tout être humain regarde les événements de la vie par le trou d'une serrure.

Laisser Jésus s'expliquer

Les disciples de Jésus ont dû être dévastés de voir leurs espoirs et leurs rêves s'effondrer sous leurs yeux. Cependant, lorsque Christ a illuminé leur intelligence au moyen de la Parole de Dieu, ils ont commencé à voir leur situation sous un jour nouveau.

> *Alors Jésus leur dit : Ô hommes sans intelligence, et dont le cœur est lent à croire tout ce qu'ont dit les prophètes ! Ne fallait-il pas que le Christ souffre ces choses, et qu'il entre dans sa gloire ? Et, commençant par Moïse et par tous les prophètes, il leur expliqua dans toutes les Écritures ce qui le concernait (Lu 24.25-27).*

La réponse de notre Seigneur semble dure. En réalité, cette situation constitue une étude de cas en matière d'éducation. Examinons-en la formulation. L'expression « hommes sans intelligence » provient d'un mot composé qui signifie littéralement « sans connaissance ». Les disciples sur le chemin d'Emmaüs étaient défavorisés du fait qu'il leur manquait des informations.

L'expression « dont le cœur est lent à croire » est une réprimande que leur vaut leur lenteur à croire que Dieu tiendra ses promesses.

Jésus leur a alors procuré le seul remède contre leur ignorance spirituelle : plus d'informations. Le Maître a redirigé leur attention sur des passages clés de l'Ancien Testament qui expliquaient que le Messie devait souffrir avant d'être glorifié.

Pour nous, la leçon à apprendre aujourd'hui est la suivante : même s'il se peut que nous soyons aux prises avec la déception, nous possédons rarement sur le coup toutes les informations qui nous permettraient de donner un sens à ce qui nous arrive. Il se peut que le Seigneur nous fournisse ultérieurement les gens ou les renseignements qui nous permettront de surmonter notre problème. Dans certains cas, nous n'obtiendrons de réponse qu'en rencontrant Christ face à face dans l'éternité. Par contre, comme la vie ici-bas est un genre d'entraînement spirituel, il importe d'être ouverts à apprendre auprès de notre Maître et à communier souvent avec lui. C'est alors que notre foi et nos connaissances pourront grandir.

Apprendre à nourrir la conversation

Une communication significative avec le Christ ressuscité nous fait désirer passer du temps en sa présence. Lorsque les deux voyageurs ont atteint leur destination finale, ils ont ressenti le besoin profond de rester très proches du Sauveur.

> *Lorsqu'ils furent près du village où ils allaient, il parut vouloir aller plus loin. Mais ils le pressèrent, en disant : Reste avec nous, car le soir approche, le jour est sur son déclin. Et il entra, pour rester avec eux (Lu 24.28,29).*

Les disciples avaient plusieurs kilomètres à parcourir, au cours desquels ils pourraient entendre ce que ce « mystérieux étranger » avait à leur dire, et ils voulaient en savoir plus. « Reste avec nous » fut leur réponse. Ils voulaient se montrer hospitaliers envers celui qui les éclairait ainsi sur la prophétie messianique.

Il nous arrive à tous de vivre des situations qui favorisent notre développement spirituel ou y nuisent. Nous devons prendre conscience des moments où nous commençons à nous éloigner du Seigneur. Puis, nous devons trouver des moyens de nous adapter à la situation de manière à revenir près de lui.

Répondre à des aperçus d'activité divine

L'étranger qui avait accompagné les deux hommes sur le chemin s'est joint à eux pour le repas du soir. Or, en raison de l'identité de leur invité, ce repas allait avoir les accents du surnaturel. Inclure le Seigneur dans nos activités quotidiennes a souvent pour résultat de nous permettre de voir ses activités divines à l'œuvre.

Inclure le Seigneur dans nos activités quotidiennes a souvent pour résultat de nous permettre de voir ses activités divines à l'œuvre.

Lors du repas de ce soir-là, après que Jésus eût rompu le pain et l'eût béni, les yeux des disciples se sont ouverts, si bien que ces derniers l'ont reconnu. Plus tôt, leurs yeux « étaient empêchés de le reconnaître » (v. 16), mais leurs yeux s'ouvraient maintenant.

Il est intéressant de constater que le mot grec rendu par « ouvrirent » signifie également « sans intelligence ». Un ajout à cette racine terminologique donne à l'équivalent « ouvrirent » dans le verset 31 le sens de « pénétrer l'esprit ». Et une fois que leur esprit a compris qui était Jésus, ils l'ont reconnu pour l'avoir vu par le passé.

Fait étonnant : la disparition surnaturelle de notre Seigneur n'a inspiré aucun commentaire rapporté entre les deux hommes. Au lieu de cela, ils ont réfléchi à ce qu'ils avaient vécu en chemin tandis qu'ils discutaient avec Jésus au sujet des Écritures.

Leur cœur s'était enflammé surnaturellement en entendant les faits que Jésus leur expliquait lui-même en citant l'Ancien Testament. Le même mot grec employé pour indiquer que leurs yeux s'étaient ouverts, ce qui leur a permis de reconnaître Jésus (v. 31), est employé pour expliquer la façon dont celui-ci leur « ouvrait les Écritures » (v. 32). Il a fait pénétrer la compréhension dans leur esprit.

Le fait de reconnaître Christ dans la Bible et dans les expériences de notre vie devrait se produire tout au long de la journée plutôt que de se limiter à un seul événement par jour.

Quelle leçon pouvons-nous donc tirer de cet incident avec le Seigneur ressuscité quant à la nécessité de prolonger notre culte personnel tout au long de la journée ?

- Apprendre à prier « chemin faisant ».
- Permettre à Dieu de vous aider à résoudre vos problèmes.
- Reconnaître votre besoin d'obtenir l'aide de Dieu devant les autres.
- Vous attendre à ce que Dieu agisse en transcendant votre perspective limitée.
- Continuer de réfléchir à un thème biblique tout au long de la journée.
- Prendre courage du fait que Jésus a promis de rester avec nous dans toutes les situations de la vie.

Extraits tirés du livre *Keeping Our Appointments With God*, © 2002 Ministères RBC. Il est possible de lire ce livre en version anglaise à l'adresse www.discoveryseries.org/q0718

Un tremplin vers la louange

Comment savoir si nous progressons ou non dans nos cultes personnels avec le Seigneur ? Nous le reconnaîtrons surtout à un intérêt accru de notre part pour qui et ce que Dieu est. Notre culte personnel devrait nous pousser à louer Dieu.

L'apôtre Paul nous a enseigné et a mis en pratique la relation dynamique qui existe entre la Parole de Dieu et un style de vie empreint de louanges :

> *Que la parole de Christ demeure en vous dans toute sa richesse ; instruisez-vous et exhortez-vous les uns les autres en toute sagesse, par des psaumes, par des hymnes, par des cantiques spirituels, chantant à Dieu dans vos cœurs en vertu de la grâce (Col 3.16).*

Lorsque nous personnalisons et internalisons la Parole de Christ, nous faisons à Dieu une place dans notre cœur où il pourra se sentir chez lui. Tandis que cela devient une réalité de tous les jours, nous sommes poussés à enseigner aux autres, à les réprimander et à apprendre d'eux des leçons au sujet des merveilleux attributs de Dieu et de ses œuvres formidables. Cela conduit à instruire, à encourager et à stimuler les autres à louer Dieu eux aussi.

Un culte personnel assidu et édifiant débordera forcément en trois types de louanges. Les « psaumes » sont des « cantiques scripturaires » que l'on a tirés des pages de la Bible et que l'on a mis en musique. Les « hymnes » sont les mélodies et les paroles qui expriment la relation personnelle que quelqu'un entretient avec Dieu. Et les « cantiques spirituels » désignent un éventail de paroles d'adoration et de styles de musique. Ce qu'ils ont tous en commun, c'est un contenu spirituel authentique qui reflète la grandeur de Dieu.

La dernière partie du verset 16 souligne l'un des traits distincts de la vie chrétienne : l'assurance de la grâce de Dieu. Notre culte personnel devrait toujours susciter en nous de la gratitude pour la grâce de Dieu. Il doit nous pousser à reconnaître que Dieu nous a évité d'avoir à payer le prix de nos péchés et qu'il nous procure maintenant le pouvoir de marcher dans l'obéissance à Dieu.

Étendre notre culte personnel sur toute la journée nous aidera à mieux aimer le Seigneur et à lui plaire dans tout ce que nous faisons.

Le fait d'être amoureux compte parmi ses caractéristiques distinctives celle de désirer plaire à la personne que l'on aime. Étendre notre culte personnel sur toute la journée nous aidera à mieux aimer le Seigneur et à lui plaire dans tout ce que nous faisons.

Lorsque Dieu a passé du temps en privé avec l'Adam qu'il venait de créer, à marcher à ses côtés dans le jardin, ces moments ont dû être empreints d'un amour, d'une joie et d'une paix des plus remarquables. Aujourd'hui, nous pouvons nous aussi jouir à chaque instant d'un dialogue revitalisant avec Dieu.

Extrait tiré du livre *Keeping Our Appointments With God*,
© 2002 Ministères RBC. Il est possible de lire ce livre en version anglaise à l'adresse www.discoveryseries.org/q0718

1er juillet

UNE QUESTION D'OPINION ?

LISEZ : Matthieu 16.13-20

Et vous, leur dit-il [*Jésus*], qui dites-vous que je suis ?
—Matthieu 16.15

LA BIBLE EN UN AN :
☐ Job 20 – 21
☐ Actes 10.24-48

Nous vivons à une époque dominée par toutes sortes de sondages d'opinion. Les décisions sont prises en fonction des foules, ce qui a du bon. Les sondages nous renseignent sur l'expérience que des gens ont faite de certains produits, ce qui nous aide à faire des achats plus éclairés. Les sondages d'opinion font savoir aux autorités gouvernementales comment leurs initiatives en matière de politiques seront accueillies. Bien que l'information recueillie soit une question d'opinion, elle sert dans une certaine mesure à façonner les décisions dans tout un éventail de domaines.

Cependant, lorsqu'il s'agit de la question qui comptera le plus pour toute l'éternité, le sondage d'opinion ne saurait y répondre. Chacun de nous doit y répondre pour lui-même. Dans Matthieu 16, Jésus a conduit ses disciples à Césarée de Philippe et leur a posé une question relative à l'opinion publique : « Qui suis-je au dire des hommes, moi le Fils de l'homme ? » (v. 13.) Les réponses étaient variées, et toutes élogieuses, mais aucune n'était la bonne. Voilà pourquoi Jésus a ensuite demandé à ses disciples : « Et vous [...] qui dites-vous que je suis ? » (v. 15.) C'est Pierre qui lui a bien répondu : « Tu es le Christ, le Fils du Dieu vivant » (v. 16).

L'opinion publique peut aider à répondre à certaines questions, mais pas à celle qui déterminera votre éternité : Qui dites-vous que Jésus est ? Si vous êtes d'accord avec la Bible, et que vous mettez votre foi en Christ, vous aurez la vie éternelle. —W.E.C

Les opinions ne sauraient se substituer à la vérité de la Parole de Dieu.

2 juillet

QU'EST-CE QUE TU FAIS ?

LISEZ : Colossiens 3.12-17

Prenez donc garde afin de vous conduire avec circonspection, non comme des insensés, mais comme des sages. —Éphésiens 5.15

LA BIBLE EN UN AN :
☐ Job 22 – 24
☐ Actes 11

Tandis qu'elle séjournait sous notre toit pendant un moment, ma petite-fille Addie s'est mise à me demander sans cesse : « Qu'est-ce que tu fais, grand-papa ? » Si je travaillais à l'ordinateur, si je mettais mes chaussures pour aller dehors, si je m'assoyais pour lire ou si je donnais un coup de main dans la cuisine, elle venait me demander ce que je faisais.

Après lui avoir répondu quelques dizaines de fois : « Je paie les factures », « Je vais au magasin », « Je lis le journal », « J'aide grand-maman », j'en suis venu à la conclusion qu'elle me posait là une question primordiale.

Or, répondre à une fillette curieuse au sujet de tout ce que nous faisons est une chose, mais répondre devant Dieu de nos actions est infiniment plus important. Ne serait-il pas utile d'imaginer que Dieu viendrait nous demander n'importe quand : « Qu'est-ce que tu fais ? » Imaginez combien de fois nos réponses sembleraient futiles ou vides de sens.

« Je passe toute la soirée à regarder la télévision. » « Je mange plus que je ne le devrais. » « Je passe une autre journée sans t'adresser la parole. » « Je me querelle avec ma femme. » Et ainsi de suite, à notre grande honte.

La Bible nous conseille de faire bon usage de notre temps, en recherchant la gloire de Dieu (1 Co 10.31 ; Col 3.23). Paul a dit : « Prenez donc garde afin de vous conduire avec circonspection » (Ép 5.15). La question est valable. Dieu veut savoir : « Qu'est-ce que tu fais ? » —J.D.B.

Gardez-vous de consacrer trop de temps aux choses ayant trop peu d'importance.

3 juillet

GRAND OUVERT !

LISEZ :
1 Pierre 2.1-5

[Désirez], comme des enfants nouveau-nés, le lait spirituel et pur, afin que par lui vous croissiez pour le salut. —1 Pierre 2.2

LA BIBLE EN UN AN :
☐ Job 25 – 27
☐ Actes 12

Tôt le printemps, ma femme et moi avons regardé un fascinant spectacle d'oiseaux par la fenêtre de la cuisine. Quelques oiseaux noirs ayant des fétus de paille dans le bec sont entrés dans la petite prise d'air de la maison du voisin. Quelques semaines plus tard, à notre grande joie, nous avons vu quatre oisillons sortir la tête de la prise d'air. Maman et papa oiseaux nourrissaient leurs bébés affamés à tour de rôle.

La vue des oisillons le bec grand ouvert m'a rappelé combien il est important pour les disciples de Christ de désirer ardemment la nourriture spirituelle. Dans 1 Pierre 2.2, l'apôtre Pierre emploie l'analogie des bébés qui désirent ardemment se faire nourrir : « *[Désirez]*, comme des enfants nouveau-nés, le lait spirituel et pur, afin que par lui vous croissiez pour le salut. » Le mot grec rendu par « désirez » évoque un désir ardent. Il s'agit d'un mot composé qui signifie « désirer ardemment » ou « attendre impatiemment ».

Il peut sembler étrange que l'on nous *commande* de désirer ardemment quelque chose, mais contrairement aux oisillons et aux bébés affamés, nous devons nous faire rappeler notre besoin d'être nourris spirituellement. Même s'il se peut que nous nous soyons nourris de la Parole par le passé (v. 3), nous devons réaliser que notre besoin est continuel et que sans nourriture spirituelle nous nous affaiblirons. Dieu désire ardemment nourrir ses précieux enfants. Alors, ouvrez grand votre esprit ! —H.D.F.

En négligeant la Parole, vous affamez votre âme ; en méditant la Parole, vous la nourrissez.

4 juillet

LA CONTROVERSE DE LA CROIX

LISEZ :
1 Corinthiens 1.17-25

Car la prédication de la croix est [...] une puissance de Dieu.
—1 Corinthiens 1.18

LA BIBLE EN UN AN :
☐ Job 28 – 29
☐ Actes 13.1-25

Une cause portée devant la Cour suprême des États-Unis devait l'amener à déterminer si l'on devrait permettre ou interdire qu'un symbole religieux, plus particulièrement une croix, soit installé sur un terrain public. Mark Sherman, chroniqueur de l'*Associated Press*, a dit que, même si la croix en question a été érigée en 1934 à la mémoire des soldats qui sont morts durant la Première Guerre mondiale, un groupe de vétérans s'opposait à ce qu'elle s'y trouve sous prétexte que la croix était « un puissant symbole chrétien » et « non le symbole de toute autre religion ».

La croix a toujours été controversée. Durant le premier siècle, l'apôtre Paul a dit que Christ l'avait envoyé « pour annoncer l'Évangile, et cela, sans la sagesse du langage, afin que la croix de Christ ne soit pas rendue vaine. Car la prédication de la croix est une folie pour ceux qui périssent ; mais pour nous qui sommes sauvés elle est une puissance de Dieu » (1 Co 1.17,18). En tant que disciples de Christ, nous percevons la croix comme étant plus qu'un puissant symbole chrétien. Il s'agit de la preuve que Dieu a le pouvoir de nous libérer de la tyrannie de nos péchés.

Au sein d'une société diverse et pluraliste, la controverse entourant les symboles religieux se poursuivra. Les tribunaux détermineront probablement s'il est permis ou non d'installer une croix sur une propriété publique, mais c'est notre coeur qui décidera s'il convient ou non de manifester la puissance de la croix par notre vie. —D.C.M.

Rien ne parle plus clairement de l'amour de Dieu que la croix.

5 juillet

IL M'APPELLE SON AMI

LISEZ :
Jean 15.9-17

***[Je]* vous ai fait connaître tout ce que j'ai appris de mon Père […] afin que vous alliez, et que vous portiez du fruit.**
—Jean 15.15,16

LA BIBLE EN UN AN :
☐ Job 30 – 31
☐ Actes 13.26-52

Quelqu'un a défini l'amitié comme « le fait de connaître le coeur de l'autre et de lui ouvrir le nôtre ». Nous ouvrons notre coeur aux gens en qui nous avons confiance, et nous faisons confiance à ceux qui se soucient de nous. Nous nous confions à nos amis parce que nous ne doutons pas qu'ils utilisent cette information pour nous venir en aide, et non pour nous faire du tort. Ils se confient à nous également pour la même raison.

Nous appelons souvent Jésus notre ami parce que nous savons qu'il veut ce qu'il y a de mieux pour nous. Nous nous confions à lui parce que nous avons confiance en lui. Toutefois, avez-vous déjà considéré la possibilité que Jésus se confie à son peuple ?

Jésus s'est mis à appeler ses disciples ses amis plutôt que ses serviteurs parce qu'il leur avait confié tout ce que son Père lui avait dit (Jn 15.15). Jésus avait l'assurance que ses disciples emploieraient l'information qu'il leur avait communiquée pour le bien du royaume de son Père.

Bien que nous sachions que Jésus est notre ami, pouvons-nous dire que nous sommes ses amis ? L'écoutons-nous ? Ou désirons nous seulement qu'il nous écoute ? Voulons-nous savoir ce qui lui tient à coeur ? Ou voulons-nous simplement lui dire ce qui nous tient à coeur ? Pour être les amis de Jésus, nous devons le laisser nous dire ce qu'il veut que nous sachions, pour ensuite utiliser cette information afin d'en amener d'autres à devenir ses amis. —J.A.L.

L'amitié avec Christ exige notre fidélité.

6 juillet

TOUCHEZ UNE VIE

LISEZ : Galates 6.6-10

Ne nous lassons pas de faire le bien.
—Galates 6.9

LA BIBLE EN UN AN :
☐ Job 32 – 33
☐ Actes 14

Mon ami Dan, qui était sur le point de terminer le lycée, devait faire un important exposé oral. Il avait 15 minutes pour expliquer ce qui lui avait permis de se rendre jusqu'au bout et remercier qui l'y avait aidé.

J'ai regardé autour de la salle avant qu'il prenne la parole. Toutes sortes de personnes – de jeunes familles, des professeurs, des amis, des leaders de l'Église et des entraîneurs – étaient présentes. Il s'est mis à parler de la façon dont chacune avait marqué sa vie. Une femme avait « été comme une tante et avait toujours été là » pour lui. Un homme dans la trentaine « lui avait souvent cité la Bible et l'avait souvent conseillé ». Un autre homme lui avait « enseigné la discipline et à travailler dur ». Un ami de l'Église l'avait « conduit aux entraînements de football tous les jours » parce que sa mère ne pouvait pas le faire. Un couple l'avait « traité comme un fils ». Tous avaient une chose en commun : tous n'étaient que des chrétiens ordinaires qui s'étaient donné la peine de faire une différence dans sa vie.

Selon Paul, ils « *[pratiquaient]* le bien envers tous, et surtout envers les frères en la foi » (Ga 6.10). Nous pouvons contribuer à façonner la vie d'une autre personne en nous intéressant à elle et en agissant pour son bien. Et, comme cela a été le cas de Dan, nous pourrons moissonner au temps convenable (v. 9).

Regardez autour de vous. Y a-t-il quelqu'un dont la vie mériterait que vous la touchiez ? —A.M.C.

Faites autant de bien que possible, d'autant de façons que possible, pour autant de gens que possible, tandis que cela vous est possible.

7 juillet

L'HOMME-FUSÉE

LISEZ :
Psaume 55.1-8

Je dis : Oh, si j'avais les ailes de la colombe, je m'envolerais, et je trouverais le repos.
—Psaume 55.7

LA BIBLE EN UN AN :
☐ Job 34 – 35
☐ Actes 15.1-21

Yves Rossy a accompli ce que les gens rêvaient d'accomplir depuis le mythe antique d'Icare. Il a volé. Connu comme « l'homme-fusée », Rossy s'est fabriqué un ensemble d'ailes motorisées qu'il a attaché au dos de sa combinaison à l'épreuve de la chaleur. Se servant de son corps comme fuselage d'avion, il a réalisé son premier vol en 2004 près de Genève, en Suisse. Il a effectué avec succès de nombreux autres vols depuis.

Le psalmiste David aurait aimé avoir des ailes pour s'envoler. À l'époque où ses ennemis le pourchassaient afin de lui enlever la vie, le roi d'Israël s'est écrié : « Oh, si j'avais les ailes de la colombe, je m'envolerais, et je trouverais le repos » (Ps 55.7).

Comme David, lorsque nous subissons des pressions, de mauvais traitements, des épreuves ou un deuil, nous aimerions qu'il nous pousse des ailes pour nous envoler. Toutefois, Jésus nous offre une meilleure solution. Plutôt que de fuir nos problèmes, il nous invite à nous envoler vers lui. Il a dit : « Venez à moi, vous tous qui êtes fatigués et chargés, et je vous donnerai du repos. Prenez mon joug sur vous et recevez mes instructions [...] et vous trouverez le repos pour vos âmes » (Mt 11.28,29). Au lieu de vouloir nous envoler et fuir les problèmes, nous pouvons les lui soumettre.

La fuite ne nous procure pas le repos, mais Jésus peut nous le procurer. —W.E.C.

Dieu nous donne la force de surmonter nos problèmes, au lieu de les fuir.

8 juillet

LE POUVOIR D'UNE PROMESSE

LISEZ :
Genèse 2.18-25

C'est pourquoi l'homme […] s'attachera à sa femme.
—Matthieu 19.5

LA BIBLE EN UN AN :
☐ Job 36 – 37
☐ Actes 15.22-41

Je ne porte que deux bijoux : un anneau de mariage au doigt et une petite croix celtique sur une chaîne au cou. L'anneau représente le voeu de fidélité jusqu'à la mort que j'ai fait envers Carolyn, ma femme. La croix me rappelle que ce n'est pas uniquement pour le bien de ma femme que je lui suis fidèle, mais aussi pour celui de Jésus. Il m'a demandé de lui être fidèle jusqu'à ce que la mort nous sépare.

Les voeux de mariage sont plus qu'un contrat que nous pouvons résilier en payant des dommages et intérêts. Il s'agit de voeux uniques qui visent explicitement à nous lier jusqu'à ce que la mort nous sépare (Mt 19.6). Les mots « pour le meilleur et pour le pire, dans la richesse et dans la pauvreté, dans la santé et dans la maladie » tiennent compte de la probabilité selon laquelle il ne nous sera pas facile de respecter nos voeux. Il se peut que les circonstances changent, de même que notre femme ou notre mari.

Le mariage n'a rien de facile ; il abonde en désaccords et en adaptations difficiles. Même si personne ne devrait vivre dans une relation abusive et dangereuse, le fait d'accepter l'épreuve de la pauvreté, les difficultés et les déceptions peut conduire au bonheur. Les voeux de mariage sont une obligation ferme de nous aimer, de nous honorer et de nous chérir aussi longtemps que nous vivrons, car Jésus nous l'a demandé. Comme un de mes amis l'a dit un jour : « Ce sont les voeux qui nous gardent fidèles même lorsque nous n'avons pas envie de garder nos voeux. » —D.H.R.

L'amour est plus qu'un sentiment, c'est un engagement.

9 juillet

RETROUVAILLES FAMILIALES

LISEZ :
1 Thessaloniciens 2.4-12

***[Nous]* avons été pleins de douceur au milieu de vous. De même qu'une nourrice prend un tendre soin de ses enfants.**
—1 Thessaloniciens 2.7

LA BIBLE EN UN AN :
☐ Job 38 – 40
☐ Actes 16.1-21

Depuis 29 ans, les retrouvailles annuelles de la Célébration de la vie de notre ville réunissent les membres d'une famille unique, en permettant aux médecins, aux infirmiers et au personnel du Memorial Hospital for Children de Colorado Springs de retrouver d'anciens patients de son unité d'urgences néonatales. Certains sont des tout-petits en poussette, alors que d'autres sont de jeunes adolescents. Leurs parents les accompagnent pour remercier ceux et celles qui ont sauvé la vie à leurs enfants. Dans un article du journal *The Gazette*, Edward Paik cite la réponse sincère du docteur Bob Kiley : « Pour tout le personnel, cet événement nous affermit, tant sur le plan professionnel que personnel, dans notre choix de cette profession. »

Je me demande si au ciel nous aurons de nombreuses occasions comme celle-là où des aides spirituelles et des gens qu'elles auront aidés en tant que « bébés en Christ » se réuniront pour partager des histoires et en donner la gloire à Dieu. Le Nouveau Testament décrit la douceur avec laquelle Paul, Sylvain et Timothée ont oeuvré parmi les jeunes croyants à Thessalonique, « *[de]* même qu'une nourrice prend un tendre soin de ses enfants » (1 Th 2.7), en les réconfortant et en les encourageant, en étant « ce qu'un père est pour ses enfants » (v. 11).

Aider de nouveaux croyants à une étape cruciale de leur foi est un travail d'amour qui produira au ciel une grande joie lors des retrouvailles de « la famille ». —D.C.M

Parmi les plaisirs du ciel, nous aurons celui de nous raconter nos histoires terrestres.

10 juillet

Des ennuis en vue

Lisez :
Nombres 13.25 – 14.9

Seulement, ne soyez point rebelles contre l'Éternel, et ne craignez point les gens de ce pays, car [...] l'Éternel est avec nous, ne les craignez point !
—Nombres 14.9

La Bible en un an :
☐ Job 41 – 42
☐ Actes 16.22-40

Les problèmes ne manqueront pas d'envahir notre vie : les mauvais résultats d'un examen médical, la trahison d'un ami en qui l'on avait confiance, un enfant qui nous rejette ou un(e) conjoint(e) qui nous quitte. La liste des possibilités est longue, mais il n'existe que deux options : aller de l'avant par nous-mêmes ou nous tourner vers Dieu.

Il n'est pas indiqué d'agir en solitaire face aux ennuis. Cela peut nous conduire à adopter de mauvais comportements, à adresser des reproches à Dieu et à battre en retraite. Comme les Israélites, il se peut que nous perdions les pédales et que nous sombrions dans le désespoir (No 14.1-4).

Lorsque la majorité des espions ont rapporté avoir vu des géants intimidants et d'éventuels dangers, ils ont utilisé le pronom « nous » sept fois sans faire allusion au Seigneur (13.31-33). Les Israélites étaient sur le point de découvrir l'ultime bénédiction que Dieu leur avait promise. Ils avaient été les témoins oculaires de miracles en Égypte et leurs pieds avaient foulé le lit tari de la mer Rouge dans une victoire ahurissante. Dieu s'était montré d'une fidélité étonnamment évidente. Quelle courte mémoire ! Quelle fidélité décevante ! Malheureusement, ils ont tourné le dos à Dieu et à leur bénédiction.

Caleb et Josué, par contre, ont choisi de se tourner vers Dieu avec assurance, en disant : « *[L']*Éternel est avec nous » (14.9). Lorsque vos géants apparaissent, que faites-vous ? —J.M.S.

La présence de Dieu nous garde en vie en empêchant notre âme de sombrer dans une mer d'ennuis.

11 juillet

LES ALÉAS DU MÉTIER

LISEZ :
Philippiens 1.12-18

Je veux que vous sachiez, frères, que ce qui m'est arrivé a plutôt contribué aux progrès de l'Évangile.
—Philippiens 1.12

LA BIBLE EN UN AN :
☐ Psaumes 1 – 3
☐ Actes 17.1-15

Je travaille avec les mots. Que j'écrive ou que j'édite, je me sers des mots pour véhiculer des idées afin que les lecteurs comprennent ce qu'ils lisent. Je parviens généralement à voir ce qui cloche dans l'écriture d'un autre (bien que pas toujours dans la mienne) et à trouver comment le corriger.

En tant qu'éditrice, on me rémunère pour user d'un esprit critique. Mon travail consiste à voir ce qui cloche dans la façon dont les mots sont utilisés. Cette aptitude devient cependant un inconvénient lorsque je l'applique à ma vie privée en recherchant toujours ce qui cloche. Le fait de se concentrer sur ce qui cloche peut nous empêcher de voir tout ce qu'il y a de bon.

L'apôtre Paul avait des raisons de se concentrer sur ce qui clochait dans l'Église de Philippes. Certaines personnes y prêchaient l'Évangile par ambition intéressée afin d'ajouter aux souffrances de Paul (Ph 1.16). Par contre, au lieu de se concentrer sur le négatif, Paul a choisi de voir le positif et de s'en réjouir : Jésus-Christ était prêché (v. 18).

Dieu veut que nous usions de discernement – nous devons différencier le bien du mal –, mais il ne veut pas que nous nous concentrions sur le mal et que nous devenions critiques et décourageants. Même dans une situation moins qu'idéale (Paul écrivait même en prison), nous pouvons y trouver du bon, car en période difficile, Dieu reste à l'oeuvre. —J.A.L.

Si les problèmes brouillent votre perception des choses, concentrez-vous sur Christ.

12 juillet

VIEUX JEU

LISEZ :
1 Timothée 2.8-10 ; Romains 12.1,2

Je veux [...] que les femmes [*soient*] vêtues d'une manière décente.
—1 Timothée 2.8,9

LA BIBLE EN UN AN :
☐ Psaumes 4 – 6
☐ Actes 17.16-34

En cette première partie du nouveau siècle, nous voyons de plus en plus de gens mettre en doute la valeur de normes éprouvées. Une adolescente pop star qui disait croire en Jésus l'a clairement exprimé récemment.

En discutant des normes de modestie par rapport à sa façon de s'habiller, elle a contré les critiques que lui valait son habillement très réduit en déclarant : « C'est tellement vieux jeu. »

Cette jeune femme a à la fois raison et tort. Dans un sens, elle a raison. Le code vestimentaire qui sied aux chrétiens est « vieux jeu ». Il a été écrit il y a plus de 2000 ans. Par contre, elle a tort de suggérer que l'on mette de côté ce code qui date de l'Antiquité. Dans le sens le plus vrai du terme, les principes bibliques ne sont pas aussi « vieux » qu'atemporels. Bien qu'ils aient été écrits il y a très longtemps, ils sont toujours de mise.

En ce qui concerne la modestie, lorsque la Bible dit que les femmes devraient être « vêtues d'une manière décente » (1 Ti 2.9), cela vaut encore aujourd'hui, car nous ne devrions pas chercher à attirer l'attention sur nous-mêmes. Il y a un principe plus général qui devrait nous dicter notre code vestimentaire en 2011 : « Ne vous conformez pas au siècle présent, mais soyez transformés » (Ro 12.2).

Que vous soyez une pop star ou assidu à l'église, ne vous souciez pas d'être « vieux jeu ». L'important, c'est que vous vous conformiez à la Bible. —J.D.B.

Mes choix glorifient-ils Dieu ou attirent-ils l'attention sur moi ?

13 juillet

PAUL, LE VEILLARD

LISEZ :
Philémon 1.1-9

[Étant] ce que je suis, Paul, un vieillard […]. Je prie pour mon enfant […] Onésime.
—Philémon 1.9,10

LA BIBLE EN UN AN :
☐ Psaumes 7 – 9
☐ Actes 18

La célébration de mon 60e anniversaire a véritablement changé ma perspective de la vie. Je pensais avant que les gens dans la soixantaine étaient « vieux ». Puis je me suis mis à compter le nombre d'années productives qu'il me restait peut-être à vivre, que j'ai estimé à 10. Je me suis abandonné à cette pensée sans issue jusqu'à ce que je me rappelle un collègue très productif de 85 ans. Je suis donc allé le trouver pour lui demander à quoi ressemblait la vie après 60 ans. Il m'a parlé de certaines des merveilleuses occasions de ministère que le Seigneur lui avait confiées au cours des 25 dernières années.

En se disant lui-même « vieillard », l'apôtre Paul fait réellement écho à mon propre sentiment de vieillesse : « *[Étant]* ce que je suis, Paul, un vieillard […]. Je prie pour mon enfant […] Onésime » (Phm 1.9,10). Paul demandait à Philémon de reprendre son serviteur Onésime, qui s'était enfui. Certains érudits croient que Paul était vers la fin de la quarantaine ou au début de la cinquantaine quand il a écrit ces paroles, certainement pas une personne âgée selon les normes d'aujourd'hui. Les gens vivaient beaucoup moins longtemps à son époque. Pourtant, malgré son âge avancé, Paul a continué de servir le Seigneur pendant de nombreuses années.

Bien que nous puissions nous heurter à des limites physiques ou autres, ce qui importe le plus, c'est que nous continuions de faire ce que nous pouvons faire pour le Seigneur jusqu'à ce qu'il nous rappelle à lui. —H.D.F.

Dieu peut vous utiliser à tout âge, si vous le voulez bien.

14 juillet

VOIR L'ÊTRE INTÉRIEUR

LISEZ :
2 Corinthiens 5.12-21

Ainsi, dès maintenant, nous ne connaissons personne selon la chair.
—2 Corinthiens 5.16

LA BIBLE EN UN AN :
☐ Psaumes 10 – 12
☐ Actes 19.1-20

Le 1er février 1960, quatre étudiants d'un collège fréquenté exclusivement par des Noirs sont allés s'asseoir dans un casse-croûte « réservé aux Blancs » à Greensboro, en Caroline du Nord. Un d'entre eux, Franklin McCain, a remarqué qu'une Blanche âgée assise près d'eux les regardait. Il était certain qu'elle nourrissait de l'animosité envers eux parce qu'ils protestaient contre la ségrégation. Quelques minutes plus tard, elle est allée les voir, leur a mis les mains sur les épaules et leur a dit : « Les garçons, je suis tellement fière de vous. »

En relatant l'événement des années plus tard sur les ondes de la National Public Radio, McCain a dit avoir appris ce jour-là à ne jamais plus se faire d'idée préconçue au sujet de qui que ce soit. Au lieu de cela, il devait s'arrêter pour considérer les autres et chercher une occasion de leur parler.

Comme c'est aujourd'hui le cas de nos Églises, l'Église primitive vivait souvent des divisions d'ordre racial, linguistique ou culturel. Paul a écrit aux disciples de Jésus à Corinthe afin de les aider à interagir avec ceux qui se souciaient davantage des apparences que de ce qu'il y a dans le coeur (2 Co 5.12). Étant donné que Christ est mort pour tous, Paul a dit : « Ainsi, dès maintenant, nous ne connaissons personne selon la chair » (v. 16).

Puissions-nous tous regarder les gens d'assez près pour voir en eux, car tous ont été créés à l'image de Dieu et peuvent devenir une nouvelle création en Christ. —D.C.M.

Ce qui compte, c'est ce que l'on a dans le coeur.

15 juillet

Les hors limite

Lisez :
Jérémie 5.21-31

Je sais, ô Éternel ! que tes jugements sont justes ; c'est par fidélité que tu m'as humilié.
—Psaume 119.75

La Bible en un an :
☐ Psaumes 13 – 15
☐ Actes 19.21-41

Au golf, les hors limite indiquent que la balle est sortie du jeu. Si la balle d'un joueur sort du jeu, on impose au joueur un coup de pénalité.

Le prophète Jérémie a adressé une mise en garde au peuple de Juda, le royaume du sud, quant à son entêtement à rejeter les limites que Dieu lui imposait. Il a dit que même la mer savait que le sable de la plage était son hors limite, « limite séculaire qu'elle ne doit pas franchir » (Jé 5.22). Cependant, le peuple du Seigneur avait un coeur indocile et rebelle (v. 23). Il ne craignait pas le Dieu qui lui avait donné la pluie pour ses moissons (v. 24). Il s'était enrichi par des moyens frauduleux (v. 27) et ne faisait pas droit aux indigents (v. 28).

Dans sa Parole, Dieu nous a donné des limites à respecter. Il nous les a données non pas pour nous contrarier, mais pour qu'en les respectant nous puissions jouir de ses bénédictions. David a écrit : « Je sais, ô Éternel ! que tes jugements sont justes » (Ps 119.75). Dieu a dit à Israël par la bouche de Moïse : « *[J'ai]* mis devant toi la vie et la mort, la bénédiction et la malédiction. Choisis la vie » (De 30.19).

Ne testez pas les limites de Dieu et ne vous attirez pas sa correction. Faites des choix judicieux en vivant selon les hors limite qu'il impose dans sa Parole. —C.P.H.

Un petit pas d'obéissance
est un pas de géant vers la bénédiction.

16 juillet

VIDE-MOI !

LISEZ :
Éphésiens 4.17-32

L'homme bon tire de bonnes choses du bon trésor de son coeur, et le méchant tire de mauvaises choses de son mauvais trésor.
—Luc 6.45

LA BIBLE EN UN AN :
☐ Psaumes 16 – 17
☐ Actes 20.1-16

Quelle conception pourrie ! » ai-je rogné en vidant la déchiqueteuse. Je suivais un bon conseil en déchiquetant des documents personnels, mais je ne parvenais pas à vider le contenant sans répandre des bandelettes de papier sur toute la moquette ! Un jour que je vidais les corbeilles et les poubelles, je me suis demandé si j'allais même me donner la peine de vider la déchiqueteuse puisqu'elle n'était qu'à demi pleine. Par contre, en mettant un petit sac de plastique sur le dessus et en la renversant, j'ai constaté à ma grande joie que pas un seul bout de papier n'était tombé par terre.

C'est moi qui m'y prenais mal. J'attendais toujours que la déchiqueteuse soit remplie à ras bord pour la vider !

Si nous laissons le péché nous remplir le coeur, il se déversera aussi dans notre vie. Luc 6.45 dit que « le méchant tire de mauvaises choses de son mauvais trésor » et que « c'est de l'abondance du coeur » que nous parlons.

Et si nous nous vidions le coeur de nos péchés avant de les déverser dans nos interactions avec les autres ? Pour nous défaire de notre amertume, de notre orgueil persistant et de notre rage (Ép 4.26-32) ? Le verset de 1 Jean 1.9 nous rappelle ceci : « Si nous confessons nos péchés, il est fidèle et juste pour nous les pardonner, et pour nous purifier de toute iniquité. »

La déchiqueteuse est conçue de manière à servir de poubelle. Ce n'est pas notre cas à vous et moi ! —C.H.K.

Confessez à Dieu vos péchés.
Vous ne pourrez les lui cacher, de toute façon !

17 juillet

Convenir à la perfection

Lisez :
Exode 26.1-11

En lui [*Christ*] tout l'édifice, bien coordonné, s'élève pour être un temple saint dans le Seigneur.
—Éphésiens 2.21

La Bible en un an :
☐ Psaumes 18 – 19
☐ Actes 20.17-38

Trop long. Trop court. Trop grand. Trop petit. Trop étroit. Trop lâche. Ces mots décrivent la plupart des vêtements que j'essaie. Il me semble impossible de trouver celui qui me convient à la perfection.

Trouver l'Église qui « convient à la perfection » pose les mêmes problèmes. Chaque Église a quelque chose qui ne convient pas tout à fait. On n'y reconnaît pas nos dons. On n'y apprécie pas nos talents à leur juste valeur. Notre sens de l'humour y est mal compris. Certaines attitudes, croyances, personnes ou activités nous y mettent mal à l'aise. Nous avons le sentiment de ne pas cadrer. Nous luttons pour y trouver notre place.

Nous savons toutefois que Dieu veut que nous soyons coordonnés ensemble. L'apôtre Paul a dit que nous sommes « édifiés pour être une habitation de Dieu en Esprit » (Ép 2.22).

Comme c'était le cas du tabernacle à l'époque de Moïse (Ex 26) et du temple à celle de Salomon (1 Ro 6.1-14), les croyants de l'Église d'aujourd'hui sont la demeure de Dieu sur la terre. Dieu veut que nous soyons coordonnés ensemble, afin qu'il n'y ait aucune division au sein de son Église. Cela veut dire que nous, les pierres vivantes, devons « être parfaitement unis dans un même esprit et dans un même sentiment » (1 Co 1.10).

Aucune Église ne nous conviendra à la perfection, mais nous pouvons tous travailler à nous accorder ensemble pour viser la perfection. —J.A.L.

L'amour de Christ crée l'unité au sein de la diversité.

18 juillet

DES BÂTONS ET DES PIERRES

LISEZ :
Psaume 123

Notre âme est assez rassasiée des moqueries des orgueilleux, du mépris des hautains.
—Psaume 123.4

LA BIBLE EN UN AN :
☐ Psaumes 20 – 22
☐ Actes 21.1-17

Le psalmiste en avait assez du « mépris des hautains » (Ps 123.4). Peut-être est-ce aussi votre cas. Les gens de votre quartier, de votre bureau ou de votre salle de cours méprisent peut-être votre foi et votre détermination à suivre Jésus. Des bâtons et des pierres peuvent nous casser le dos, mais les paroles peuvent nous blesser plus profondément. Dans son commentaire au sujet de ce Psaume, Derek Kidner compare le mépris à de « l'acier froid ».

Nous pouvons contrer les railleries de l'orgueilleux en devenant comme lui ou considérer ses tentatives d'humiliation comme une médaille d'honneur. Nous pouvons nous estimer heureux d'être « jugés dignes de subir des outrages pour le nom de Jésus » (Ac 5.41). Il vaut mieux subir de la honte pendant peu de temps que de subir « la honte éternelle » (Da 12.2).

Nous ne devons pas ressembler aux moqueurs en nous moquant d'eux à notre tour, mais bénir ceux qui nous persécutent. « *[Bénissez]* et ne maudissez pas », nous exhorte Paul (Ro 12.14). Dieu pourrait les attirer à lui par la foi et la repentance, et changer nos instants de honte en gloire éternelle.

Finalement, comme le psalmiste nous le conseille, il faut que « nos yeux se tournent vers l'Éternel, notre Dieu » (123.2). Il nous comprend mieux que quiconque, car il a subi lui aussi des reproches. Il nous témoignera de la compassion selon son infinie miséricorde. —D.H.R.

Quand la façon dont les gens vous traitent vous démoralise, levez les yeux vers Jésus.

19 juillet

Le facteur peur

Lisez :
Genèse 20.1-13

**Abraham répondit : Je me disais qu'il n'y avait sans doute aucune crainte de Dieu dans ce pays, et que l'on me tuerait à cause de ma femme.
—Genèse 20.11**

La Bible en un an :
☐ Psaumes 23 – 25
☐ Actes 21.18-40

Si vous aimez Shakespeare, vous savez que ses héros ont toujours de graves travers. Ils se prêtent bien aux bonnes histoires et permettent d'enseigner d'importantes leçons. Il en va de même d'Abraham, un de nos héros bibliques. Son travers ? La peur.

Deux fois, Abraham a cédé à la peur qu'un souverain le tue et lui vole sa femme (Ge 12.11-20 ; 20.2-13). Craignant pour sa vie, il a trompé Pharaon et le roi Abimélec en leur disant : « C'est ma soeur », invitant pour ainsi dire le roi à prendre Sara dans son harem (20.2). La peur lui dictant ses actions, il a mis en péril le plan de Dieu selon lequel par Sara et lui une grande nation verrait le jour (12.1-3).

Toutefois, avant de juger Abraham, nous devrions nous poser quelques questions. Par crainte de perdre notre emploi, compromettrions-nous notre intégrité ? Par crainte de passer pour vieux jeu, mettrions-nous nos valeurs de côté ? Par crainte de nous faire ridiculiser ou mal comprendre, négligerions-nous de propager l'Évangile et mettrions-nous ainsi l'éternité d'une personne en péril ? Une seule chose conquerra nos peurs : une foi tenace en la présence, la protection, la puissance et les promesses de Dieu.

Si votre peur met en péril les merveilleux desseins de Dieu pour vous, rappelez-vous qu'il ne vous demandera jamais de faire quoi que ce soit qu'il ne peut achever, même si cela exige de lui qu'il intervienne de manière miraculeuse. —J.M.S.

Permettez à votre foi de surmonter votre peur, et Dieu changera vos inquiétudes en adoration.

20 juillet

Bedlam

Lisez :
Romains 12.9-21

***[Ceux]* qui abandonnent les sentiers de la droiture [...] trouvent de la jouissance à faire le mal [...] mettent leur plaisir dans la perversité.**
—Proverbes 2.13,14

La Bible en un an :
☐ Psaumes 26 – 28
☐ Actes 22

L'Imperial War Museum se trouve dans un immeuble de Londres où était situé anciennement le Bethlem Royal Hospital, un centre de soins psychiatriques. Les gens le connaissaient sous le nom de « Bedlam » (Chahut), un terme qui en est venu à illustrer le chaos et la folie.

Il est ironique que ce musée de la guerre occupe l'ancien immeuble du Bedlam. En visitant le musée, on y découvre, en plus des histoires d'héroïsme et de sacrifice en temps de guerre, le récit frigorifiant de la folie et de l'inhumanité de l'homme envers l'homme. Des expositions portant sur les génocides et les purifications ethniques des temps modernes à celle portant sur l'Holocauste, c'est le mal qui y est étalé sous nos yeux.

Salomon a observé la propension au mal des êtres humains, en la décrivant ainsi : « qui trouvent de la jouissance à faire le mal, qui mettent leur plaisir dans la perversité » (Pr 2.14). Bien que cela décrive une grande partie du monde qui nous entoure, les disciples de Jésus ont une façon différente et rafraîchissante de vivre. Paul nous a exhortés ainsi : « Ne te laisse pas vaincre par le mal, mais surmonte le mal par le bien » (Ro 12.21). Les actions centrées sur Christ comme rechercher le bien (v. 17), être en paix avec tous (v. 18) et bien traiter nos ennemis (v. 20) influenceront le monde dans la bonne direction.

Si chacun de nous vivait en reflétant l'amour de Dieu, peut-être qu'il y aurait beaucoup moins de « bedlam » dans le monde. —W.E.C.

Notre monde en proie au désespoir a besoin de chrétiens aimants.

21 juillet

SOUFFRIR ? NON MERCI !

LISEZ :
1 Corinthiens 15.51-57

**Ô mort, où est ta victoire ? Ô mort, où est ton aiguillon ?
—1 Corinthiens 15.55**

LA BIBLE EN UN AN :
☐ Psaumes 29 – 30
☐ Actes 23.1-15

Pendant une grande partie de ma vie, j'ai partagé l'opinion de ceux qui en voulaient à Dieu parce qu'il permettait la souffrance. Je ne trouvais aucun moyen de donner un sens à un monde aussi toxique que le nôtre.

Quand je rendais visite à des gens dont la souffrance excédait de beaucoup la mienne, par contre, je m'étonnais de ses effets. La souffrance semblait tout autant affermir la foi que semer le doute.

Ma colère par rapport à la souffrance s'est apaisée surtout pour une raison : j'ai appris à connaître Dieu. Il m'a donné de la joie, de l'amour, du bonheur et de la bonté. Il en résulte la foi en sa Personne, une foi si ferme qu'aucune souffrance ne saurait l'éroder.

Où est Dieu quand on souffre ? Il est là depuis le début. Il a mis au point un système de douleur qui, au coeur d'un monde déchu, porte son sceau. Il transforme la souffrance, s'en servant pour nous enseigner et nous fortifier, si toutefois nous permettons à celle-ci de nous tourner vers Dieu.

Christ a souffert, versé son sang et pleuré. Il a donné de la dignité pour toujours à ceux qui souffrent, en partageant leur douleur. Par contre, un jour, il rassemblera les armées célestes et les déchaînera contre les ennemis de Dieu. Le monde sera le témoin des derniers instants de souffrance avant que la victoire totale de Dieu le prenne d'assaut. Dieu créera ensuite pour nous un nouveau monde extraordinaire. Et la souffrance n'existera alors plus (Ap 19.11 – 22.6). —P.D.Y.

De deux choses l'une, soit que la souffrance nous détournera de Dieu, soit qu'elle nous rapprochera de lui.

22 juillet

NOTRE MEILLEURE DÉFENSE

LISEZ :
Jean 9.13-25

S'il est un pécheur, je ne sais ; je sais une chose, c'est que j'étais aveugle et que maintenant je vois.
—Jean 9.25

LA BIBLE EN UN AN :
☐ Psaumes 31 – 32
☐ Actes 23.16-35

Assis l'un à côté de l'autre pendant les 8 heures de notre voyage en train, un ambassadeur américain et moi nous sommes rapidement heurtés aux convictions l'un de l'autre lorsqu'il a soupiré en me voyant sortir ma bible.

J'ai mordu à l'hameçon. Au début, nous avons échangé de courtes paroles visant à agacer l'autre ou à marquer des points. Puis, des bouts de nos histoires de vie respectives se sont mis à s'immiscer dans la discussion. Cédant à la curiosité, nous nous sommes mis à poser des questions plutôt que de nous disputer. L'ancien étudiant en sciences politiques et l'amateur de politique que je suis s'est laissé intriguer par sa carrière, qui incluait deux fonctions d'ambassadeur importantes.

Étrangement, ses questions portaient sur ma foi. Ce qui l'intéressait le plus, c'était de savoir comment j'étais devenu « croyant ». Notre voyage en train s'est terminé sur une note amicale, et nous avons même échangé nos cartes de visite. En descendant du train, il s'est tourné vers moi et m'a dit : « Soit dit en passant, le meilleur de votre argumentation n'est pas ce qu'à votre avis Jésus peut faire pour moi, mais ce qu'il a fait pour vous. »

Comme cela a été le cas à bord de ce train, Dieu nous rappelle dans Jean 9 que la meilleure histoire est celle que nous connaissons intimement : notre propre rencontre avec Jésus-Christ. Exercez-vous à raconter votre histoire de foi à vos êtres chers et à vos amis intimes, afin d'en venir à la raconter clairement aux autres. —R.K.

Les gens savent reconnaître une véritable histoire de foi lorsqu'ils en entendent une.

23 juillet

UNE VUE ÉTONNANTE

LISEZ :
Psaume 33.13-22

Du lieu de sa demeure il observe tous les habitants de la terre. —Psaume 33.14

LA BIBLE EN UN AN :
☐ Psaumes 33 – 34
☐ Actes 24

Chez moi, au Colorado, je me suis servi dernièrement de Google Maps pour « visiter » le quartier de Nairobi, au Kenya, où ma famille vivait il y a vingt ans. Sur mon écran d'ordinateur, une image satellite m'a permis de localiser des routes, des centres d'intérêt et des immeubles. Parfois, j'ai obtenu une vue au niveau de la rue, comme si j'y étais.

C'était toute une vue, mais seulement un petit avant-goût de la vue que le Seigneur doit avoir de notre monde.

Le psalmiste a célébré la vue de Dieu en écrivant ces paroles : « L'Éternel regarde du haut des cieux, il voit tous les fils de l'homme ; du lieu de sa demeure il [...] est attentif à toutes leurs actions. [...] Voici, l'oeil de l'Éternel est sur ceux qui le craignent, sur ceux qui espèrent en sa bonté, afin d'arracher leur âme à la mort et de les faire vivre au milieu de la famine » (33.13-19).

Contrairement à un satellite dépourvu de sentiments, le Seigneur voit avec les yeux de son coeur rempli d'amour qui nous sommes et ce que nous sommes. La Bible nous révèle qu'il désire ardemment que nous lui fassions confiance et que nous suivions ses voies. Nous n'échappons jamais à la vue de Dieu, et il garde l'oeil sur quiconque espère en lui.

Pour tous ceux qui connaissent le Seigneur par la foi en Jésus-Christ, il est encourageant de réaliser que sa vue merveilleuse nous enveloppe chaque jour. —D.C.M.

**Gardez les yeux sur Dieu ;
lui ne vous quitte jamais des yeux.**

24 juillet

RESTEZ PROCHE

LISEZ :
1 Pierre 4.7-11

C'est pourquoi exhortez-vous réciproquement, et édifiez-vous les uns les autres.
—1 Thessaloniciens. 5.11

LA BIBLE EN UN AN :
☐ Psaumes 35 – 36
☐ Actes 25

Mon amie et moi voyagions ensemble, et elle semblait épuisée. À notre arrivée à l'aéroport, elle a oublié de mettre ses papiers d'identification à portée de la main et n'arrivait plus à trouver son numéro de confirmation de réservation. L'agent au comptoir a attendu avec patience, lui a souri et puis l'a aidée à s'enregistrer elle-même. Après avoir reçu son billet, elle a demandé : « Où allons-nous maintenant ? » L'agent lui a souri de nouveau, m'a désignée du doigt et lui a dit : « Restez près de votre amie. »

Il serait préférable pour nous tous, lorsque nous sommes épuisés, de rester près de nos amis. Bien que Jésus soit notre meilleur ami, nous avons besoin également d'entretenir des relations avec d'autres croyants qui nous aideront à survivre ici-bas.

Dans sa première épître, Pierre écrivait aux croyants qui avaient besoin les uns des autres parce qu'ils souffraient pour leur foi. Par quelques courtes phrases, Pierre a mentionné dans le chapitre 4 la nécessité de recevoir et de donner « un ardent amour », des prières et l'hospitalité (v. 7-9). Il a également mentionné la nécessité pour les croyants d'employer leurs dons spirituels afin de s'entraider (v. 10). Dans d'autres passages, on nous exhorte à nous consoler les uns les autres par la consolation que nous avons reçue de Dieu (2 Co 1.3,4) et nous édifier dans l'amour (1 Th 5.11).

Lorsque les choses se corsent et que nous sommes épuisés, la proximité de nos amis chrétiens nous aidera à nous en sortir. —A.M.C.

Rester près de nos amis pieux
nous aide à rester près de Dieu.

25 juillet

TOUT LE PLAISIR EST POUR MOI

LISEZ : Ecclésiaste 2.1-11

[*Je*] n'ai refusé à mon coeur aucune joie [...] tout est vanité et poursuite du vent. —Ecclésiaste 2.10,11

LA BIBLE EN UN AN :
☐ Psaumes 37 – 39
☐ Actes 26

J'attends toujours l'été avec impatience. Le soleil chaud, le baseball, les plages et les barbecues me procurent du plaisir et de la joie après un long hiver froid. Toutefois, je ne recherche pas le plaisir de manière saisonnière. Qui n'aime pas la bonne nourriture, les conversations engageantes et le feu qui crépite dans la cheminée ?

Il n'y a rien de répréhensible dans le désir d'avoir du plaisir. Dieu nous y a destinés. Paul nous rappelle que Dieu « nous donne avec abondance toutes choses pour que nous en jouissions » (1 Ti 6.17). D'autres passages nous invitent à tirer un plaisir sain de la nourriture, des amis et de l'intimité d'une relation conjugale. Par contre, il est vain de croire qu'il est possible de trouver un plaisir durable chez les gens et dans les choses.

Le plaisir ultime ne se trouve pas dans les sensations passagères que le monde a à nous offrir, mais plutôt dans la joie à long terme d'une intimité croissante avec notre Seigneur. Le roi Salomon a appris cette leçon à la dure. « *[Je]* n'ai refusé à mon coeur aucune joie », a-t-il admis (Ec 2.10). Toutefois, après s'être jeté corps et âme dans la poursuite des plaisirs, il a conclu que « tout est vanité et poursuite du vent » (v. 11). Rien d'étonnant à ce qu'il ait fait la mise en garde suivante : « Celui qui aime les plaisirs connaîtra le besoin » (Pr 21.17).

La vraie satisfaction ne se trouve que dans une relation toujours plus intime avec Jésus. Recherchez-le et goûtez combien il est bon. —J.M.S.

Vivons-nous pour notre propre plaisir ou vivons-nous pour plaire à notre Père céleste ?

26 juillet

LA JOIE DÈS LE MATIN

LISEZ :
Psaume 40.1-5

***[Le]* soir arrivent les pleurs, et le matin l'allégresse.**
—Psaume 30.6

LA BIBLE EN UN AN :
☐ Psaumes 40 – 42
☐ Actes 27.1-26

Ne voyant plus rien par les vitres embuées de sa voiture, Angie a coupé la voie à un camion. L'accident lui a endommagé le cerveau à tel point qu'elle ne parvenait plus à parler et à prendre soin d'elle-même.

Au fil des ans, j'ai été émerveillé par la persévérance des parents d'Angie. Dernièrement, je leur ai demandé : « Comment êtes-vous parvenus à surmonter cette expérience ? » Son père m'a répondu pensivement : « À vrai dire, le seul moyen d'y parvenir, c'était de nous approcher de Dieu. Il nous donne la force dont nous avons besoin. »

La mère d'Angie était du même avis et a ajouté que, dans les jours qui ont suivi l'accident, leur douleur était si profonde qu'ils se sont demandé s'ils éprouveraient un jour de la joie de nouveau. En s'appuyant tous les deux sur Dieu, ils ont reçu d'innombrables surprises qui leur ont permis de prendre soin des besoins physiques et spirituels d'Angie et de toute leur famille. Bien qu'Angie puisse ne jamais retrouver la parole, elle leur répond maintenant par de larges sourires, ce qui leur procure de la joie. Le verset préféré de ses parents continue d'être : « *[Le]* soir arrivent les pleurs, et le matin l'allégresse » (Ps 30.6).

Avez-vous vécu une tristesse extrême ? Tandis que vous vous appuyez sur notre Seigneur d'amour, il y a parmi vos larmes la promesse des joies à venir. —H.D.F.

Confiez vos douleurs à Jésus,
cet « homme de douleur ».

27 juillet

CORRUPTION

LISEZ : Deutéronome 10.12-22

**Tu ne recevras point de présent ; car les présents aveuglent ceux qui ont les yeux ouverts.
—Exode 23.8**

LA BIBLE EN UN AN :
☐ Psaumes 43 – 45
☐ Actes 27.27-44

Tandis que nous étions en voyage dans un pays étranger, mon mari a remarqué que les routes pavées comportaient de profondes empreintes. Lorsqu'il s'est renseigné à leur sujet, notre chauffeur nous a expliqué que c'étaient les pneus de camions transportant des chargements dépassant le poids permis par la loi qui les y avaient laissées. Lorsque les camionneurs se faisaient arrêter par un policier, ils lui offraient un pot-de-vin pour éviter de recevoir une contravention. Les camionneurs et les policiers s'en portaient mieux financièrement, mais d'autres conducteurs et contribuables se retrouvaient avec un fardeau finacier injuste et de mauvaises routes.

La corruption n'est pas toujours évidente ; elle est parfois plus subtile et n'est pas toujours financière. La flatterie est un genre de corruption dont les mots sont la monnaie d'échange. Si l'on favorise certaines personnes qui parlent en bien de soi, c'est comme si on leur offrait un pot-de-vin. Pour Dieu, toute forme de partialité est une injustice. Il a même fait de la justice une condition à remplir afin de rester dans la Terre promise. Les Israélites devaient éviter de pervertir la justice et d'user de partialité (De 16.19,20).

La corruption prive autrui de justice, ce qui offense « le Dieu des dieux, le Seigneur des seigneurs, le Dieu grand, fort et terrible, qui ne fait point de favoritisme et qui ne reçoit point de présent » (10.17).

Heureusement, le Seigneur nous traite tous de la même manière, et il veut que nous nous traitions ainsi les uns les autres. —J.A.L.

**La corruption engendre la partialité ;
l'amour engendre la justice.**

28 juillet

POUR LE DIEU QUE J'AIME

LISEZ : Matthieu 6.16-18

Lorsque vous jeûnez, ne prenez pas un air triste, comme les hypocrites. —Matthieu 6.16

LA BIBLE EN UN AN :
- ☐ Psaumes 46 – 48
- ☐ Actes 28

Il y a quelques années, dans notre Église, nous avons donné une série de sermons portant sur le tabernacle de l'Ancien Testament. Me préparant à amener le sujet de la table des pains de proposition, j'ai fait quelque chose que je n'avais jamais fait auparavant : j'ai jeûné pendant plusieurs jours. Je me suis privé de nourriture parce que je voulais vivre la vérité selon laquelle « l'homme ne vit pas de pain seulement, mais que l'homme vit de tout ce qui sort de la bouche de l'Éternel » (De 8.3). Je voulais me priver de quelque chose que j'aimais, de la nourriture, au profit du Dieu que j'aime plus. En jeûnant, j'ai suivi les enseignements de Jésus au sujet du jeûne dans Matthieu 6.16-18.

Jésus a donné un commandement négatif : « Lorsque vous jeûnez, ne prenez pas un air triste, comme les hypocrites » (v. 16). Puis, il a donné un commandement positif nous incitant à nous parfumer la tête et à nous laver le visage (v. 17). Pris ensemble, les deux commandements indiquent qu'il ne faut pas attirer l'attention sur nous. Jésus enseignait qu'il s'agit d'un geste d'adoration sacrificielle fait en privé qui ne devrait laisser aucune place à l'orgueil religieux. Finalement, il a fait une promesse : Votre Père, qui voit dans le secret, vous le rendra (v. 18).

Bien que le jeûne ne soit pas exigé, en renonçant à quelque chose que nous aimons, nous sommes susceptibles de mieux connaître le Dieu que nous aimons. Il nous récompense par sa personne. —M.L.W.

Nous éloigner de la table peut nous rapprocher du Père.

29 juillet

LA BELLE VIE

LISEZ :
Michée 6.6-8

Pour moi, m'approcher de Dieu, c'est mon bien.
—Psaume 73.28

LA BIBLE EN UN AN :
☐ Psaumes 49 – 50
☐ Romains 1

Les philosophes se demandent : « Qu'est-ce que la belle vie et qui la possède ? » Je pense immédiatement à mon bon ami Roy.

Roy était un homme doux et tranquille qui ne cherchait aucune reconnaissance, qui laissait sa vie entre les mains de son Père céleste et qui ne faisait que la volonté de son Père. Sa perspective était céleste. Comme il me l'a souvent rappelé : « Nous ne sommes que de passage ici-bas. »

Roy est mort l'automne dernier. À ses funérailles, ses amis ont évoqué l'influence qu'il avait eue sur leur vie. Beaucoup de gens ont rappelé sa douceur, sa générosité, son altruisme, son humilité et sa compassion, disant qu'il était l'expression visible de l'amour inconditionnel de Dieu.

Après le service funèbre, le fils de Roy s'est rendu en voiture à la résidence où son père avait vécu ses derniers jours. Il a ramassé les effets personnels de son père : deux paires de chaussures, quelques chemises et pantalons, et des petites choses – la totalité des biens terrestres de Roy – et les a remis à une oeuvre de bienfaisance du coin. Roy n'a jamais connu ce que certains considéreraient comme la belle vie, mais aux yeux de Dieu il était riche en bonnes oeuvres. George MacDonald a écrit : « Qui possède le ciel et la terre ? Celui qui possède mille maisons ou celui qui, sans avoir de maison qui lui appartienne, en a dix à la porte desquelles ses coups suscitent la jubilation instantanée ? »

Roy menait la belle vie, après tout. —D.H.R.

Personne ne peut connaître la belle vie sans Dieu.

30 juillet

LA CHUTE DE JUPITER

LISEZ :
Colossiens 1.15-23

***[Toutes]* choses subsistent en lui.**
—Colossiens 1.17

LA BIBLE EN UN AN :
☐ Psaumes 51 – 53
☐ Romains 2

Un jour, j'ai acheté pour mon fils un modèle de système solaire bon marché. Pour l'installer, je devais suspendre chaque planète au plafond. Après m'être penchée et relevée à maintes reprises, je me suis sentie étourdie et fatiguée. Quelques heures plus tard, nous avons entendu « plic » lorsque Jupiter est tombé au sol.

Plus tard en soirée, j'ai réfléchi à la façon dont notre faible réplique tombait en ruine, mais que Jésus soutenait l'univers réel. « Il est avant toutes choses, et toutes choses subsistent en lui » (Col 1.17). Le Seigneur Jésus maintient notre monde en un ensemble, en maintenant les lois naturelles qui régissent la galaxie. Notre Créateur soutient également « toutes choses par sa parole puissante » (Hé 1.3). Jésus est tellement puissant qu'il préserve l'ordre de l'univers par un simple commandement !

Aussi étonnant que cela puisse être, Jésus fait plus que prendre soin du cosmos. Il nous soutient également. Il « donne à tous la vie, la respiration, et toutes choses » (Ac 17.25). Bien que Jésus pourvoie parfois à nos besoins différemment de ce à quoi nous nous attendions, notre Sauveur nous permet de subsister, que nous ayons le coeur brisé, que nous soyons fauchés ou que nous soyons malades.

Jusqu'au jour où il nous rappellera à lui, nous avons l'assurance que celui qui empêche Jupiter de tomber est celui-là même qui nous soutient également. —J.B.S.

Le Dieu qui soutient l'univers me soutient aussi.

31 juillet

GRATUIT POUR TOUS

LISEZ :
Éphésiens 1.7-14 ; 2.8,9

Car c'est par la grâce que vous êtes sauvés, par le moyen de la foi. Et cela ne vient pas de vous, c'est le don de Dieu.
—Éphésiens 2.8

LA BIBLE EN UN AN :
- ☐ **Psaumes 54 – 56**
- ☐ **Romains 3**

Dans un effort pour aider les gens qui ont du mal à pourvoir aux besoins de leur famille en période économique difficile, l'Église que je fréquente a créé un programme portant le nom de « Free 4 All » (Gratuit pour tous).

Nous avons apporté des articles peu utilisés à l'église, dont nous avons ouvert les portes aux gens de la collectivité. Ils pouvaient venir y prendre tout ce dont ils avaient besoin.

Bien que la journée ait remporté un franc succès, pour ce qui est de la quantité de marchandise que les gens ont rapportée chez eux, son succès s'en est trouvé encore plus grand pour la raison suivante : six personnes ont mis leur foi en Jésus-Christ comme leur Sauveur durant l'événement. En effet, ces six nouveaux croyants ont pris part au plus grand « Free 4 All » de tous les temps : l'offre du salut en Jésus-Christ.

Les articles apportés à l'église en cette journée spéciale avaient déjà été achetés et avaient alors été donnés à quiconque les demandait. De même, le pardon éternel de nos péchés a déjà été acheté. Jésus en a payé le prix en mourant sur une croix à Golgotha il y a 2000 ans (Ro 3.23-25). Il offre maintenant gratuitement le salut à tous ceux qui se repentent et qui croient qu'il a le pouvoir de leur pardonner et de les sauver (Ac 16.31).

Chacun de nous est spirituellement dans le besoin, et seul Jésus peut répondre à ce besoin. Avez-vous accepté ce qu'il offre gratuitement au plus grand « Free 4 All » du monde ?
—J.D.B.

Le salut est gratuit, mais il faut encore le recevoir.

1er août

FAIRE LE BIEN

LISEZ :
Luc 6.27-36

Jésus de Nazareth […] allait de lieu en lieu faisant du bien et guérissant tous ceux qui étaient sous l'empire du diable, car Dieu était avec lui.
—Actes 10.38

LA BIBLE EN UN AN :
☐ **Psaumes 57 – 59**
☐ **Romains 4**

Quelqu'un a dit un jour : « Le bien que tu fais aujourd'hui sera oublié demain. Fais quand même le bien. » Cet excellent rappel me plaît. Dans le livre des Actes, Luc a résumé le ministère terrestre de Jésus en disant que ce dernier « allait de lieu en lieu faisant du bien » (10.38).

Que veut dire la Bible lorsqu'elle nous exhorte à « faire le bien » ? Jésus faisait le bien en enseignant, en guérissant, en nourrissant et en consolant les gens. Citant Jésus en parfait exemple, ses disciples sont appelés à répondre aux besoins des autres, y compris à ceux des gens qui les haïssent : « Aimez vos ennemis, bénissez ceux qui vous maudissent, faites du bien à ceux qui vous haïssent » (Mt 5.44 ; voir aussi Lu 6.27-35). Ils doivent servir leurs ennemis sans rien attendre en retour.

De plus, au fil des occasions, ses disciples doivent faire le bien surtout envers les frères en la foi (Ga 6.10). Ils ne doivent pas laisser la persécution, l'égoïsme et la suractivité les amener à oublier de faire le bien et à partager ce qu'ils ont avec les autres (Hé 13.16).

Pour ressembler à notre Sauveur et à ses premiers disciples, nous devons nous demander chaque jour : *Quelle bonne chose puis-je faire aujourd'hui au nom de Jésus ?* Si nous faisons le bien, nous offrirons un sacrifice qui plaira à Dieu (Hé 13.16) et qui attirera les gens à lui (Mt 5.16).
—M.L.W.

Imitez Jésus, en faisant le bien.

2 août

RÉVEILLÉ PAR UN AMI INTIME

LISEZ :
Jean 14.1-7

[Afin] que là où je suis vous y soyez aussi.
—Jean 14.3

LA BIBLE EN UN AN :
☐ Psaumes 60 – 62
☐ Romains 5

Il y a quelques années, j'ai dû subir quelques tests de dépistage du cancer, dont je redoutais les résultats. Mon angoisse s'est accrue lorsque je me suis mis à penser que, même si les membres du personnel médical étaient bien formés et extrêmement compétents, ils m'étaient inconnus et n'avaient aucune relation avec moi.

Après m'être réveillé de l'anesthésie, j'ai toutefois entendu le son merveilleux de la voix de ma femme, qui disait : « C'est formidable, chéri. Ils n'ont rien trouvé. » J'ai levé les yeux vers son visage souriant, qui m'a réconforté. J'avais besoin de l'assurance d'une personne qui m'aimait.

Dieu réserve une assurance similaire à tous ceux qui ont mis leur foi en Jésus. Les croyants peuvent avoir la consolation de savoir que, lorsqu'ils se réveilleront au ciel, celui qui les aime énormément – Jésus – sera là.

Malgré sa souffrance, Job exprime son espoir : « Mais je sais que mon Rédempteur est vivant [...] Après que ma peau aura été détruite, moi-même je contemplerai Dieu. Je le verrai, et il me sera favorable. » (Job 19.25-27)

Avez-vous du mal à considérer votre mortalité ? Jésus a promis d'être là lorsque nous quitterons ce monde pour entrer dans l'au-delà. Il a dit : « *[Afin]* que là où je suis [*le ciel*] vous y soyez aussi » (Jn 14.3). Quelle consolation pour les croyants de savoir qu'après la mort nous nous ferons réveiller par un Ami intime ! —H.D.F.

Au ciel, la plus grande joie sera celle de voir Jésus.

3 août

Une prière insensée

Lisez :
Josué 1.1-9

Je serai avec toi, comme j'ai été avec Moïse ; je ne te délaisserai point, je ne t'abandonnerai point.
—Josué 1.5

La Bible en un an :
☐ Psaumes 63 – 65
☐ Romains 6

J'ai parfois honte de mes prières. Je m'entends trop souvent prononcer des expressions communes qui sont davantage des propos creux qu'une interaction réfléchie et intime. Une expression qui m'énerve, et qui selon moi risque d'offenser Dieu, est : « Seigneur, sois avec moi. » Dans la Bible, Dieu me promet continuellement de ne jamais me quitter.

Dieu a fait cette promesse à Josué juste avant de conduire les Israélites en Terre promise (Jos 1.5). L'auteur de l'épître aux Hébreux l'a déclarée plus tard en faveur de tous les croyants : « Je ne te délaisserai point, et je ne t'abandonnerai point » (13.5). Dans les deux cas, le contexte indique que la présence de Dieu nous procure le pouvoir de faire sa volonté, et non notre propre volonté, ce que j'ai généralement en tête dans mes prières.

Il se peut qu'il vaille mieux prier comme ceci : « Seigneur, merci pour ton Esprit qui habite en moi et qui est désireux et capable de me diriger dans la direction que tu veux que j'emprunte. Que jamais je ne t'amène là où tu ne veux pas aller. Que jamais je ne t'amène à faire *ma* volonté, mais que je me soumette humblement à la tienne. »

Si nous faisons la volonté de Dieu, il sera avec nous même sans que nous le lui demandions. Si nous *ne* faisons *pas* sa volonté, nous devons lui en demander pardon, changer de voie et le suivre. —J.A.L.

Puissent nos prières ne pas être insensées, mais abonder plutôt dans le sens de la volonté de Dieu.

4 août

COMMUNIQUER LA PAROLE

LISEZ :
Psaume 19.8-15

Ils sont plus précieux que l'or, que beaucoup d'or fin.
—Psaume 19.11

LA BIBLE EN UN AN :
☐ Psaumes 66 – 67
☐ Romains 7

Jerry McMorris s'est mis à lire *The Wall Street Journal* il y a 50 ans, lorsqu'il fréquentait l'Université du Colorado. Son amour pour cette publication et pour son alma mater l'a conduit à donner des centaines d'abonnements au *WSJ* à des étudiants de l'école de commerce de l'UC. McMorris a déclaré au *Colorado Springs Gazette* : « Le Journal m'a procuré une bonne perspective, élargie, de ce qui se passait dans le monde des affaires, et j'ai pris l'habitude de le lire au début de ma journée professionnelle. Il aide à communiquer aux étudiants les vraies questions relatives au monde des affaires. »

Beaucoup de gens se plaisent à faire connaître à d'autres les écrits qui ont façonné leur vie. Il n'y a donc rien d'étonnant à ce que les disciples de Christ se plaisent à communiquer la Parole de Dieu aux autres. Certains en soutiennent la traduction et la distribution, d'autres invitent des amis à étudier la Parole avec eux. Il y a beaucoup de façons de transmettre la vérité de Dieu aux gens qui ont soif d'encouragements et d'aide. Nous avons pour mission d'aider les autres à profiter du grand avantage que nous avons découvert dans la connaissance de Christ et dans sa direction par la Parole. Le psalmiste a dit : « La loi de l'Éternel est parfaite, elle restaure l'âme ; le témoignage de l'Éternel est véritable, il rend sage l'ignorant » (19.8).

La Parole de Dieu, qui garde nos coeurs et guide nos pas, vaut la peine que nous la transmettions à d'autres. —D.C.M.

La Bible : Ayez-la dans la tête, serrez-la dans votre coeur, démontrez-la dans votre vie et semez-la dans le monde.

5 août

UN AU REVOIR DÉCHIRANT

LISEZ :
Psaume 68.2-11

Le père des orphelins, le défenseur des veuves, c'est Dieu dans sa demeure sainte.
—Psaume 68.6

LA BIBLE EN UN AN :
☐ Psaumes 68 – 69
☐ Romains 8.1-21

Lorsque notre cadet s'est enrôlé dans l'armée, nous savions que les défis ne manqueraient pas. Nous savions qu'il ferait face au danger et qu'il serait éprouvé sur les plans physique, émotionnel et spirituel. Nous savions également que notre foyer ne serait plus jamais complètement le sien. Au cours des mois qui ont précédé son départ, ma femme et moi nous sommes préparés à relever ces défis.

Puis le jour est venu où Mark a dû se présenter à l'appel. Nous nous sommes serrés dans les bras et dit au revoir, puis il est entré dans la station de recrutement, me laissant vivre un moment auquel je n'étais absolument pas préparé. La douleur de cet au revoir pénible m'a semblé insupportable. Au risque de passer pour quelqu'un qui dramatise à outrance, je dirai que je ne me rappelle pas avoir davantage pleuré à aucune autre occasion. Ce pénible au revoir et le sentiment de deuil qu'il m'a procuré m'ont littéralement crevé le coeur.

En de tels instants, je suis heureux d'avoir un Père céleste qui sait ce que c'est que d'être séparé d'un Fils bien-aimé. Je suis reconnaissant d'avoir un Dieu que la Bible décrit comme étant « *[le]* père des orphelins, le défenseur des veuves » (Ps 68.5). Je crois que, s'il prend soin des orphelins et des veuves dans leur solitude, il prendra soin de moi et me consolera également – même dans les instants où je lutte intérieurement avec un au revoir pénible. —W.E.C.

La solitude nous empoigne le coeur lorsque nous oublions celui qui est toujours avec nous.

6 août

L'INATTENDU

LISEZ :
Proverbes 16.1-9

Le coeur de l'homme médite sa voie, mais c'est l'Éternel qui dirige ses pas.
—Proverbes 16.9

LA BIBLE EN UN AN :
☐ Psaumes 70 – 71
☐ Romains 8.22-39

Toni cherchait ce qui n'était pas vraiment perdu, et elle a trouvé ce qu'elle ne cherchait pas. Résultat : un groupe de personnes a reçu une poussée spirituelle à laquelle il ne s'attendait pas.

Toni, qui dirige une étude biblique dans une clinique de détoxication en Alaska, cherchait le permis de conduire égaré de son mari. En repassant là où il était allé la veille, elle est entrée dans un hôpital. Le permis manquant n'y était pas, mais la chorale d'un lycée chrétien y était, et Toni a été touchée de l'entendre chanter des louanges. Elle a demandé au directeur si les adolescents accepteraient de chanter pour son groupe d'étude biblique le soir même. C'était le cas, et ils ont ainsi apporté de l'espoir, de la joie et l'amour de Dieu par la musique et en discutant après le concert avec quelques personnes qui s'efforçaient de remettre de l'ordre dans leur vie.

Oh, et le fameux permis de conduire ? Toni l'a trouvé sur une chaise à son retour à la maison. De toute évidence, la seule raison pour laquelle elle est sortie ce jour-là, c'était pour que Dieu l'amène à entendre quelques adolescents qui étaient en mesure d'oeuvrer auprès de son groupe d'étude.

Lorsque Dieu nous guide (Pr 16.9), il oeuvre de manière imprévisible. Il peut même utiliser nos contretemps pour honorer son nom. Lorsque nous faisons face à un présumé inconvénient durant la journée, peut-être devrions-nous chercher non seulement ce que nous pensons vouloir, mais aussi à découvrir ce que Dieu a en réserve pour nous ce jour-là. —J.D.B.

Dieu se tient dans la coulisse et maîtrise ce qui se passe en scène.

7 août

METTONS L'ARMURE

LISEZ :
Éphésiens 6.10-18

***[Prenez]* aussi [...] l'épée de l'Esprit, qui est la parole de Dieu.**
—Éphésiens 6.17

LA BIBLE EN UN AN :
☐ Psaumes 72 – 73
☐ Romains 9.1-15

J'ai eu tôt fait de découvrir qu'un jeune garçon qui citait la Bible dans un programme pour enfants à l'église connaissait très mal la Bible. Il citait Éphésiens 6.17, qu'il avait appris durant notre étude de l'armure du chrétien : « *[Prenez]* aussi [...] l'épée de l'Esprit, qui est la parole de Dieu. » En tentant de citer la référence, il a dit : « Je ne pensais pas devoir mémoriser les chiffres, puisque c'était juste l'heure. » Il pensait que 6.17 indiquait qu'il était 6 h 17 ce soir-là ! En souriant, j'ai ouvert ma bible et je lui ai montré que les chiffres correspondaient au chapitre et au verset.

Bien qu'il soit utile de connaître les références bibliques, le plus important consiste à serrer la Parole de Dieu dans notre coeur (Ps 119.11). La mémorisation de la Bible nous permet de l'avoir en tête, prête à nous servir à contrer les attaques de Satan (Ép 6.10-18). Par exemple, lorsque le diable a tenté Jésus dans le désert, Christ lui a résisté en citant les Écritures (Mt 4.1-11). De même, lorsque nous sommes tentés de désobéir à Dieu, nous devons nous rappeler ce que nous avons appris et choisir d'obéir. Nous pouvons également transmettre les enseignements bibliques à d'autres pour les encourager à mettre leur confiance en Dieu à leur tour.

À toute heure du jour, nous devrions toujours porter l'armure spirituelle de la Parole de Dieu. —A.M.C.

Aucun mal ne peut percer l'armure de Dieu.

8 août

PÊCHER LÀ OÙ ILS NE SONT PAS

LISEZ :
Luc 7.34-48

Un pharisien pria Jésus de manger avec lui. Jésus entra dans la maison du pharisien, et se mit à table.
—Luc 7.36

LA BIBLE EN UN AN :
☐ **Psaumes 74 – 76**
☐ **Romains 9.16-33**

J'ai un bon ami avec qui je vais pêcher de temps à autre. Après avoir mis ses bottes de pêcheur et rassemblé son équipement, cet homme très réfléchi s'assoit sur le hayon de sa camionnette et scrute la rivière pendant une bonne quinzaine de minutes, à la recherche de poissons venant à la surface. « À quoi bon pêcher là où ils ne sont pas ? » dit-il, ce qui me rappelle une autre question : « Est-ce que je pêche les âmes là où elles ne sont pas ? »

On disait de Jésus qu'il était « un ami des publicains et des gens de mauvaise vie » (Lu 7.34). En tant que chrétiens, nous devons nous comporter différemment du monde, mais le fréquenter assidûment comme il l'a fait. Nous devons donc nous demander : *À l'instar de Jésus, est-ce que j'ai des amis qui sont pécheurs ?* Si je n'ai que des amis chrétiens, je risque de pêcher des âmes « là où elles ne sont pas ».

Fréquenter des non-croyants constitue le premier pas à faire pour « pêcher ». Ensuite vient *l'amour* – une bonté qui permet de voir sous la surface de leurs remarques déplacées, d'entendre le cri plus profond de leur âme, qui demande : « Pourrais-tu m'en dire plus ? », et d'y répondre avec compassion. « Il y a beaucoup de prédication dans ce genre d'amitié », a déclaré le pasteur George Herbert (1593-1633).

Prions : « Seigneur, aide-moi à entendre aujourd'hui le cri de détresse du coeur des non-croyants qui m'entourent et à y répondre par ta vérité, en leur témoignant ton amour et ta compassion. » —D.H.R.

Nous devons servir de canaux à la vérité de Dieu, et non de réservoirs.

9 août

COMME UN TROUPEAU

LISEZ : Psaume 77.12-21

Tu as conduit ton peuple comme un troupeau, par la main de Moïse et d'Aaron. —Psaume 77.21

LA BIBLE EN UN AN :
☐ Psaumes 77 – 78
☐ Romains 10

Au cours d'une démonstration de garde de moutons employant un Border-Collie, l'entraîneur du chien a expliqué que parce que les moutons sont très vulnérables par rapport aux animaux sauvages, leur principale défense contre les prédateurs consiste à rester ensemble dans un groupe très uni. « Un mouton seul est voué à mourir, a dit l'entraîneur. En faisant se déplacer les moutons, le chien les garde toujours ensemble. »

L'image biblique de notre Dieu en tant que Berger nous rappelle avec puissance combien nous avons besoin les uns des autres au sein de la communauté de foi. En écrivant au sujet de la sortie d'Égypte des Israélites, le psalmiste a dit : « Il [*Dieu*] fit partir son peuple comme des brebis, il les conduisit comme un troupeau dans le désert. Il les dirigea sûrement, pour qu'ils soient sans crainte » (Ps 78.52,53).

Faisant partie du troupeau de Dieu, nous qui avons mis notre foi en Christ sommes dans sa main protectrice et directrice, tout en étant entourés de la présence défensive des autres. Nous faisons partie d'un corps de croyants plus large apportant sécurité et obligation de rendre des comptes.

Bien que nous ne renoncions pas à notre responsabilité personnelle en matière de pensée et d'action en tant que membres du troupeau, nous devons épouser le concept du « nous » plutôt que celui du « moi » dans notre vie de tous les jours. Avec Christ pour Berger et nos frères en la foi autour de nous, nous trouvons la sécurité au sein du troupeau. —D.C.M.

Faisant partie du troupeau de Dieu, nous sommes sous sa protection et celle des autres brebis.

10 août

S'ÉPUISER

LISEZ :
Exode 18.13-27

Tu t'épuiseras toi-même.
—Exode 18.18

LA BIBLE EN UN AN :
☐ Psaumes 79 – 80
☐ Romains 11.1-18

La fille de mon ami Jeff lui a demandé de célébrer son mariage. L'expérience promettait d'être une source de grande joie, car la cérémonie devait avoir lieu dans un lieu exotique et romantique. Toutefois, il y avait un problème majeur : étant donné que le nombre des personnes qui y assisteraient serait très restreint, Jeff allait devoir jouer trois rôles différents qui risquaient d'entrer en conflit entre eux. Il allait servir de célébrant, de père à la mariée et de photographe !

Avez-vous déjà eu l'impression d'avoir trop de fers au feu ? Jéthro était d'avis que c'était le cas de Moïse, son gendre (Ex 18). Ce dernier s'épuisait à diriger les Israélites, à arbitrer les litiges personnels et à rendre des jugements légaux pour un grand nombre de personnes. Jéthro a fini par venir dire à Moïse : « *[La]* chose est au-dessus de tes forces, tu ne pourraspas y suffire seul » (v. 18). Il a alors conseillé à Moïse avec sagesse de déléguer de plus petits litiges à d'autres conseillers et de juger lui-même les causes les plus difficiles (v. 22).

Que vous soyez la mère de jeunes enfants, un chef d'entreprise débordé ou un bénévole surchargé à l'église, vous pouvez vous aussi tirer une leçon de ce que Moïse a fait. Pourquoi ne chercheriez-vous pas à voir dans la prière s'il y aurait des tâches que vous pourriez déléguer à d'autres ou même laisser tomber, afin de ne pas vous épuiser ? —H.D.F.

Quelques moments de repos nous éviteront de longs moments d'épuisement. – Havner

11 août

JETEZ-LUI LE LIVRE

LISEZ :
Matthieu 4.1-11

Alors Jésus fut emmené par l'Esprit dans le désert, pour être tenté par le diable.
—Matthieu 4.1

LA BIBLE EN UN AN :
☐ Psaumes 81 – 83
☐ Romains 11.19-36

Au début de son ministère, les choses se passaient vraiment bien pour Jésus. Il s'est fait baptiser et a entendu les paroles de confirmation de son Père : « Celui-ci est mon Fils bien-aimé, en qui j'ai mis toute mon affection » (Mt 3.17). Toutefois, les choses se sont envenimées par la suite.

Ce qui s'est alors produit – la tentation de Jésus dans le désert – n'était pas que pure coïncidence. Le Saint-Esprit l'a conduit à cet affrontement entre les puissances du ciel et celles de l'enfer. Heureusement, la victoire de Jésus sur la tentation nous procure un excellent exemple à suivre lorsque nous nous retrouvons dans le désert des sinistres séductions de Satan.

Vous remarquerez que le tentateur s'est présenté à Jésus à un moment où ce dernier était fatigué et affamé. Or, Satan a recours à la même tactique avec nous. Guettant ces moments de vulnérabilité, il nous appâte avec ses suggestions séduisantes par lesquelles il nous offre un soulagement rapide et des occasions d'améliorer notre sort. Face à de tels défis, il importe de suivre l'exemple de Jésus, en jetant « le Livre » au visage de Satan ! Jésus a répondu à la tentation en citant la Bible : « L'homme ne vivra pas de pain seulement, mais de toute parole qui sort de la bouche de Dieu » (Mt 4.4 ; voir aussi De 8.3). La Bible abonde en versets portant sur la convoitise, l'avarice, le mensonge et autres péchés. Si nous les mémorisons, nous pourrons les utiliser sous le feu ennemi. C'est notre meilleure chance de réussite ! —J.M.S.

Lorsque Satan attaque,
contre-attaquez par la Parole de Dieu.

12 août

UNE NOUVELLE RAISON D'ÊTRE

LISEZ :
Actes 9.1-9

Car je connais les projets que j'ai formés pour vous, dit l'Éternel, projets de paix et non de malheur, afin de vous donner un avenir et de l'espérance.
—Jérémie 29.11

LA BIBLE EN UN AN :
☐ Psaumes 84 – 86
☐ Romains 12

Un hôtel vieux de 60 ans au Kansas est en train d'être transformé en immeuble en copropriété. Un bateau rouillé amarré à Philadelphie est en train d'être restauré et sera peut-être transformé en hôtel ou en musée. Le Hangar 61, une oeuvre architecturale admirée à l'ancien aéroport de Stapleton, au Colorado, est en train d'être transformé en église. Chacune de ces structures avait une utilité précise qui n'est plus viable. Par contre, quelqu'un a vu en chacune une promesse et une nouvelle raison d'être.

Or, s'il est possible aux structures d'avoir une nouvelle vie et une nouvelle raison d'être, pourquoi n'en serait-il pas ainsi des gens ? Rappelez-vous les hommes de la Bible dont la vie a pris un tournant inattendu : Jacob, qui a lutté avec l'ange du Seigneur (Ge 32) ; Moïse, qui a parlé à un buisson ardent (Ex 3) ; Paul, qui a été temporairement aveuglé (Ac 9). L'histoire de chacun était différente, mais tous ont vu changer leur raison d'être lorsque leur rencontre avec Dieu les a conduits sur une nouvelle voie.

Nous pouvons nous aussi vivre une situation qui changera le cours de notre vie. Par contre, Dieu nous rappelle ceci : Je t'ai aimé avant que tu ne m'aimes. Je veux te donner un avenir à espérer. Confie-moi tous tes soucis, car je me soucie de toi (1 Jn 4.19 ; Jé 29.11 ; 1 Pi 5.7 ; Jn 10.10).

En vous cramponnant aux promesses de Dieu, demandez-lui de vous révéler une nouvelle direction et une nouvelle raison d'être. —C.H.K.

Gardez les yeux fixés sur le Seigneur, et vous ne perdrez pas de vue votre raison d'être.

13 août

MAÎTRE-ARTISANT

LISEZ :
Jérémie 18.1-10

Le vase qu'il faisait ne réussit pas, comme il arrive à l'argile dans la main du potier ; il en refit un autre vase, tel qu'il trouva bon de le faire.
—Jérémie 18.4

LA BIBLE EN UN AN :
☐ Psaumes 87 – 88
☐ Romains 13

Lorsque ma femme et moi étions fiancés, son père nous a offert un cadeau de mariage spécial. En tant qu'horloger et joaillier, il a fabriqué nos alliances. Pour confectionner mon alliance, Jim s'est servi des résidus d'or provenant de la réduction de la taille d'autres bagues – des résidus qui semblaient sans grande valeur. Toutefois, entre les mains de cet artisan, ces résidus sont devenus quelque chose de beau que je chéris encore aujourd'hui. C'est étonnant de voir ce qu'un maître-artisan peut faire de ce que d'autres peuvent percevoir comme inutile.

C'est également la manière dont Dieu oeuvre dans notre vie. Il est le plus grand Maître-artisan de tous, se servant des résidus et des éclats de notre vie pour nous restaurer et redonner de la valeur et un sens à notre vie. Le prophète Jérémie a décrit cette réalité en comparant l'oeuvre de Dieu à celle du potier qui façonne l'argile : « Le vase qu'il faisait ne réussit pas, comme il arrive à l'argile dans la main du potier ; il en refit un autre vase, tel qu'il trouva bon de le faire » (Jé 18.4).

Peu importe combien nous avons pu gâcher notre vie, Dieu peut nous refaçonner en des vases qui ont de la valeur à ses yeux. En confessant nos péchés et en nous soumettant avec obéissance à sa Parole, nous permettons au Maître d'accomplir son oeuvre rédemptrice dans notre vie (2 Ti 2.21). C'est le seul moyen pour que les éclats de notre vie brisée soient recollés et forment de nouveau un vase utile. —W.E.C.

Si vous laissez Dieu en faire la réparation,
ce qui est brisé peut devenir béni.

14 août

DIEU EST-IL OBLIGÉ ?

LISEZ :
Jérémie 7.1-11

Réformez vos voies et vos oeuvres.
—Jérémie 7.3

LA BIBLE EN UN AN :
☐ Psaumes 89 – 90
☐ Romains 14

Un ami m'a envoyé des photographies de 20 belles églises dans le monde. Situées aussi loin les unes des autres qu'en Islande et en Inde, elles étaient toutes uniques sur le plan architectural.

À l'époque du prophète Jérémie, le lieu d'adoration le plus beau était le Temple de Jérusalem, que le roi Josias venait de faire réparer et restaurer (2 Ch 34 – 35). Les gens avaient une fixation par rapport au magnifique bâtiment (Jé 7.4), et ils entretenaient l'idée saugrenue que le fait d'avoir le Temple là amènerait Dieu à les protéger contre leurs ennemis.

Au lieu de cela, Jérémie a désigné du doigt le péché dans leur vie (v. 3,9,10). Dieu ne se laisse pas impressionner par de magnifiques bâtiments construits en son nom s'il n'y a aucune beauté intérieure dans le coeur de ceux qui les fréquentent. Il ne s'intéresse pas à une adoration légaliste extérieure à laquelle ne correspond aucune sainteté intérieure. Et il est faux de croire que Dieu protège des gens simplement en raison des choses religieuses qu'ils font.

Ce n'est pas simplement parce qu'ils lisent la Bible, qu'ils prient et qu'ils communient avec d'autres croyants que Dieu est obligé de faire quoi que ce soit pour eux. On ne saurait le manipuler. Ces activités extérieures ont pour but de développer une relation avec le Seigneur et de nous aider à vivre différemment des gens qui nous entourent dans le monde. —C.P.H.

Rappelez-vous : Dieu est imperméable à la manipulation parce qu'il ne s'y prête pas.

15 août

« Broderie de la terre »

Lisez :
Ésaïe 41.17-20

Je mettrai dans le désert le cèdre, l'acacia, le myrte et l'olivier.
—Ésaïe 41.19

La Bible en un an :
☐ Psaumes 91 – 93
☐ Romains 15.1-13

Près de l'un des sites les plus majestueux de la nature étant l'oeuvre de Dieu se trouve un jardin botanique d'une beauté à couper le souffle. Du côté canadien des chutes Niagara se trouve la Floral Showhouse. Cette serre abrite un vaste éventail de fleurs magnifiques et de plantes exotiques. En plus de la flore que ma femme et moi y avons admirée, quelque chose d'autre a attiré notre attention : l'inscription sur une plaque.

On pouvait y lire : « Entrez, mes amis, et regardez la belle oeuvre de Dieu, la broderie de la terre. » Quelle merveilleuse façon de décrire la manière dont notre Créateur a orné notre planète d'une telle beauté !

La « broderie de la terre » inclut des touches divines aussi variées que les forêts verdoyantes du Brésil, les superbes glaciers du cercle polaire arctique, les champs de blé ondulants des plaines d'Amérique du Nord et les torrents de la vallée fertile du Serengeti en Afrique. Ces régions, comme celles décrites dans Ésaïe 41, nous rappellent de louer Dieu pour son oeuvre créative.

La Bible nous rappelle également que les merveilleuses plantes individuelles font partie de l'oeuvre de Dieu. Du narcisse (És 35.1) au lis (Mt 6.28), au myrte, au cyprès et à l'orme (És 41.19,20), Dieu pare notre monde de splendeur. Jouissez de toute cette beauté. Et passez du temps à louer Dieu pour « la broderie de la terre ». —J.D.B.

La création est riche en signes confirmant qu'elle est de la main du Créateur.

16 août

FAITES-LE VOUS-MÊMES

LISEZ :
Marc 6.30-44

**Jésus leur répondit : Donnez-leur vous-mêmes à manger.
—Marc 6.37**

LA BIBLE EN UN AN :
☐ Psaumes 94 – 96
☐ Romains 15.14-33

Donnez-leur vous-mêmes à manger (Mc 6.37). Il est facile de passer à côté de cette parole de Jésus. Une immense foule s'était réunie pour l'entendre. Au déclin du jour, les disciples se sont mis à s'inquiéter et à le presser de renvoyer les gens chez eux (v. 36). « Donnez-leur vous-mêmes à manger », leur a répondu Jésus (v. 37).

Pourquoi leur a-t-il dit cela ? Selon Jean 6.6, il les mettait à l'épreuve. Désirait-il voir s'ils auraient confiance en lui pour accomplir un miracle ? C'est possible, mais il semble plus probable qu'il désirait que ses disciples prennent soin eux aussi de la foule, en oeuvrant concrètement avec lui et pour lui. Il a ensuite béni ce qu'ils lui ont apporté – cinq pains et deux poissons – en nourrissant miraculeusement 5000 hommes.

Je crois que Jésus nous adresse cette parole à nous aussi. Un besoin se présente dans la vie des gens qui nous entourent, et nous le soumettons à Jésus dans la prière. « Fais toi-même quelque chose », nous dit souvent Jésus. Par contre, nous objectons : « Mais, Seigneur, je n'ai pas assez de temps, d'argent ou d'énergie. » Nous sommes dans l'erreur, bien entendu. Lorsque Jésus sollicite notre participation, il sait déjà comment il accomplira son oeuvre par nous.

Ce dont nous avons besoin, c'est de foi et de vision, c'est-à-dire la capacité de comprendre que Dieu veut que nous soyons ses instruments et qu'il pourvoira à nos besoins.
—R.K.

Lorsque Dieu nous demande d'accomplir une tâche, c'est qu'il a déjà préparé les ressources nécessaires.

17 août

DES AMIS DANS LA NUIT

LISEZ :
1 Samuel 20.30-42

Et dès lors l'âme de Jonathan fut attachée à l'âme de David, et Jonathan l'aima comme son âme.
—1 Samuel 18.1

LA BIBLE EN UN AN :
☐ Psaumes 97 – 99
☐ Romains 16

Avez-vous quelqu'un à qui vous pourriez téléphoner en pleine nuit si vous aviez besoin d'aide ? L'enseignant biblique Ray Pritchard appelle ces gens « les amis de 2 h du matin ». Si vous aviez un besoin urgent d'aide, ce genre d'ami vous poserait deux questions : « Où es-tu ? » et « De quoi as-tu besoin ? »

Il est primordial d'avoir des amis comme ceux-là en période difficile. Jonathan a été ce genre d'ami pour David. Le père de Jonathan, le roi Saül – qui enviait tellement la popularité de David et la bénédiction de Dieu sur lui –, a tenté de le tuer (1 S 19.9,10). David lui a échappé et a demandé l'aide de son ami (chap. 20). Tandis que David se cachait dans un champ, Jonathan, qui mangeait avec son père, a eu tôt fait de réaliser que Saül avait effectivement tenté de tuer David (v. 24-34).

En raison de leur profonde amitié, Jonathan « était affligé à cause de David » (v. 34). Il l'a prévenu des desseins de son père et lui a dit qu'il devait partir (v. 41,42). David a compris quel bon ami il avait en Jonathan. La Bible dit qu'ils ont pleuré ensemble, et que « David surtout fondit en larmes » (v. 41). Leurs âmes étaient « tissées » ensemble.

Avez-vous des amis chrétiens aimants sur qui vous pouvez compter en temps de crise ? Êtes-vous de ceux que vos amis appelleraient un « ami de 2 h du matin » ? —A.M.C.

Le véritable ami reste à nos côtés durant l'épreuve.

18 août

DES PROMESSES FIABLES

LISEZ :
2 Chroniques 6.1-11

[Car], **pour ce qui concerne toutes les promesses de Dieu, c'est en lui qu'est le oui ; c'est pourquoi encore l'Amen par lui est prononcé par nous à la gloire de Dieu.**
—2 Corinthiens 1.20

LA BIBLE EN UN AN :
☐ Psaumes 100 – 102
☐ 1 Corinthiens 1

Après une crise financière à l'échelle planétaire, le gouvernement américain a passé des lois plus strictes afin de protéger les gens contre des pratiques bancaires douteuses. Les banques ont dû modifier leurs politiques pour se conformer aux nouvelles lois. Pour m'en aviser, ma banque m'a envoyé une lettre. Par contre, après l'avoir lue, j'avais plus de questions que de réponses. L'emploi d'expressions comme « il se peut que nous » et « nous nous réservons le droit de » ne me donnait certainement pas l'impression qu'il s'agissait de quelque chose sur lequel je pouvais compter !

Par contraste, l'Ancien Testament cite souvent Dieu ainsi : « Je ferai ceci ou cela. » Dieu a promis à David : « [...] *j'élèverai* ta postérité après toi, celui qui sera sorti de tes entrailles, et *j'affermirai* son règne. Ce sera lui qui bâtira une maison à mon nom, et j'affermirai pour toujours le trône de son royaume » (2 S 7.12,13). Il n'y a rien d'incertain dans ces propos. En reconnaissant la fidélité de Dieu par rapport à ses promesses, le roi Salomon a dit dans sa prière de dédicace du Temple : « Ainsi tu as tenu parole à ton serviteur David, mon père ; et ce que tu as déclaré de ta bouche, tu l'accomplis en ce jour par ta puissance » (2 Ch 6.15). Des siècles plus tard, l'apôtre Paul a dit que toutes les promesses de Dieu sont « le oui » en Christ (2 Co 1.20).

Dans un monde incertain, notre foi réside en un Dieu fidèle qui tiendra toujours ses promesses. —J.A.L.

La foi sait que Dieu tient toujours ses promesses.

19 août

LA CAMÉRA HUMAINE

LISEZ :
1 Jean 1.1-5

***[L']*Esprit-Saint [...] vous rappellera tout ce que je vous ai dit.**
—Jean 14.26

LA BIBLE EN UN AN :
☐ Psaumes 103 – 104
☐ 1 Corinthiens 2

Steven Wiltshire, que l'on appelle « la caméra humaine », a l'étonnante capacité de se rappeler dans les moindres détails tout ce qu'il voit et de le reproduire dans ses dessins. Par exemple, après lui avoir fait survoler la ville de Rome, on lui a demandé de dessiner le coeur de la ville sur du papier noir. Fait renversant, il en a reproduit de mémoire et avec justesse les rues sinueuses, les immeubles, les fenêtres et autres détails.

Wiltshire possède une mémoire remarquable. Toutefois, il existe un autre genre de mémoire qui est encore plus étonnant, et beaucoup plus vital. Avant de remonter au ciel, Jésus a promis à ses disciples de leur envoyer le Saint-Esprit pour leur donner le souvenir surnaturel de tout ce qu'ils avaient vécu : « Mais le consolateur, l'Esprit-Saint [...] vous rappellera tout ce que je vous ai dit » (Jn 14.26).

Les disciples ont entendu les merveilleux enseignements de Christ. Ils l'ont vu redonner la vue aux aveugles, l'ouïe aux sourds et la vie aux morts par un simple commandement. Pourtant, lorsque les auteurs de l'Évangile ont mis ces événements par écrit, leurs paroles ne provenaient pas d'une mémoire humaine prodigieuse. Leurs récits provenaient d'un consolateur divin qui a veillé à ce qu'ils relatent fidèlement la vie de Christ.

Faites confiance à la Bible. Son écriture a été guidée par « la caméra divine », le Saint-Esprit. —H.D.F.

L'Esprit de Dieu se sert de la Parole de Dieu pour enseigner au peuple de Dieu.

20 août

UN INVENTAIRE NUISIBLE

LISEZ :
2 Corinthiens 6.3-10

Ne nous jugeons donc plus les uns les autres ; mais pensez plutôt à ne rien faire qui soit pour votre frère une pierre d'achoppement ou une occasion de chute.
—Romains 14.13

LA BIBLE EN UN AN :
☐ Psaumes 105 – 106
☐ 1 Corinthiens 3

La critique est un loisir prisé, et beaucoup d'entre nous y prennent malheureusement souvent plaisir. Nous concentrer sur les travers des autres est un excellent moyen de nous sentir mieux par rapport à nous-mêmes. Et c'est justement là l'ennui. Éviter de reconnaître les travers qui doivent disparaître dans notre propre vic a pour effet non seulement de ralentir notre croissance spirituelle, mais aussi de nuire à l'oeuvre de Dieu par nous. Notre mode de vie augmente ou réduit l'efficacité de Dieu par notre vie.

Il n'y a donc rien d'étonnant à ce que Paul se soit efforcé de « ne [...] scandaliser personne » (2 Co 6.3). Pour lui, il n'y avait rien de plus important que son utilité à Christ dans la vie des autres. Il jugeait vain tout ce qui y nuisait.

Si vous désirez être authentique et utile à Dieu, faites l'inventaire des obstacles à votre utilité. Ces obstacles sont parfois des choses légitimes en elles-mêmes, mais qui ne conviennent pas dans certains contextes. Toutefois, le péché fait clairement obstacle aux autres. Les ragots, la diffamation, la vantardise, l'amertume, l'avarice, les abus, la colère, l'égoïsme et le désir de vengeance ferment tous le coeur de ceux qui nous entourent au message que Dieu veut transmettre par nous.

Troquez donc vos travers contre les voies empreintes de grâce de Jésus. Cela permettra aux autres de voir plus clairement votre Sauveur « sans travers ». —J.M.S.

Les disciples de Jésus sont les plus efficaces lorsque leurs attitudes et leurs actions sont alignées sur les siennes.

21 août

LES SAINTS

LISEZ :
Colossiens 1.1,2

***[Aux]* saints et fidèles frères en Christ qui sont à Colosses [...].**
—Colossiens 1.2

LA BIBLE EN UN AN :
☐ Psaumes 107 – 109
☐ 1 Corinthiens 4

Ce n'est probablement pas un nom que nous nous donnerions, mais l'apôtre Paul a souvent désigné les croyants par le nom « saints » dans le Nouveau Testament (Ép 1.1 ; Col 1.2). Leur donnait-il le nom de saints parce qu'ils étaient parfaits ? Étant humains, ces gens étaient donc des pécheurs. À quoi pensait-il alors ? Dans le Nouveau Testament, le mot saint désigne la personne que Dieu a mise à part pour lui-même. Il décrit les gens qui sont en union spirituelle avec Christ (Ép 1.3-6). Ce mot évoque chaque croyant en Jésus (Ro 8.27) et ceux qui composent l'Église (Ac 9.32).

Les saints ont la responsabilité de vivre, par la puissance de l'Esprit, de manière digne de leur vocation. Cela inclut, mais sans s'y limiter, le fait de ne plus se livrer à des pratiques sexuelles immorales et de ne plus tenir de propos indécents (Ép 5.3,4). Nous devons revêtir les nouveaux traits de caractère du service les uns envers les autres (Ro 16.2), l'humilité, la douceur, la patience, l'amour, l'unité de l'Esprit dans le lien de la paix (Ép 4.1-3), l'obéissance, ainsi que la persévérance dans l'épreuve et la souffrance (Ap 13.10 ; 14.12). Dans l'Ancien Testament, le psalmiste appelle les saints « les hommes pieux [*qui*] sont l'objet de toute [*son*] affection » (Ps 16.3).

Notre union avec Christ fait de nous des saints, mais c'est notre obéissance à la Parole de Dieu par la puissance du Saint-Esprit qui nous sanctifie. —M.L.W.

Les saints sont des gens par qui la lumière de Dieu brille.

22 août

CONSIDÉREZ VOS VOIES

LISEZ : Proverbes 4.14-27

Garde ton coeur plus que toute autre chose [...]. Considère le chemin par où tu passes.
—Proverbes 4.23,26

LA BIBLE EN UN AN :
☐ Psaumes 110 – 112
☐ 1 Corinthiens 5

Un Autrichien de 47 ans a donné toute sa fortune de 4,7 millions de dollars après en être venu à la conclusion que sa richesse et ses dépenses inconsidérées l'empêchaient de connaître la vraie vie et le bonheur. Karl Rabeder a dit au *Daily Telegraph* (Londres) : « J'avais le sentiment de travailler comme un esclave pour acquérir des choses que je ne voulais pas avoir et dont je n'avais pas besoin. J'ai vécu le plus grand choc de ma vie en réalisant combien le style de vie “cinq étoiles” est horrible, inhumain et dépourvu de sentiments. » Son argent sert maintenant à financer des oeuvres de bienfaisance qu'il crée afin d'aider des gens en Amérique latine.

Proverbes 4 nous exhorte à bien considérer notre propre chemin de vie. Il met en contraste la voie libre et éclairée du juste avec la voie sombre et confuse du méchant (v. 19). « Que ton coeur retienne mes paroles ; observe mes préceptes, et tu vivras » (v. 4). « Garde ton coeur plus que toute autre chose, car de lui viennent les sources de la vie » (v. 23). « Considère le chemin par où tu passes, et que toutes tes voies soient bien réglées » (v. 26). Chaque verset nous encourage à voir où nous nous trouvons dans la vie.

Personne ne veut traverser la vie par un chemin semé d'égoïsme et d'insensibilité. Par contre, cela peut se produire si nous ne considérons pas vers où nous nous dirigeons dans la vie et si nous ne demandons pas au Seigneur de nous diriger. Puisse-t-il nous donner aujourd'hui la grâce d'accueillir sa Parole et de le suivre de tout notre coeur. —D.C.M

Lorsque l'on marche avec Dieu, on avance dans la bonne direction.

23 août

DE JOYEUSES RETROUVAILLES

LISEZ :
2 Timothée 4.1-8

**Celui qui atteste ces choses dit : Oui, je viens bientôt. Amen ! Viens, Seigneur Jésus !
—Apocalypse 22.20**

LA BIBLE EN UN AN :
☐ Psaumes 113 – 115
☐ 1 Corinthiens 6

Il y a quelques années, lorsque mes enfants étaient encore petits, je suis rentré à la maison en avion après une mission de 10 jours. À l'époque, les gens étaient autorisés à pénétrer dans l'aire d'embarquement pour accueillir les passagers à leur arrivée. À l'atterrissage, je suis sorti de la passerelle de l'avion et mes tout-petits m'ont accueilli – tellement heureux de me voir qu'ils criaient et pleuraient. J'ai regardé ma femme, qui avait les yeux larmoyants. J'en étais muet. Des étrangers dans l'aire d'embarquement avaient eux aussi les larmes aux yeux de voir mes enfants m'étreindre les jambes et m'accueillir en pleurant. Quels instants merveilleux !

Le souvenir de l'intensité de cet accueil me sert de doux reproche quant aux priorités de mon coeur. L'apôtre Jean, qui désirait ardemment le retour de Jésus, a écrit : « Celui qui atteste ces choses dit : Oui, je viens bientôt. Amen ! Viens, Seigneur Jésus ! » (Ap 22.20.) Dans un autre passage, Paul a même parlé d'une couronne réservée à ceux qui auront « aimé son avènement » (2 Ti 4.8). Par contre, il serait faux de dire que je désire aussi impatiemment le retour de Christ que mes enfants désiraient le mien.

Jésus est digne de notre amour et de notre consécration les plus complets, et rien au monde ne devrait se comparer à la perspective de le voir face à face. Puisse notre amour pour notre Sauveur s'approfondir tandis que nous attendons de le retrouver avec joie. —W.E.C.

Ceux qui appartiennent à Christ devraient être impatients de le voir.

24 août

Des oiseaux, des lis et moi

Lisez :
Luc 12.22-34

C'est pourquoi je vous dis : Ne vous inquiétez pas pour votre vie.
—Luc 12.22

La Bible en un an :
☐ Psaumes 116 – 118
☐ 1 Corinthiens 7.1-19

Dans les épisodes d'une vieille émission de télévision, un lieutenant de police chevronné disait toujours à ses jeunes policiers qui sortaient dans les rues au début de leur journée de travail : « Soyez prudents dehors ! » C'était à la fois un bon conseil et une parole de compassion, car il savait ce qui pouvait leur arriver dans l'exercice de leurs fonctions.

Jésus a fait à ses disciples une mise en garde similaire, mais encore plus percutante. Luc 11 termine par cette parole sinistre : « Quand il [*Jésus*] fut sorti de là, les scribes et les pharisiens commencèrent à le presser violemment, et à le faire parler sur beaucoup de choses » (v. 53). Dans la suite de ce récit, Luc dit que Jésus a demandé avec compassion à ses disciples de se garder de certaines choses (12.1), ainsi que de ne pas craindre et de ne pas s'inquiéter (v. 4-7,22).

Jésus a promis de les garder, de les protéger et de prendre soin d'eux tandis qu'ils iraient dans le monde. Il leur a assuré que, parce qu'il se souciait de choses simples comme les oiseaux et les lis, ils pouvaient être certains qu'il prendrait soin de son « petit troupeau » de croyants (v. 24-32).

Personne ne sait de quoi l'avenir sera fait, mais nous savons une chose : Peu importe ce qui surviendra, le regard aimant, tendre et vigilant de notre grand Berger, qui est également le Fils de Dieu, reste posé sur nous ! —D.C.E.

Si Jésus se soucie des fleurs et des oiseaux, il se soucie certainement de vous et de moi.

25 août

AMENEZ-EN !

LISEZ :
2 Corinthiens 11.22 - 12.10

[Trois] fois j'ai été battu de verges [...] trois fois j'ai fait naufrage [...] j'ai été en péril [...] dans le travail et dans la peine, exposé [...] à la faim et à la soif.
—2 Corinthiens 11.25-27

LA BIBLE EN UN AN :
☐ Paume 119.1-88
☐ 1 Corinthiens 7.20-40

Une émission de la chaîne de télévision History portait sur les aéroports du monde les plus dangereux. Celui qui a retenu mon attention, et où j'avais déjà atterri, est maintenant fermé. Je suis d'accord pour dire que l'aéroport de Kai Tak, à Hong Kong, était certainement toute une aventure pour les passagers et assurément un défi pour les pilotes. Si l'on arrivait d'une certaine direction, on devait survoler des gratte-ciel, puis espérer que l'avion s'arrêterait avant de plonger dans la mer. Si l'on arrivait de l'autre direction, on avait l'impression d'être sur le point de percuter une montagne.

J'ai été surpris d'entendre dire par un pilote qui avait fait atterrir des avions bondés de gens à Kai Tak par le passé : « Ça me manque de passer par cet aéroport. » Toutefois, je crois comprendre pourquoi il le disait. En tant que pilote, il aimait relever des défis. Son assurance reposait sur sa compétence et sa confiance en ceux qui le guidaient jusqu'à l'aéroport.

Trop souvent, nous fuyons les défis. Pourtant, les gens au sujet de qui nous aimons lire dans la Bible nous impressionnent parce que ces héros ont surmonté des défis. Considérons Paul. Avec l'assurance d'avoir l'aide de Dieu, il prenait les problèmes à bras le corps et les conquérait. Christ nous a fait une promesse, à Paul et à nous : « Ma grâce te suffit, car ma puissance s'accomplit dans la faiblesse » (2 Co 12.9). Comme Paul, nous pouvons dire avec confiance en Dieu : Amenez-en des défis ! —J.D.B.

Si Dieu vous envoie en terrain rocailleux, il vous fournira des chaussures résistantes.

26 août

La bonté du Seigneur

Lisez :
Psaume 119.97-104

Combien j'aime ta loi !
—Psaume 119.97

La Bible en un an :
☐ Psaume 119.89-176
☐ 1 Corinthiens 8

Il y a quelques années, je suis tombé sur un court essai de Sir James Barrie, un baron anglais. Dans cet essai, il brosse un portrait intime de sa mère, qui aimait profondément Dieu et sa Parole, et qui a lu sa bible au point de l'user littéralement jusqu'à la corde. « Elle est à moi, maintenant, écrit Sir James, et les fils noirs avec lesquels ma mère l'a recousue font partie de son contenu. »

Ma mère aimait elle aussi la Parole de Dieu. Elle l'a lue et l'a méditée pendant 60 ans ou plus. Je garde sa bible bien en vue dans ma bibliothèque. Elle aussi est écornée et bien usée, et chacune de ses pages tachées porte les remarques et les réflexions de ma mère. Enfant, je me rendais souvent dans sa chambre le matin, où je la trouvais en train de se bercer absorbée dans les paroles de la bible ouverte sur ses genoux. Elle s'y est employée jusqu'au jour où elle n'a plus été en mesure de la lire. Même là, sa bible est restée le livre le plus précieux qu'elle possédait.

Devenue vieille, la mère de Sir James n'a plus été capable de lire sa bible. Toutefois, son mari la lui mettait chaque jour entre les mains pour lui permettre de la tenir respectueusement.

Le psalmiste a écrit : « Que tes paroles sont douces à mon palais, plus que le miel à ma bouche ! » (Ps 119.103.) Avez-vous goûté combien le Seigneur est bon ? Ouvrez votre bible aujourd'hui. —D.H.R.

Une bible bien lue est le signe d'un esprit bien nourri.

27 août

UNE PROPOSITION MODESTE

LISEZ : Philippiens 2.1-11

[*Jésus*] s'est humilié lui-même [...] jusqu'à la mort, même jusqu'à la mort de la croix. —Philippiens 2.8

LA BIBLE EN UN AN :
☐ Psaumes 120 – 122
☐ 1 Corinthiens 9

Quand j'étudiais à l'université, j'ai entendu d'innombrables histoires de fiançailles. Les yeux pétillants, mes amis me parlaient de restaurants fastueux, de couchers du soleil vus du sommet d'une montagne et de promenades en calèche. Je me rappelle également l'histoire d'un jeune homme qui avait simplement lavé les pieds de sa petite amie. Sa « modeste proposition » de mariage prouve qu'il comprenait que l'humilité est essentielle à tout engagement à long terme.

L'apôtre Paul comprenait lui aussi l'importance de l'humilité et qu'elle nous gardait unis, ce qui est particulièrement important dans le mariage. Paul nous exhorte à repousser les désirs égocentriques : « Ne faites rien par esprit de parti ou par vaine gloire » (Ph 2.3). Nous devrions plutôt considérer l'autre comme nous étant supérieur et veiller à ses intérêts.

L'humilité en action revient à nous mettre au service de l'autre, et aucun acte de service n'est trop petit ou trop grand. Après tout, Jésus « s'est humilié lui-même [...] jusqu'à la mort, même jusqu'à la mort de la croix » (v. 8). Il nous a montré son amour par son altruisme.

Que pouvez-vous faire aujourd'hui pour servir humblement celui ou celle que vous aimez ? Ce peut être aussi simple que d'éviter de lui servir des choux de Bruxelles au dîner ou aussi difficile que de l'aider à traverser une longue maladie. En faisant passer ses besoins avant les nôtres, nous nous confirmons notre engagement par l'humilité chrétienne. —J.B.S

Si vous croyez possible de trop aimer votre femme ou votre mari, c'est probablement que vous ne l'aimez pas encore suffisamment.

28 août

L'ERREUR DE NE PAS DISCIPLINER

LISEZ :
2 Samuel 13.21-29

***[Tout]* châtiment semble d'abord un sujet de tristesse, et non de joie ; mais il produit plus tard pour ceux qui ont été ainsi exercés un fruit paisible de justice.**
—Hébreux 12.11

LA BIBLE EN UN AN :
☐ Psaumes 123 – 125
☐ 1 Corinthiens 10.1-18

Nous vivons dans les bois, si bien que nous avons très peu de lumière naturelle prolongée durant l'été. Cependant, comme nous aimons beaucoup les tomates fraîches, j'ai décidé d'essayer d'en faire pousser dans des pots que j'ai disposés dans quelques endroits ensoleillés.

Les plants se sont mis à pousser tout de suite très vite. J'en étais ravi, jusqu'à ce que je réalise qu'ils le devaient au fait de tendre vers les rares rayons du soleil. Quand je l'ai compris, les plants étaient devenus trop lourds pour se soutenir eux-mêmes. J'ai trouvé des tuteurs, j'ai soulevé délicatement les plants et je les ai attachés à la verticale. Malgré ma délicatesse, un des plants s'est cassé quand j'ai voulu le redresser. Cela m'a rappelé qu'il faut imposer la discipline avant qu'un caractère se soit fléchi et tordu de manière permanente.

Le sacrificateur Éli avait deux fils qu'il avait négligé de discipliner. Quand leur méchanceté est devenue telle qu'il ne pouvait plus en faire fi, il a tenté de les réprimander gentiment (1 S 2.24,25). Le mal était toutefois fait, et Dieu a déclaré quelles en seraient les graves conséquences : « *[Je]* veux punir sa maison [*d'Éli*] à perpétuité, à cause du crime dont il a connaissance, et par lequel ses fils se sont rendus méprisables, sans qu'il les ait réprimés » (3.13).

Il est douloureux de nous faire redresser, mais nous souffrirons plus au bout du compte si l'on nous laisse pousser de travers. —J.A.L.

L'amour de Dieu confronte et corrige.

29 août

UNE QUESTION DE PERSPECTIVE

LISEZ :
Exode 14.1-14

***[Mais]* Pharaon et toute son armée serviront à faire éclater ma gloire, et les Égyptiens sauront que je suis l'Éternel.**
—Exode 14.4

LA BIBLE EN UN AN :
☐ Psaumes 126 – 128
☐ 1 Corinthiens 10.19-33

Faites-vous partie du problème ou de la solution ? Que cette question soit posée durant une réunion d'affaires, une assemblée d'Église ou une discussion en famille, elle découle souvent d'une tentative pour comprendre comment une personne a agi comme elle l'a fait. La plupart du temps, la réponse est une question de perspective.

Si nous avions été du nombre des Israélites qui sont sortis d'Égypte après 400 ans d'esclavage, nous aurions probablement considéré Pharaon comme faisant partie du problème, ce qui était le cas. Par contre, Dieu y a vu plus que cela.

De manière inexplicable, le Seigneur a demandé à Moïse de ramener le peuple vers l'Égypte et de camper en tournant le dos à la mer Rouge, afin que Pharaon l'attaque (Ex 14.1-3). Les Israélites croyaient qu'ils allaient mourir, mais Dieu a dit qu'il se glorifierait et s'honorerait par Pharaon et toute son armée, en ajoutant : « *[Et]* les Égyptiens sauront que je suis l'Éternel » (v. 4,17,18).

Lorsque nous ne parvenons tout simplement pas à comprendre pourquoi Dieu permet à une situation menaçante de nous dépasser, il convient de nous rappeler qu'il a en tête notre bien et sa gloire. Si nous parvenons à dire : « Père, aide-nous à te faire confiance et à t'honorer dans cette situation », nous partagerons sa perspective des choses et ses desseins. —D.C.M.

La foi nous aide à accepter
ce que nous ne pouvons comprendre.

30 août

CHRIST VIVANT EN NOUS

LISEZ :
Galates 2.15-21

[J'ai] **achevé la course, j'ai gardé la foi. Désormais, la couronne de justice m'est réservée.**
—2 Timothée 4.7,8

LA BIBLE EN UN AN :
☐ Psaumes 129 – 131
☐ 1 Corinthiens 11.1-16

Le triathlon Ironman consiste en une nage de 3,9 km, une course à vélo de 180,2 km et une course à pied de 42,2 km. Il s'agit d'un exploit difficile à réaliser pour n'importe qui. Par contre, Dick Hoyt a participé à la course et l'a achevée avec son fils Rick, atteint d'une déficience physique. À la nage, Dick tirait Rick dans une petite embarcation. À vélo, Dick a transporté Rick dans une voiturette attachée au vélo. À la course, Dick a poussé Rick dans son fauteuil roulant. Rick a dépendu de son père pour atteindre le fil d'arrivée. Il n'y serait pas parvenu sans son père.

Nous voyons un parallèle entre leur histoire et notre propre vie chrétienne. Comme Rick dépendait de son père, nous dépendons de Christ pour achever notre course chrétienne.

En nous efforçant de mener une vie agréable à Dieu, nous réalisons qu'en dépit de nos meilleures intentions et de toute notre détermination, nous tombons et nous échouons souvent. Il nous est impossible d'y parvenir par nos propres forces. Oh, comme nous avons besoin de l'aide du Seigneur ! Et il nous l'accorde, comme les paroles pertinentes de Paul le confirment : « *[Ce]* n'est plus moi qui vis, c'est Christ qui vit en moi ; si je vis maintenant dans la chair, je vis dans la foi au Fils de Dieu » (Ga 2.20).

Nous ne saurions achever la course chrétienne par nous-mêmes. Pour y parvenir, nous devons dépendre de Jésus, qui vit en nous. —A.L.

La foi branche notre faiblesse sur la force de Dieu.

31 août

Un esprit réceptif

Lisez :
Proverbes 2.1-9

**Ne sois point sage à tes propres yeux.
—Proverbes 3.7**

La Bible en un an :
☐ Psaumes 132 – 134
☐ 1 Corinthiens 11.17-34

Juste avant que notre service religieux commence, j'ai entendu derrière moi un jeune homme qui parlait avec sa mère. Ils lisaient une annonce dans le bulletin au sujet d'un défi que l'on y lançait, celui de lire un chapitre des Proverbes chaque jour pendant les mois de juillet et d'août. Il a demandé à sa mère : « Qu'allons-nous faire du chapitre 31 au mois d'août, puisqu'il n'a que 30 jours ? » Elle lui a dit qu'elle croyait qu'il y avait 31 jours en août. Il lui a répondu : « Non, il n'y en a que 30. »

Le moment venu durant le service de nous saluer tous, je me suis retournée et l'ai salué. Puis j'ai ajouté : « Le mois d'août a bien 31 jours. » Il a insisté en disant : « Non. Deux mois de suite n'ont *jamais* 31 jours. » Comme les chants commençaient, je me suis contentée de sourire.

Cette brève rencontre m'a rappelé que nous avions besoin d'avoir l'esprit ouvert aux enseignements, à une sagesse supérieure à la nôtre. Dans Proverbes 3, l'attitude que le père recommande au fils est celle de l'humilité : « Ne sois point sage à tes propres yeux, crains l'Éternel » (v. 7). Dans le chapitre 2, il dit : « *[Si]* tu inclines ton coeur à l'intelligence [...] si tu la cherches comme un trésor » (v. 2,4).

Peu importe si le mois d'août a 30 ou 31 jours ; l'important, c'est d'avoir l'esprit ouvert aux enseignements. Cela nous permettra d'acquérir la sagesse de Dieu et des autres. Vous pourriez vous lancer sur la bonne voie en lisant chaque jour un chapitre des Proverbes le mois prochain. —A.M.C.

La vraie sagesse commence et se termine par Dieu.

1er septembre

TROUVEZ LE LIVRE

LISEZ :
2 Rois 22.8 – 23.3

J'ai trouvé le livre de la loi dans la maison de l'Éternel.
—2 Rois 22.8

LA BIBLE EN UN AN :
☐ Psaumes 135 – 136
☐ 1 Corinthiens 12

Un dimanche, à l'Église dont je suis le pasteur, j'ai invité trois enfants à trouver plusieurs rouleaux sur lesquels avaient été écrits des versets bibliques et que j'avais cachés dans notre sanctuaire. Je leur ai dit qu'une fois qu'ils les auraient trouvés et lus à voix haute, je leur remettrais un prix. Vous auriez dû les voir ! Ils couraient, déplaçaient des chaises et regardaient sous les plantes et dans les sacs à main (avec la permission des propriétaires). Leur recherche était intense, mais exaltante. Leur recherche zélée et leur découverte subséquente des rouleaux ont suscité de la joie chez les enfants, des encouragements de la part de l'assemblée et un sentiment renouvelé de l'importance de la Parole de Dieu.

Dans 2 Rois 22 – 23, nous lisons comment le roi Josias et le peuple de Juda ont redécouvert la joie et l'importance de la Parole de Dieu. Au cours de la restauration du Temple, Hilkija, le souverain sacrificateur, a trouvé le livre de la Loi. Il avait dû être perdu ou y être caché durant le règne de Manassé. Lorsque l'on a alors lu le rouleau au roi Josias, celui-ci a écouté et a réagi en conséquence (v. 10,11). Il a cherché à mieux le comprendre (v. 12-20), et il a amené le peuple à renouveler son engagement à lui accorder de l'importance dans sa vie (23.1-4).

De nos jours, beaucoup de gens ont un accès sans précédent à la Parole de Dieu. Renouvelons donc notre engagement à la « trouver » chaque jour et à en démontrer l'importance par notre vie. —M.L.W.

Connaître Christ, la Parole vivante, c'est aimer la Bible, la Parole écrite.

2 septembre

L'ENNUI AVEC LES HÉROS

LISEZ : Psaume 139.1-14

Je te loue de ce que je suis une créature si merveilleuse. —Psaume 139.14

LA BIBLE EN UN AN :
☐ Psaumes 137 – 139
☐ 1 Corinthiens 13

Enfant, j'avais un héros : Pete Maravich, un grand marqueur au basket-ball qui maniait le ballon comme un magicien.

L'ennui, c'est qu'à force de vouloir ressembler à Pistol Pete (Pete la gachette), je suis devenu insatisfait de la personne que Dieu m'avait donné d'être. Lorsque j'ai réalisé que je ne jouerais jamais comme Pete, le découragement m'a gagné. J'ai même quitté brièvement mon équipe collégiale parce que je ne satisfaisais pas à la norme Maravich.

Les jeunes ont tendance à être insatisfaits de la personne que Dieu a fait d'eux parce qu'ils s'évaluent en se comparant à leurs héros « parfaits ».

Reconnaissant ce fait, le chanteur chrétien Jonny Diaz a écrit une chanson intitulée « More Beautiful You » (Un toi plus beau). La chanson commence ainsi : « Une jeune fille de quatorze ans qui feuillette une revue ; elle dit vouloir ressembler à cette photo. » Il y a des jeunes filles qui aimeraient ressembler à la vedette de Disney Selena Gomez ou à une autre vedette comme je voulais ressembler à Maravich. Or, Diaz chante : « Il ne saurait y avoir un toi plus beau ; ne crois pas les mensonges […] tu es destiné à faire ce que toi seul peux faire ». Diaz dit en fait que nous sommes des créatures si merveilleuses (Ps 139.14), comme un autre compositeur l'a dit sous l'inspiration de Dieu des milliers d'années plus tôt.

Dieu nous a faits tels qu'il veut que nous soyons. Il ne saurait donc y avoir un plus beau nous. —J.D.B.

Nous sommes de merveilleuses oeuvres d'art de la main de Dieu.

3 septembre

LA NECESSITÉ DES LARMES

LISEZ :
Luc 19.37-44

Comme il approchait de la ville, Jésus, en la voyant, pleura sur elle.
—Luc 19.41

LA BIBLE EN UN AN :
☐ Psaumes 140 – 142
☐ 1 Corinthiens 14.1-20

Après le tremblement de terre de 2010 en Haïti, nous avons tous été bouleversés de voir les images de la destruction et de la souffrance que le peuple de ce minuscule pays subissait. Parmi les nombreuses images à fendre le coeur que j'ai vues, il y en a une qui a particulièrement retenu mon attention. Elle montrait une femme en train de pleurer en fixant du regard la destruction massive qu'elle avait sous les yeux. Son esprit ne parvenait pas à gérer la souffrance de son peuple, et le coeur pris en étau, ses larmes se sont mises à couler. Sa réaction était compréhensible. Parfois, les larmes sont la seule réaction qui convient aux souffrances que nous connaissons.

En examinant cette image, j'ai pensé à la compassion de notre Seigneur. Comprenant la nécessité des larmes, Jésus a lui aussi pleuré, mais devant une autre sorte de destruction, celle qu'engendre le péché. En approchant de Jérusalem – marquée par la corruption, l'injustice et la douleur qui font verser des larmes –, il a pleuré. « Comme il approchait de la ville, Jésus, en la voyant, pleura sur elle » (Lu 19.41), par compassion et chagrin.

Face à l'inhumanité, aux souffrances et au péché qui détruit tout dans notre monde, quelle réaction adopter ? Si l'état de notre monde brisé chavire le coeur de Christ, ne devrait-il pas chavirer aussi le nôtre ? Et ne devrions-nous donc pas faire tout en notre pouvoir pour faire une différence dans la vie de ceux qui sont dans le besoin, tant spirituellement que physiquement ? —W.E.C.

La compassion offre tout le nécessaire pour guérir les blessures des autres.

4 septembre

LE MONDE DES FOURMIS

LISEZ :
2 Timothée 4.9-18

Démas m'a abandonné, par amour pour le siècle présent.
—2 Timothée 4.10

LA BIBLE EN UN AN :
☐ Psaumes 143 - 145
☐ 1 Corinthiens 14.21-40

L'un des points forts de mon travail comme directeur d'un collège est la remise des diplômes. Une année, tandis que je me rendais à pied à la cérémonie, je me réjouissais à l'idée de voir nos diplômés sortir dans le monde, forts de la puissance transformatrice du royaume de Christ. Chemin faisant, j'ai remarqué des fourmis ingénieuses en train de vaquer à leurs occupations. Je me suis dit : *Il y a de bien plus grandes choses qui sont en train de se produire que la construction de buttes de sable !*

Il est facile de se perdre dans « le monde des fourmis », en s'absorbant dans ses activités quotidiennes au point de passer à côté de la joie que procure le fait d'admirer l'image d'ensemble de la grande oeuvre de Dieu autour du monde. L'oeuvre de l'Esprit balaye l'Amérique du Sud, des milliers de personnes en Afrique viennent à la connaissance de Christ chaque jour, des chrétiens persécutés usent de zèle et le littoral asiatique vibre au rythme de l'Évangile ! Ces pensées capturent-elles parfois votre coeur ? Votre vie de prière ? Votre carnet de chèques ?

Le souci que nous nous faisons de ce qui a moins d'importance me rappelle le rapport de Paul : « Démas m'a abandonné par amour pour le siècle présent » (2 Ti 4.10). Je me demande si Démas a regretté d'avoir abandonné l'Évangile pour les buttes de sable de ce monde.

Sortons du « monde des fourmis » pour consacrer notre coeur et notre vie à la propagation de l'Évangile de Jésus-Christ. —J.M.S.

Ne laissez pas les choses plus petites vous distraire de l'oeuvre plus grande de Dieu autour du monde.

5 septembre

CE QU'IL Y A DE BON DANS LE TRAVAIL

LISEZ :
Genèse 1.26-31

Puis Dieu dit : Faisons l'homme à notre image, selon notre ressemblance.
—Genèse 1.26

LA BIBLE EN UN AN :
☐ Psaumes 146 – 147
☐ 1 Corinthiens 15.1-28

Certains chrétiens grandissent en croyant que le travail est répréhensible, qu'il s'agit d'une malédiction que le péché d'Adam et d'Ève aurait entraînée. Si elle n'est pas corrigée, cette croyance erronée risque d'amener des gens à croire que ce qu'ils font dans leur travail jour après jour n'importe pas aux yeux de Dieu – ou du moins, n'importe pas autant que le travail des missionnaires et des pasteurs. Toutefois, c'est faux, comme Genèse 1.26-31 l'enseigne.

Nous voyons d'abord que Dieu lui-même travaille, comme le prouvent l'oeuvre de la création et le fait qu'il s'est reposé le septième jour. Ensuite, nous découvrons que nous avons été créés à son image (v. 26) et que nous avons reçu le pouvoir de dominer sur la création, ce qui laisse entendre que nous devons travailler pour prendre soin de la création. Or, il s'agit d'un travail, du noble travail que Dieu a déclaré « très bon » (v. 31).

Il est à remarquer également que le travail a été déclaré bon *avant* que le péché n'entre en scène. Autrement dit, le travail ne résulte pas de la chute et n'est donc pas une malédiction. Cette idée, nous la retrouvons dans Genèse 2, où il est dit que Dieu « prit l'homme, et le plaça dans le jardin d'Éden pour le cultiver et pour le garder » (v. 15).

Considérons chaque journée de travail – soit dans le cadre de notre emploi, soit d'une autre activité venant en aide à notre famille – selon la dignité et la noblesse que Dieu lui a accordées dans la création. —R.K.

Mon Dieu, accorde-moi du travail jusqu'à la fin de ma vie, et accorde-moi la vie jusqu'à la fin de mon travail.

6 septembre

MESURER LA CROISSANCE

LISEZ :
Éphésiens 4.1-16

***[Jusqu'à]* ce que nous soyons tous parvenus à l'unité de la foi et de la connaissance du Fils de Dieu.**
—Éphésiens 4.13

LA BIBLE EN UN AN :
☐ Psaumes 148 – 150
☐ 1 Corinthiens 15.29-58

Lorsqu'un lycéen a tenté d'utiliser un thermomètre pour mesurer une table, son professeur en a été ahuri. Durant ses 15 années d'enseignement, David avait vu beaucoup de situations tristes et choquantes, mais lui-même n'arrivait pas à croire qu'un élève avait pu se rendre jusqu'au secondaire sans connaître la différence entre une règle et un thermomètre.

Lorsqu'une amie m'a raconté cette histoire, j'en ai eu mal au coeur pour le jeune et d'autres comme lui qui accusent tellement de retard dans leur éducation. Ils ne peuvent aller de l'avant parce qu'ils n'ont pas encore appris les leçons de base de la vie de tous les jours.

Par contre, une pensée donnant à réfléchir m'a traversé l'esprit : Ne les imitons-nous pas en employant les mauvais appareils de mesurage spirituel ? Par exemple, présumons-nous que les Églises ayant le plus de ressources sont celles que Dieu bénit le plus ? Et ne pensons-nous jamais que les prédicateurs très prisés sont plus pieux que ceux l'étant moins ?

Notre état spirituel se mesure correctement à la qualité de notre vie, qui se mesure aux attributs comme l'humilité, la douceur et la patience (Ép 4.2). Le fait de se « *[supporter]* les uns les autres avec amour » (v. 2) indique bien que nous approchons du but que Dieu nous a donné à atteindre : « la mesure de la stature parfaite de Christ » (v. 13). —J.A.L.

Notre amour pour Dieu peut se mesurer à notre amour pour les autres.

7 septembre

LA JUSTICE EN MIRE

LISEZ :
Proverbes 1.1-9

Haïssez le mal et aimez le bien, faites régner à la porte la justice.
—Amos 5.15

LA BIBLE EN UN AN :
☐ Proverbes 1 – 2
☐ 1 Corinthiens 16

Dans les 135 dernières années du base-ball professionnel, seuls 20 lanceurs ont disputé un match parfait. Le 2 juin 2010, Armando Galarraga des Tigers de Detroit serait devenu le 21e, si l'erreur d'unarbitre ne lui avait dérobé le titre dont tout lanceur rêve. La reprise vidéo a montré la vérité. Même si l'arbitre a ultérieurement reconnu son erreur et a demandé à Galarraga de l'en excuser, il était impossible de changer le jugement rendu sur le terrain.

Durant toute cette situation, Galarraga a gardé son sang-froid, a usé de sympathie à l'égard de l'arbitre et ne l'a jamais critiqué. Le refus d'Armando d'user de représailles a émerveillé tout le monde : partisans, joueurs et chroniqueurs sportifs.

Si nous exigeons d'être traités avec justice, nous risquons de céder à la colère et à la frustration. Cependant, si nous adoptons la sagesse de la Bible, nous chercherons le bien des autres. Le livre des Proverbes nous appelle à « comprendre les paroles de l'intelligence ; pour recevoir des leçons de bon sens, de justice, d'équité et de droiture » (1.2,3). Oswald Chambers a dit ceci des interactions personnelles : « Ne recherchez jamais la justice, mais ne cessez jamais de l'accorder ; et ne laissez jamais rien ternir votre relation avec les hommes par Jésus-Christ. »

Face à l'injustice, nous avons le privilège et la responsabilité en tant que disciples de Christ de réagir avec honnêteté et intégrité, en faisant ce qui est bien, juste et équitable. —D.C.M.

La vie est injuste, mais Dieu est toujours fidèle.

8 septembre

L'HORLOGE DU GRAND-PÈRE

LISEZ :
Psaume 90.1-12

Enseigne-nous à bien compter nos jours, afin que nous appliquions notre coeur à la sagesse.
—Psaume 90.12

LA BIBLE EN UN AN :
☐ Proverbes 3 – 5
☐ 2 Corinthiens 1

En 1876, Henry Clay Work a composé une chanson intitulée « My Grandfather's Clock » décrivant l'horloge qui rythme par son tic tac la vie du grand-père qui en est le propriétaire. Il voit toute sa vie – enfance, vie d'adulte et vieillesse – selon son horloge bien-aimée. En voici le refrain : *Quatre-vingt-dix ans sans prendre de retard ; tic, tac, tic, tac ; les secondes de sa vie elle égrène ; tic tac, tic tac ; mais elle s'est arrêtée net, pour ne jamais plus se remettre en marche, quand le vieil homme est mort.*

Le tic tac inlassable de l'horloge nous rappelle que notre temps sur la terre est limité. Malgré les joies et les douleurs de la vie, le temps ne cesse de passer. Pour le croyant, son temps ici-bas est l'occasion d'acquérir de la sagesse. À ce sujet, le psalmiste écrit : « Enseigne-nous à bien compter nos jours, afin que nous appliquions notre coeur à la sagesse » (Ps 90.12).

Un moyen de compter nos jours consiste à nous poser des questions comme : Comment puis-je ressembler plus à Christ ? Est-ce que je lis souvent la Parole ? Est-ce que je consacre du temps à la prière ? Est-ce que je fraternise avec les croyants ? Nos réponses indiquent les progrès que nous faisons dans l'acquisition de la sagesse et de la ressemblance à Christ.

Peu importe à quelle étape de la vie on se trouve – enfance, adolescence, vie d'adulte ou vieillesse –, la vie offre toujours des occasions de grandir dans la foi et la sagesse. Pour progresser dans la vie, il est sage de compter ses jours. Et vous, progressez-vous dans la vie ? —H.D.F.

Ne faites pas passer votre temps, investissez-le.

9 septembre

ON NE SAIT JAMAIS

LISEZ :
Marc 4.26-32

La terre produit d'elle-même.
—Marc 4.28

LA BIBLE EN UN AN :
☐ Proverbes 6 – 7
☐ 2 Corinthiens 2

Pendant mes années de séminaire, j'ai dirigé une colonie de vacances pour garçons et filles du YMCA. Je commençais chaque journée en racontant une courte histoire à laquelle j'essayais d'intégrer un élément de l'Évangile.

Pour mieux illustrer le fait que devenir chrétien revient à devenir une nouvelle création en Christ, je racontais l'histoire d'un élan d'Amérique qui voulait être un cheval. L'élan avait vu un troupeau de chevaux sauvages, qu'il avait trouvés d'une telle élégance qu'il avait désiré être comme eux. Il avait donc appris à agir comme un cheval. Toutefois, on ne l'avait jamais accepté en tant que cheval parce que… en fait, c'était un élan. Comment un élan peut-il devenir un cheval ? Uniquement en naissant cheval, bien entendu. Et j'expliquais ensuite comment nous pouvions tous renaître en croyant à Jésus.

Un été, j'ai eu dans mon personnel un conseiller du nom d'Henry qui était très hostile à la foi. Je ne pouvais rien faire d'autre que l'aimer et prier pour lui, mais il est parti à la fin de l'été encore plus endurci dans son incrédulité. C'était il y a plus de 50 ans. Or, il y a quelques années de cela, j'ai reçu une lettre d'Henry qui commençait ainsi : « Je vous écris pour vous annoncer que je suis né de nouveau et que je suis enfin devenu un "cheval" ». Cela m'a confirmé que nous devions sans cesse prier et semer la Parole (Mc 4.26) afin qu'elle porte du fruit un jour. —D.H.R.

Nous semons la semence, Dieu produit la récolte.

10 septembre

DE BONS VOISINS

LISEZ : Hébreux 13.1-6

Soyez donc miséricordieux, comme votre Père est miséricordieux. —Luc 6.36

LA BIBLE EN UN AN :
☐ Proverbes 8 – 9
☐ 2 Corinthiens 3

Quand on a fermé l'espace aérien après les attaques du 11 septembre 2001, des avions ont dû atterrir à l'aéroport le plus proche. Près de 40 avions ont atterri à Gander, à Terre-Neuve. Du coup, cette petite collectivité canadienne a doublé sa population lorsque des milliers de passagers apeurés y sont arrivés. Les Terre-Neuviens leur ont ouvert leur foyer, et les autorités ont converti des lycées, des salons, des églises et des salles de réception en lieux d'hébergement. Les voyageurs coincés ont été éblouis par la générosité et la bonté de leurs voisins.

Les gens de Gander ont démontré le genre d'amour décrit dans Hébreux 13 : « N'oubliez pas l'hospitalité ; car en l'exerçant, quelques-uns ont logé des anges, sans le savoir » (v. 2). Ce verset évoque probablement Abraham, qui a reçu trois hommes étant venus lui dire qu'il aurait un fils sous peu (Ge 18.1-16). Deux de ces « hommes » étaient en fait des anges, et l'un d'eux était l'Ange du Seigneur. F. F. Bruce, le commentateur biblique, dit ceci au sujet d'Abraham : « Parmi les Juifs, Abraham se distinguait par l'excellence de son hospitalité, de même que par ses autres vertus ; le véritable fils d'Abraham se doit également d'user d'hospitalité. »

Dieu appelle les croyants à démontrer leur amour et leur gratitude envers lui par leurs bonnes oeuvres, qui consistent à faire preuve d'hospitalité et de compassion.

Comment répondrez-vous à son appel aujourd'hui ? —A.M.C.

L'amour chrétien se voit dans les bonnes oeuvres.

11 septembre

LA MISÉRICORDE DE DIEU

LISEZ : Psaume 31.10-16

**Aie pitié de moi, Éternel ! car je suis dans la détresse ; j'ai le visage, l'âme et le corps usés par le chagrin.
—Psaume 31.10**

LA BIBLE EN UN AN :
☐ Proverbes 10 – 12
☐ 2 Corinthiens 4

C'est aujourd'hui le 10e anniversaire des attaques terroristes perpétrées aux États-Unis le 11 septembre 2001. Il est difficile de se remémorer cette date sans revoir en esprit les images de la destruction, de la tristesse et du deuil qui ont balayé les États-Unis et le monde après ces événements tragiques. La perte de milliers de vies s'est jumelée à un deuil collectif profond : la perte pour le pays de son sentiment de sécurité. Le souvenir des événements de ce jour funeste s'accompagnera toujours du chagrin que suscite le deuil à la fois personnel et collectif.

Or, ces événements atroces ne sont pas les seuls souvenirs douloureux que je garde du 11 septembre. Cette date marque également l'anniversaire du décès de mon beau-père. La mort de Jim se ressent profondément au sein de notre famille et de son cercle d'amis.

Peu importe le genre de deuil que nous vivons, nous n'avons qu'une seule véritable consolation : la miséricorde de Dieu. David, au coeur de sa propre souffrance, a supplié son Père céleste : « Aie pitié de moi, Éternel ! car je suis dans la détresse ; j'ai le visage, l'âme et le corps usés par le chagrin » (Ps 31.10). Seule la miséricorde de Dieu peut nous procurer la consolation dans la souffrance et apporter la paix à nos coeurs troublés.

Dans tous nos deuils, nous pouvons nous tourner vers le vrai Berger, Jésus-Christ, qui est seul à pouvoir guérir notre coeur brisé et endolori. —W.E.C.

Lorsque Dieu permet la souffrance, il offre aussi la consolation.

12 septembre

UNE ASSURANCE BÉNIE

LISEZ :
2 Corinthiens 5.1-10

***[Nous]* sommes pleins de confiance, et nous aimons mieux quitter ce corps et demeurer auprès du Seigneur.**
—2 Corinthiens 5.8

LA BIBLE EN UN AN :
☐ Proverbes 13 – 15
☐ 2 Corinthiens 5

Tandis que je parlais avec un veuf, il m'a confié qu'un ami lui avait dit : « Je suis désolé que tu aies perdu ta femme. » Sa réponse : « Oh, je ne l'ai pas perdue, je sais exactement où elle est ! »

Certains trouveront qu'il s'agit d'une affirmation audacieuse ou même insouciante. Selon les théories sur l'après vie, nous serions en droit de nous demander comment être vraiment sûrs de savoir où nos êtres chers vont après la mort, sans parler de notre propre destination finale.

Toutefois, l'assurance sied aux disciples de Jésus-Christ. La Parole de Dieu nous assure qu'après la mort, nous nous retrouverons immédiatement avec notre Seigneur (2 Co 5.8). Heureusement, il ne s'agit pas d'idées chimériques, mais d'espoirs enracinés dans la réalité historique de Jésus, qui est venu mourir pour payer le prix de nos péchés afin que nous puissions recevoir la vie éternelle (Ro 6.23). Il a ensuite prouvé qu'il y avait la vie après la mort en sortant de son tombeau et en montant au ciel, où il nous prépare une place comme il l'a promis (Jn 14.2).

Alors, réjouissez-vous ! Étant donné que les avantages de cette réalité sont extraordinaires, nous pouvons courageusement affirmer avec Paul que « nous sommes pleins de confiance, et nous aimons mieux quitter ce corps et demeurer auprès du Seigneur » (2 Co 5.8). —J.M.S.

Pour le disciple de Jésus, la mort est synonyme de ciel, de bonheur et de la présence de Dieu.

13 septembre

L'AMNÉSIE DES CARACTÈRES

LISEZ :
Job 1.13-22

Il y avait [...] un homme qui s'appelait Job. Et cet homme était intègre et droit ; il craignait Dieu, et se détournait du mal.
—Job 1.1

LA BIBLE EN UN AN :
☐ Proverbes 16 — 18
☐ 2 Corinthiens 6

Il semblerait que les jeunes Chinois commencent à oublier les caractères qui composent la magnifique calligraphie de leur langue traditionnelle. Certains nomment ce phénomène « amnésie des caractères ». L'emploi très fréquent des ordinateurs et des téléphones intelligents amène souvent à négliger l'écriture, si bien qu'il y a des gens qui ne se rappellent plus les caractères qu'ils ont appris durant l'enfance. Un jeune homme a dit : « Les gens n'écrivent plus rien à la main, sauf [leur] nom et leur adresse. »

Il y a des gens qui semblent souffrir d'une autre sorte d'« amnésie des caractères ». Face à un dilemme, ils semblent « oublier » la bonne chose à faire et lui préférer la voie de la facilité.

Dieu a dit de Job qu'il était « un homme intègre et droit, craignant Dieu, et se détournant du mal » (Job 1.8). Il a permis à Satan d'enlever à Job tout ce que ce dernier avait : ses enfants, sa richesse et sa santé. Malgré sa situation désastreuse, Job a néanmoins refusé de maudire Dieu : « En tout cela, Job ne pécha point et n'attribua rien d'injuste à Dieu » (v. 22). Satan a mis en doute ce que Dieu avait affirmé au sujet du caractère irréprochable de Job, mais Dieu lui a prouvé qu'il avait tort.

L'amnésie des caractères ? Non. Le caractère définit qui nous sommes ; ce n'est pas quelque chose qui « s'oublie ». Ceux qui ont perdu de leur caractère en ont fait le choix.
—C.H.K.

Si nous perdons nos biens ou la santé, nous perdons peu ; si nous perdons l'intégrité, nous perdons tout !

14 septembre

Se hisser au sommet

Lisez :
1 Samuel 15.17-30

Ne faites rien par esprit de parti ou par vaine gloire.
—Philippiens 2.3

La Bible en un an :
☐ Proverbes 19 – 21
☐ 2 Corinthiens 7

Le manque d'ambition. Voilà une expression que l'on ne souhaite pas voir sur son évaluation de rendement. Dans le monde professionnel, les employés qui manquent d'ambition se hissent rarement au sommet d'une organisation. Sans désir ardent d'accomplir quelque chose, rien ne se fait. L'ambition a toutefois un côté obscur. Elle vise souvent davantage à s'élever soi-même qu'à accomplir quelque chose de noble pour autrui.

Cela a été le cas de beaucoup de rois d'Israël, y compris du premier. Saül a commencé dans l'humilité, mais il en est progressivement venu à considérer son rang comme lui appartenant. Il a oublié que Dieu lui avait confié un mandat spécial, celui de diriger son peuple élu de manière à montrer aux autres nations le chemin vers Dieu. Lorsque Dieu l'a relevé de ses fonctions, Saül ne s'est plus soucié que de lui-même (1 S 15.30).

Dans un monde où l'ambition pousse souvent les gens à tout faire pour se hisser à un poste de pouvoir sur les autres, Dieu appelle son peuple à adopter un nouveau mode de vie. Nous devons ne rien faire par esprit de parti (Ph 2.3) et rejeter l'attrait du péché qui nous séduit (Hé 12.1).

Si vous voulez être de ceux qui « se hissent » véritablement au sommet de la vie, entretenez l'ambition d'aimer et de servir Dieu avec humilité, et cela, de tout votre coeur, de toute votre âme, de toute votre pensée et de toute votre force (Mc 12.30).
—J.A.L.

Si elle n'est pas centrée sur Dieu, l'ambition a la vue courte.

15 septembre

TOUT UN POIDS À SOULEVER

LISEZ : Matthieu 11.25-30

Venez à moi, vous tous qui êtes fatigués et chargés.
—Matthieu 11.28

LA BIBLE EN UN AN :
☐ Proverbes 22 – 24
☐ 2 Corinthiens 8

Un jour, j'ai trouvé mon fils en train d'essayer de soulever une paire de poids de 1,8 kg au-dessus de sa tête, tout un exploit pour un bout de chou. Il les avait soulevés d'à peine quelques centimètres du sol, mais il avait les yeux remplis de détermination et le visage rosé par l'effort. Je lui ai offert de lui venir en aide, et ensemble nous avons soulevé les poids vers le plafond. Ce qui lui demandait un tel effort s'avérait facile pour moi.

C'est d'ailleurs ainsi que Jésus considère ce qui nous est difficile à gérer. Lorsque la vie semble être une suite de catastrophes, Jésus ne se laisse pas démonter par un accrochage, troubler par un mal de dents ou harceler par une dispute enflammée – même si tout cela se produit le même jour ! Il peut tout surmonter, ce qui explique d'ailleurs qu'il ait dit : « Venez à moi, vous tous qui êtes fatigués et chargés » (Mt 11.28).

Les problèmes incessants vous ont-ils usé ? Le poids du stress et des inquiétudes vous écrase-t-il ? Jésus est la seule véritable solution. Le fait de s'approcher du Seigneur dans la prière nous permet de nous décharger de nos fardeaux sur lui afin qu'il puisse nous soutenir (Ps 55.23). Demandez-lui aujourd'hui de vous aider en toutes choses. En vous aidant à porter vos fardeaux, il peut apporter du repos à votre âme, car son joug est doux et son fardeau est léger (Mt 11.29,30).
—J.B.S.

C'est dans la prière que les fardeaux changent d'épaules.

16 septembre

Soyez porteur d'armes

Lisez :
1 Samuel 14.1-14

Fais tout ce que tu as dans le coeur, n'écoute que ton sentiment.
—1 Samuel 14.7

La Bible en un an :
☐ Proverbes 25 – 26
☐ 2 Corinthiens 9

Les Israélites et les Philistins se faisaient la guerre. Tandis que Saül se détendait sous un grenadier avec ses hommes, Jonathan et celui qui portait ses armes ont quitté le camp en silence pour aller voir si le Seigneur oeuvrerait en leur faveur, sûrs que « rien n'empêche l'Éternel de sauver au moyen d'un petit nombre comme d'un grand nombre » (1 S 14.6).

Jonathan et son aide étaient sur le point de traverser un sentier entre deux hautes falaises. Des soldats ennemis armés guettaient leur passage, postés au sommet de chaque falaise : seulement deux hommes contre on ne sait trop combien d'opposants. Lorsque Jonathan a suggéré d'escalader la falaise afin de poursuivre l'ennemi, celui qui portait ses armes n'a pas bronché. « Fais tout ce que tu as dans le coeur [...] me voici avec toi prêt à te suivre » (v. 7), a-t-il dit à Jonathan. Ainsi donc, les deux ont escaladé la falaise et avec l'aide de Dieu ils ont triomphé de l'ennemi (v. 8-14). Comment ne pas admirer le courage de ce jeune porteur d'armes ? Il a hissé les armes jusqu'au sommet de la falaise et est resté aux côtés de Jonathan, en le suivant et tuant ceux que Jonathan blessait.

L'Église a besoin de leaders solides, capables d'affronter ses ennemis spirituels, mais elle ne doit pas laisser ces leaders à eux-mêmes. Ils ont besoin de l'aide et du soutien de tous les membres de l'assemblée – de fidèles « porteurs d'armes » comme vous et moi, qui sont prêts à se joindre à eux dans la lutte contre « l'ennemi de notre âme ». —D.C.E.

Les leaders donnent leur pleine mesure lorsqu'ils ont des gens pour les appuyer.

17 septembre

AUCUN RETOUR EN ARRIÈRE

LISEZ : Exode 16.1-12

Ce soir, vous comprendrez que c'est l'Éternel qui vous a fait sortir du pays d'Égypte. —Exode 16.6

LA BIBLE EN UN AN :
- ☐ Proverbes 27 – 29
- ☐ 2 Corinthiens 10

Dès le premier regard, je suis tombé amoureux d'elle. Elle était très belle. Élancée. Soignée. Radieuse. Dès que j'ai vu la Ford Thunderbird 1962 dans le parc de voitures d'occasion, son extérieur éclatant et son magnifique intérieur m'ont séduit. J'ai su tout de suite que cette voiture était pour moi. Au coût de 800 $, j'ai acheté ma toute première voiture.

Par contre, à l'intérieur de mon précieux bien m'attendait un problème. Quelques mois après avoir acheté ma Thunderbird, je n'ai plus été en mesure de choisir dans quelle direction aller. Elle me permettait d'aller de l'avant, mais plus de faire marche arrière.

Même si en voiture le fait de ne pas pouvoir faire marche arrière pose un problème, c'est parfois une bonne chose dans la vie. Nous devons continuer d'aller de l'avant, sans avoir la possibilité de revenir en arrière. Dans notre marche avec Jésus, nous devons refuser de reculer. Ce fait, Paul l'a exprimé simplement en disant que nous devons « *[courir]* vers le but » (Ph 3.14).

Les enfants d'Israël auraient peut-être trouvé utile d'avoir la transmission de ma Thurnderbird. Nous lisons dans Exode 16 qu'ils couraient le danger de mettre leur vie en marche arrière. Malgré les nombreux miracles que Dieu avait accomplis, ils voulaient retourner en Égypte et refusaient de croire que Dieu pouvait leur montrer la voie devant eux.

Nous devons aller de l'avant dans notre marche avec Dieu. Ne reculez donc pas. Regardez droit devant. Courez vers le but. —J.D.B.

Face à une crise, ayez confiance en Dieu et allez de l'avant.

18 septembre

Papa !

Lisez :
2 Rois 19.10-19

Éternel ! incline ton oreille, et écoute. Éternel ! ouvre tes yeux, et regarde.
—2 Rois 19.16

La Bible en un an :
☐ Proverbes 30 – 31
☐ 2 Corinthiens 11.1-15

Le petit James de vingt mois conduisait avec assurance sa famille dans les corridors de leur grande église. Son père ne le quittait pas des yeux tandis que le petit James se frayait un chemin parmi la foule des « géants ». Soudain, le petit garçon a paniqué parce qu'il ne voyait plus son père. Il s'est arrêté, a regardé autour de lui et s'est mis à pleurer : « Papa ! Papa ! » Son père n'a pas tardé à le rattraper et a fermement saisi la main que le petit James lui tendait. Il en a résulté que James a immédiatement retrouvé la paix.

Le second livre des Rois raconte l'histoire du roi Ézéchias, qui a demandé l'aide de Dieu (19.15). Sanchérib, le roi d'Assyrie, s'était ligué avec d'autres contre Ézéchias et le peuple de Juda, en disant : « Que ton Dieu, auquel tu te confies, ne t'abuse point […]. Voici, tu as appris ce qu'ont fait les rois d'Assyrie à tous les pays, et comment ils les ont détruits ; et toi, tu serais délivré ! » (v. 10,11.) Le roi Ézéchias est allé prier le Seigneur pour sa délivrance, afin « que tous les royaumes de la terre sachent que *[lui]* seul est Dieu » (v. 14-19). En réponse à sa prière, l'ange du Seigneur a frappé l'ennemi, et Sanchérib a battu en retraite (v. 20-36).

Si vous êtes dans une situation qui exige que Dieu vous vienne en aide, tendez-lui la main dans la prière. Il nous a promis sa consolation et son secours (2 Co 1.3,4 ; Hé 4.16).
—A.M.C.

L'aube de la délivrance divine pointe souvent à l'heure la plus sombre de l'épreuve.

19 septembre

DES HAUTS ET DES BAS

LISEZ :
Ecclésiaste 3.1-8

***[Un]* temps pour pleurer, et un temps pour rire ; un temps pour se lamenter, et un temps pour danser.**
—Ecclésiaste 3.4

LA BIBLE EN UN AN :
☐ Ecclésiaste 1 – 3
☐ 2 Corinthiens 11.16-33

La plupart d'entre nous seraient d'accord pour dire que la vie comporte des hauts et des bas. Le sage roi Salomon le croyait et a réfléchi aux réactions à adopter devant des circonstances changeantes. Dans le livre de l'Ecclésiaste, il a écrit : « Il y a un temps pour tout, un temps pour toute chose sous les cieux [...] un temps pour pleurer, et un temps pour rire ; un temps pour se lamenter, et un temps pour danser » (3.1-4).

Dieu a dit de David, le père de Salomon, qu'il était « un homme selon son coeur » (1 S 13.14 ; Ac 13.22). Toutefois, la vie de David illustre bien que la vie est faite de hauts et de bas. David a pleuré la perte du premier enfant qu'il a eu avec Bath-Schéba, atteint d'une maladie mortelle (2 S 12.22). Il a toutefois composé également des cantiques de louange et d'allégresse (Ps 126.1-3). À la mort d'Absalom, son fils rebelle, David a traversé une période de deuil profond (2 S 18.33). Et lorsque l'arche a été apportée à Jérusalem, David, alors au comble de la joie, a dansé devant le Seigneur (2 S 6.12-15).

Nous nous nuisons, à nous-mêmes et aux autres, en dépeignant la vie chrétienne comme se caractérisant par une paix et une joie continuelles. La Bible la dépeint plutôt comme une suite de hauts et de bas. Êtes-vous actuellement dans un haut ou un bas ? Que ce soit une période de joie ou de tristesse, chacune devrait nous motiver à suivre le Seigneur et à lui faire confiance. —H.D.F.

Toute période exige de la foi pour la surmonter.

20 septembre

PRÊT ?

LISEZ :
2 Pierre 3.1-13

Le Seigneur ne tarde pas dans l'accomplissement de la promesse.
—2 Pierre 3.9

LA BIBLE EN UN AN :
☐ Ecclésiaste 4 – 6
☐ 2 Corinthiens 12

Beaucoup de gens se rappelleront l'automne 2008 comme le début de la pire crise financière depuis celle de 1929. Dans les mois qui ont suivi, beaucoup de gens ont perdu leur emploi, leur maison et leurs placements. Dans une entrevue accordée à la BBC un an plus tard, Alan Greenspan, l'ancien directeur de la Réserve fédérale américaine, a indiqué que le commun des mortels ne croit pas que la chose se produira de nouveau. Il a dit : « Face à de longues périodes de prospérité, l'être humain a tendance à présumer qu'elles se poursuivront. »

La pensée que les choses continueront comme elles l'ont toujours fait n'est toutefois pas le propre uniquement du XXie siècle. Au cours du Ier siècle, Pierre a écrit au sujet des gens quicroyaient que la vie continuerait sans changer et que Jésus ne reviendrait pas. L'apôtre a dit : « Car, depuis que les pères sont morts, tout demeure comme dès le commencement de la création » (2 Pi 3.4). Jésus a dit qu'il reviendrait, mais le peuple a persisté dans sa désobéissance comme si Jésus n'allait jamais revenir. Or, s'il tarde à venir, c'est parce que Dieu use de patience envers nous, « ne voulant pas qu'aucun périsse, mais voulant que tous arrivent à la repentance » (v. 9).

Paul nous dit qu'à la lumière du retour assuré de Christ, les chrétiens doivent vivre « selon la sagesse, la justice et la piété » (Tit 2.12). Êtes-vous prêt à rencontrer Dieu ? —C.P.H.

Jésus pourrait revenir n'importe quand, si bien que nous devrions y être prêts en tout temps.

21 septembre

UNE LEÇON DE PLEURS

LISEZ :
Apocalypse 21.1-7

Heureux les affligés, car ils seront consolés !
—Matthieu 5.4

LA BIBLE EN UN AN :
☐ Ecclésiaste 7 – 9
☐ 2 Corinthiens 13

Avez-vous déjà eu le coeur brisé ? Quelle en a été la cause ? La cruauté ? L'échec ? L'infidélité ? Le deuil ? Peut-être vous êtes-vous réfugié dans le noir pour pleurer.

Il est bon de pleurer. « Les larmes sont le seul remède aux pleurs », a dit un prédicateur écossais du nom de George MacDonald. Quelques larmes font du bien.

Jésus a pleuré au tombeau de son ami Lazare (Jn 11.35) et il pleure avec nous (v. 33). Il a eu le coeur brisé lui aussi. Nos larmes nous attirent la bonté et les tendres soins de notre Seigneur. Il connaît nos nuits blanches, où notre esprit est troublé. Il a mal pour nous lorsque nous pleurons la mort de quelqu'un. Il est le « Dieu de toute consolation, qui nous console dans toutes nos afflictions » (2 Co 1.3,4). Et il se sert de ses enfants pour se consoler les uns les autres.

Par contre, les larmes et notre besoin de consolation reviennent trop souvent ici-bas. La consolation actuelle n'est pas la réponse finale. Le jour viendra où la mort, la tristesse et les larmes n'existeront plus, car toutes ces choses « *[auront]* disparu » (Ap 21.4). Au ciel, Dieu essuiera toutes larmes de nos yeux. Notre Père nous chérit à tel point qu'il essuiera lui-même nos larmes, tellement il nous aime profondément et personnellement.

N'oubliez pas : « Heureux les affligés, car ils seront consolés ! » (Mt 5.4.) —D.H.R.

Dieu se soucie de nous et prend part à notre tristesse.

22 septembre

AU-DELÀ DU STATU QUO

LISEZ :
Jean 5.35-47

Et vous ne voulez pas venir à moi pour avoir la vie !
—Jean 5.40

LA BIBLE EN UN AN :
☐ Ecclésiaste 10 – 12
☐ Galates 1

Jack Mezirow, professeur émérite au Columbia Teachers College, croit qu'un élément essentiel de l'apprentissage des adultes consiste à éprouver nos perceptions enracinées et à poser un regard critique sur nos idées reçues. M. Mezirow dit que les adultes apprennent le mieux lorsqu'ils font face à ce qu'il appelle « un dilemme désorientant », à savoir quelque chose qui « nous aide à réfléchir de manière critique aux hypothèses que nous avons acquises » (Barbara Strauch, *The New York Times*). Cela revient à dire le contraire de : « Mon idée est arrêtée, ne jetez pas la confusion dans mon esprit en me communiquant les faits. »

En réalisant une guérison le jour du sabbat, Jésus a démenti les croyances chères à beaucoup de chefs religieux, qui ont cherché à le faire taire (Jn 5.16-18). Jésus leur a dit : « Vous sondez les Écritures, parce que vous pensez avoir en elles la vie éternelle : ce sont elles qui rendent témoignage de moi. Et vous ne voulez pas venir à moi pour avoir la vie » (v. 39,40).

Oswald Chambers a fait remarquer : « Dieu a le don de mettre en lumière des faits qui bouleversent les doctrines d'un homme si celles-ci barrent le chemin de Dieu vers son âme. »

Les expériences déstabilisantes nous amenant à douter de nos hypothèses au sujet du Seigneur peuvent aussi nous amener à une compréhension de sa personne et à une foi en lui plus profondes – si nous sommes prêts à y réfléchir et à venir à lui. —D.C.M.

« Une vie sans examen ne vaut pas la peine d'être vécue. » – Socrate

23 septembre

UNE AFFAIRE SÉRIEUSE

LISEZ :
Psaume 96.1-13

L'Éternel règne ; aussi le monde est ferme, il ne chancelle pas ; l'Éternel juge les peuples avec droiture.
—Psaume 96.10

LA BIBLE EN UN AN :
☐ Cantique des cantiques 1 – 3
☐ Galates 2

On m'a appelé dernièrement à faire partie d'un jury.

Cela ne me convenait absolument pas et allait me faire perdre beaucoup de temps, mais l'affaire était sérieuse. Au cours de la première journée d'orientation, le juge nous a instruits quant à nos responsabilités et à la nature importante de notre tâche. Nous allions rendre un jugement contre des gens qui avaient des litiges à trancher (en cour civile) ou commis un crime (en cour criminelle). Je ne me sentais absolument pas à la hauteur de la tâche. Juger une autre personne, sachant que la décision rendue aura de graves conséquences dans sa vie, n'a rien de facile. Étant des êtres humains faillibles, nous risquons de ne pas toujours rendre le bon jugement.

Bien que le système judiciaire de notre monde soit susceptible de connaître des embûches et de faire des erreurs, compte tenu des manquements des personnes qui le composent, nous pouvons toujours faire confiance à Dieu pour qu'il excelle en sagesse et en équité. À ce sujet, le psalmiste a chanté : « L'Éternel règne ; aussi le monde est ferme, il ne chancelle pas ; l'Éternel juge les peuples avec droiture » (Ps 96.10). Dieu juge avec droiture, une droiture que lui imposent sa propre justice parfaite et son caractère sans faille.

Nous pouvons faire confiance à Dieu lorsque la vie nous semble injuste, sachant qu'il redressera tous les torts au jugement dernier (2 Co 5.10). —W.E.C.

Un jour, Dieu redressera tous les torts.

24 septembre

De mal en pis

Lisez :
Exode 5.1-14,22,23

Je suis l'Éternel, je vous affranchirai des travaux dont vous chargent les Égyptiens [...] et je vous sauverai à bras étendu. —Exode 6.6

La Bible en un an :
☐ Cantique des cantiques 4 – 5
☐ Galates 3

Cela m'est arrivé de nouveau. Je me suis sentie poussée à nettoyer mon bureau. Avant d'avoir pu résister à cette envie, j'avais créé un désordre pire qu'au début. Une pile en est devenue plusieurs lorsque je me suis mise à trier livres, documents et revues. En me voyant empirer les choses, j'ai regretté d'avoir commencé, mais il était trop tard pour revenir en arrière.

Quand Dieu a recruté Moïse pour délivrer les Hébreux de l'esclavage, leur situation est allée de mal en pis elle aussi. Nul doute que la tâche devait être accomplie. Il y avait longtemps que le peuple suppliait Dieu de lui venir en aide (Ex 2.23). À contrecoeur, *très* à contrecoeur, Moïse a accepté d'en appeler à Pharaon au nom du peuple hébreu. La rencontre ne s'est pas bien passée. Au lieu de libérer le peuple, Pharaon a accru ses exigences déraisonnables. Moïse s'est demandé s'il avait même eu raison de se lancer dans cette histoire (5.22,23). Ce n'est qu'après avoir causé beaucoup plus d'ennuis à beaucoup de gens que Pharaon a fini par laisser aller le peuple.

Lorsque nous nous décidons à faire quelque chose de bien, nous ne devrions pas nous étonner de voir les choses empirer avant de les voir s'améliorer, et cela, même si nous avons la certitude d'être dans les voies de Dieu en agissant de la sorte. Cette aggravation des choses ne prouve aucunement que nous faisons la mauvaise chose ; elle ne fait que nous rappeler que nous avons besoin de Dieu pour tout faire. —J.A.L.

À toute heure éprouvante, le besoin suprême est celui de recevoir une vision de Dieu. – G. C. Morgan

25 septembre

DES CHRÉTIENS À TOUTE ÉPREUVE

LISEZ :
1 Corinthiens 3.5-15

***[Car]* le jour la fera connaître parce qu'elle se révélera dans le feu, et le feu éprouvera ce qu'est l'oeuvre de chacun.**
—1 Corinthiens 3.13

LA BIBLE EN UN AN :
☐ Cantique des cantiques 6 – 8
☐ Galates 4

Quelqu'un m'a demandé un jour pourquoi elle devait être comme Jésus maintenant puisqu'elle le deviendra au ciel (1 Jn 3.1-3). Excellente question ! Surtout que c'est plus facile d'être simplement soi-même.

En fait, il y a plusieurs raisons pour lesquelles il est important de devenir comme lui dès maintenant, mais une en particulier. Lorsque nous verrons Jésus face à face, nous lui indiquerons si nous avons ou non vécu en conformité avec sa volonté. Ou encore, comme Paul l'a dit, si nous avons bâti sur le fondement de Christ avec « de l'or, de l'argent, des pierres précieuses, du bois, du foin [*ou*] du chaume » (1 Co 3.12,13).

Tout ce que nous faisons pour favoriser l'avancement de son royaume – comme contribuer à affermir son Église, être au service des pauvres et des indigents, ainsi que promouvoir la droiture et la justice comme il l'a fait – revient à bâtir avec des matériaux essentiels qui survivront au feu de son jugement divin. Le contraire est également vrai, car le fait de bâtir avec des choses qui reflètent nos voies déchues, ainsi que de nous mettre en avant et d'assouvir nos désirs terrestres, sera réduit en cendre par le feu dévorant de sa gloire divine.

Je ne vous connais pas, mais je préférerais personnellement aimer assez Jésus pour vivre comme lui maintenant, plutôt que d'entretenir l'horrible possibilité de me tenir devant lui dans un tas de cendres. —J.M.S.

Bâtissez votre vie avec des matériaux qui résisteront à l'épreuve du jugement de Dieu.

26 septembre

UN FONDEMENT SOLIDE

LISEZ : Deutéronome 6.1-9

Et ces commandements […] *[tu]* les inculqueras à tes enfants.
—Deutéronome 6.6,7

LA BIBLE EN UN AN :
☐ Ésaïe 1 – 2
☐ Galates 5

Avant ses 2 ans, ma petite-fille Katie a fait quelque chose dont tout grand-père serait fier : elle s'est mise à reconnaître les marques et les années des voitures. Tout a commencé lorsque son père et elle se sont mis à passer du temps ensemble à s'amuser avec sa vieille collection de voitures jouets. Son père lui disait : « Katie, prends la Chevy 1957 », et elle la choisissait parmi les centaines de voitures miniatures. Or, un jour, tandis qu'il lui lisait un livre de la collection « Curious George », elle est descendue de ses genoux pour courir chercher une Rolls Royce miniature – la réplique exacte de la voiture illustrée dans le livre.

Si une enfant de deux ans peut faire de tels liens, cela ne prouve-t-il pas l'importance d'enseigner les bonnes choses aux enfants dès un très jeune âge ? Il suffit de les familiariser avec les choses de Dieu, de susciter leur intérêt, de les amener à reconnaître la vérité et de leur servir d'exemple. Comme pour Moïse, dans Deutéronome 6, il s'agit de saisir toutes les occasions d'enseigner les vérités bibliques aux enfants pour qu'ils se familiarisent avec elles et les intègrent dans leur vie. En tirant partie de leurs centres d'intérêt, nous leur répétons les récits bibliques jusqu'à ce qu'ils les connaissent, tout en leur servant de modèles de piété.

Donnons donc à nos enfants un fondement solide en leur enseignant l'amour de Dieu, le salut en Christ et l'importance d'une vie de piété. —J.D.B.

Bâtissez la vie de vos enfants sur le fondement solide de la Parole.

27 septembre

L'HISTOIRE DE DEUX BÂTONS

LISEZ : Exode 4.1-9,17

Prends dans ta main cette verge, avec laquelle tu feras les signes.
—Exode 4.17

LA BIBLE EN UN AN :
☐ Ésaïe 3 – 4
☐ Galates 6

La sagesse conventionnelle nous amène à nous demander combien il est possible d'accomplir avec peu. Nous avons tendance à croire que nous pouvons accomplir beaucoup plus si nous avons de grandes ressources financières, des effectifs talentueux et des idées novatrices. Cependant, rien de cela ne compte pour Dieu. Considérons quelques exemples :

Dans Juges 3.31, un homme relativement peu connu du nom de Shamgar a délivré seul Israël des Philistins. Comment ? Il a remporté une grande victoire en tuant 600 Philistins avec pour seule arme un aiguillon (un bâton pointu servant à faire avancer les animaux au pas lent).

Dans le livre de l'Exode, lorsque Dieu a demandé à Moïse de conduire le peuple d'Israël hors d'Égypte, Moïse craignait que le peuple ne l'écoute pas ou ne le suive pas. Dieu lui a donc dit : « Qu'y a-t-il dans ta main ? » (4.2.) Moïse lui a répondu : « Une verge. » Et Dieu s'est servi de cette verge dans la main de Moïse pour convaincre le peuple de le suivre, pour changer le Nil en sang, pour frapper l'Égypte de grands fléaux, pour ouvrir la mer Rouge et pour accomplir des miracles dans le désert.

Une fois consacrés à Dieu, la verge de Moïse et l'aiguillon de Shamgar sont devenus de puissants outils. Cela nous aide à voir que, si nous consacrons à Dieu le peu que nous avons, il peut l'utiliser pour accomplir de grandes choses. Dieu ne recherche pas des gens aux grandes capacités, mais bien ceux qui sont déterminés à le suivre et à lui obéir. —A.L.

Si Dieu en fait partie,
tout ce qui est petit deviendra grand.

28 septembre

PAS MAINTENANT

LISEZ :
Romains 11.33 – 12.2

[Soyez] **transformés par le renouvellement de l'intelligence.**
—Romains 12.2

LA BIBLE EN UN AN :
☐ Ésaïe 5 – 6
☐ Éphésiens 1

Il peut être très décourageant pour ceux qui aspirent à être publiés de se faire rejeter fois après fois. Lorsqu'ils envoient un manuscrit à un éditeur, ils reçoivent souvent en retour une lettre disant ceci : « Merci, mais votre manuscrit ne répond pas à nos besoins pour l'instant. » Parfois, cette lettre signifie en réalité : « pas pour l'instant, *ni même jamais* ». L'auteur soumet donc son manuscrit à un autre éditeur, puis au suivant.

Je trouve que l'expression « ne répond pas à nos besoins pour l'instant, ni même jamais » peut s'avérer utile dans ma marche chrétienne afin de renouveler mon esprit et de recentrer mes pensées sur le Seigneur.

Voici ce que je veux dire. Au lieu de céder aux inquiétudes, nous devrions nous dire : « Les inquiétudes ne répondent pas à mes besoins pour l'instant, ni même jamais. Mon coeur a besoin de faire confiance à Dieu, car la Bible dit : "Ne vous inquiétez de rien" (Ph 4.6). »

Si nous envions quelqu'un pour ce qu'il a ou ce qu'il fait, rappelons-nous la vérité : « L'envie ne répond pas à mes besoins pour l'instant, ni même jamais. J'ai plutôt besoin de remercier Dieu, dont la Parole dit : "l'envie est la carie des os" (Pr 14.30) et "rendez grâces en toutes choses" (1 Th 5.18). »

Nous sommes incapables de renouveler notre propre intelligence (Ro 12.2) ; il s'agit de l'oeuvre transformatrice du Saint-Esprit qui vit en nous. Cependant, nous repasser la vérité en tête peut nous aider à nous soumettre à l'oeuvre de l'Esprit en nous. —A.M.C.

L'Esprit de Dieu renouvelle notre esprit lorsque nous passons en revue la Parole de Dieu.

29 septembre

L'HISTOIRE D'UN MUR

LISEZ :
Éphésiens 2.11-22

Car il est notre paix, lui qui des deux n'en a fait qu'un, et qui a renversé le mur de séparation.
—Éphésiens 2.14

LA BIBLE EN UN AN :
☐ Ésaïe 7 – 8
☐ Éphésiens 2

Durant ma visite du mur d'Hadrien dans le nord de l'Angleterre, j'ai réfléchi au fait qu'il s'agit peut-être de la réalisation de l'empereur romain qui a pris le pouvoir en l'an 117 que l'on se rappelle le mieux. Jusqu'à 18 000 soldats romains ont contribué à ériger cette barrière de 129 km de long, visant à empêcher les barbares du nord d'envahir le sud.

On se rappelle Hadrien pour avoir érigé un mur physique destiné à garder les gens dehors. Par contraste, on se rappelle Jésus-Christ pour avoir renversé un mur spirituel afin de laisser entrer les gens.

Lorsque l'Église primitive a vécu des tensions entre croyants de naissance juive et ceux de naissance non juive, Paul leur a dit qu'en Christ ils étaient égaux au sein de la famille de Dieu : « Car il est notre paix, lui qui des deux n'en a fait qu'un, et qui a renversé le mur de séparation [...] il a voulu créer en lui-même avec les deux un seul homme nouveau, en établissant la paix [...] car par lui les uns et les autres nous avons accès auprès du Père, dans un même Esprit » (Ép 2.14,15,18).

L'une des plus belles dimensions de la foi chrétienne correspond à l'unité parmi ceux qui suivent Jésus. Par sa mort sur la croix, Christ a éliminé les barrières qui séparent si souvent les gens, pour nous rapprocher dans la véritable amitié et le véritable amour. —D.M.C.

L'unité des chrétiens commence au pied de la croix.

30 septembre

LE 1000E ANNIVERSAIRE

LISEZ :
Amos 4.7-13

[Prépare]-toi à la rencontre de ton Dieu.
—Amos 4.12

LA BIBLE EN UN AN :
☐ Ésaïe 9 – 10
☐ Éphésiens 3

Dans son livre intitulé *Long for This World*, Jonathan Weiner écrit au sujet de la promesse que font les scientifiques de prolonger énormément notre longévité. Au centre du livre, le scientifique anglais Aubrey de Grey prédit que la science nous permettra un jour de vivre jusqu'à 1000 ans. Aubrey dit que la biologie moléculaire a fini par mettre à notre portée un remède contre le vieillissement.

Par contre, quelle différence cela peut-il faire si, après avoir vécu 1000 ans, nous finissons par mourir de toute manière ? La prédiction de ce scientifique ne fait que différer l'inévitable : se poser la question à savoir ce qui se produit après la mort. Elle n'y répond d'ailleurs pas.

La Bible nous dit que la mort ne marque pas la fin de notre existence. Nous avons plutôt l'assurance que tout le monde se tiendra devant Christ – les croyants pour que leurs oeuvres soient jugées et les non-croyants pour que leur rejet de Christ soit jugé (Jn 5.25-29 ; Ap 20.11-15). Nous sommes tous pécheurs et avons tous besoin d'être pardonnés. Et seule la mort de Christ sur la croix a apporté le pardon à tous ceux qui croient en lui (Ro 3.23 ; 6.23). La Bible dit qu'il « est réservé aux hommes de mourir une seule fois, après quoi vient le jugement » (Hé 9.27).

Notre rencontre face à face avec Dieu met tout en perspective. Ainsi donc, que nous vivions 70 ans ou 1000 ans, la question de l'éternité reste la même : « *[Prépare]*-toi à la rencontre de ton Dieu » (Am 4.12). —H.D.F.

Seuls ceux qui ont mis leur foi en Christ sont prêts à rencontrer leur Créateur.

1er octobre

Correcteur de ton

Lisez :
Colossiens 4.2-6

Que votre parole soit toujours accompagnée de grâce, assaisonnée de sel, afin que vous sachiez comment il faut répondre à chacun.
—Colossiens 4.6

La Bible en un an :
☐ Ésaïe 11 – 13
☐ Éphésiens 4

En rentrant en voiture à la maison, j'ai entendu une publicité à la radio qui a capté mon attention. Il était question d'un logiciel qui vérifie les courriels en cours de rédaction. Je connaissais déjà le « correcteur orthographique » et le « correcteur grammatical », mais celui-ci était différent. Il s'agissait d'un « correcteur de ton ». Ce logiciel veille à ce que le ton et la formulation des courriels ne soient pas trop agressifs, désagréables ou mesquins.

En écoutant l'animateur décrire les caractéristiques de ce logiciel, je me suis demandé ce que ce serait d'avoir quelque chose de comparable pour ma bouche. Combien de fois n'ai-je pas d'abord réagi durement au lieu d'écouter, en regrettant par la suite les paroles que j'avais prononcées ? Un correcteur de ton m'aurait certainement empêché de répondre de manière aussi insensée.

Paul voyait la nécessité pour nous, les croyants, de vérifier le ton de nos propos, surtout lorsque nous nous entretenons avec des non-chrétiens. Il a dit : « Que votre parole soit toujours accompagnée de grâce, assaisonnée de sel, afin que vous sachiez comment il faut répondre à chacun » (Col 4.6). Il désirait que nos propos soient empreints de grâce et reflètent la beauté de notre Sauveur. Et ils doivent être engageants. Si nous voulons bien témoigner aux non-croyants, il est primordial de leur parler sur le bon ton. Colossiens 4.6 pourrait nous servir de correcteur de ton. —W.E.C.

Chaque fois que nous prenons la parole, notre cœur se révèle.

2 octobre

En quête de silence

Lisez :
Marc 1.35-45

***[J'ai]* l'âme calme et tranquille.**
—Psaume 131.2

La Bible en un an :
☐ Ésaïe 14 – 16
☐ Éphésiens 5.1-16

La chanteuse Meg Hutchinson a dit : « Mon prochain CD devrait consister à garder le silence pendant 45 minutes, car c'est ce qui fait le plus défaut dans notre société. »

Le silence est effectivement une denrée rare. En raison de leur circulation et de leur population denses, les villes sont notoirement bruyantes. Il ne semble y avoir aucun moyen d'échapper à la musique assourdissante, aux appareils bruyants et aux voix fortes. Toutefois, le genre de bruit qui menace notre bien-être spirituel n'est pas celui auquel nous ne parvenons pas à échapper, mais celui que nous invitons dans notre vie. Certains d'entre nous se servent du bruit pour tromper la solitude : les voix des personnalités de la télévision et de la radio leur donnent l'illusion d'être en leur compagnie. Certains autres s'en servent pour éviter de penser : les voix et les opinions d'autres personnes les empêchent d'avoir à réfléchir par eux-mêmes. Il y en a aussi parmi nous qui se servent du bruit pour faire taire la voix de Dieu : leur discours incessant, même lorsqu'ils parlent de Dieu, les empêche d'entendre ce que Dieu a à leur dire.

Cependant, même durant les moments où il était le plus occupé, Jésus a recherché des endroits isolés où s'entretenir avec Dieu (Mc 1.35). Même s'il nous est impossible de trouver un endroit parfaitement tranquille, nous devons en trouver un où notre âme peut se calmer (Ps 131.2), un endroit où Dieu a toute notre attention. —J.A.L.

Ne laissez pas le bruit du monde vous empêcher d'entendre la voix du Seigneur.

3 octobre

La guérison venant du ciel

Lisez :
2 Corinthiens 1.1-10

Béni soit Dieu [...] le Père des miséricordes et le Dieu de toute consolation.
—2 Corinthiens 1.3

La Bible en un an :
☐ Ésaïe 17 – 19
☐ Éphésiens 5.17-33

Thomas Moore (1779-1852) était un auteur-compositeur-interprète et poète irlandais. Par ses talents, il a procuré de la joie à beaucoup de gens qui l'ont vu se produire en spectacle ou qui ont chanté ses chansons. Pourtant, sa vie privée a été marquée par des épreuves répétées, y compris la mort de ses cinq enfants. Les blessures personnelles de Moore donnent d'ailleurs beaucoup de sens aux paroles suivantes d'une de ses chansons : « Apporte ton cœur blessé, raconte ton angoisse ; la terre n'a aucun chagrin que le ciel ne peut guérir. » Ces paroles émouvantes nous rappellent que le fait de rencontrer Dieu en prière peut procurer la guérison à l'âme affligée.

L'apôtre Paul a également vu que notre Père céleste peut consoler le cœur meurtri. Aux croyants de Corinthe, il a écrit : « Béni soit Dieu, le Père de notre Seigneur Jésus-Christ, le Père des miséricordes et le Dieu de toute consolation, qui nous console dans toutes nos afflictions, afin que par la consolation dont nous sommes l'objet de la part de Dieu, nous puissions consoler ceux qui se trouvent dans l'affliction ! » (2 Co 1.3,4.) Or, comme nous sommes parfois si préoccupés par notre chagrin que nous nous isolons de celui qui peut nous offrir une consolation, nous devons nous rappeler que sa consolation et sa guérison nous viennent par la prière.

En nous confiant à notre Père, notre cœur meurtri peut connaître la paix et commencer à guérir, car il est vrai que « la terre n'a aucun chagrin que le ciel ne peut guérir ». —H.D.F.

La prière est le sol dans lequel l'espoir et la guérison poussent le mieux.

4 octobre

SANS AUTORITÉ ?

LISEZ :
Proverbes 6.6-11

Va vers la fourmi [...] considère ses voies, et deviens sage. Elle n'a ni [...] maître ; elle prépare en été [...] elle amasse pendant la moisson de quoi manger.
—Proverbes 6.6-8

LA BIBLE EN UN AN :
☐ Ésaïe 20 – 22
☐ Éphésiens 6

Lorsque le patio derrière la maison s'est mis à s'affaisser, j'ai fait quelques appels téléphoniques, obtenu des devis et choisi un entrepreneur à qui j'ai confié la tâche de nous construire un nouveau patio.

Une fois les travaux terminés, je les ai examinés et j'y ai remarqué des problèmes. Après avoir consulté un autre entrepreneur, j'ai téléphoné à l'inspecteur en bâtiment du coin et j'ai découvert que mon entrepreneur n'avait pas même obtenu de permis de construction. Ayant travaillé sans supervision officielle, il avait violé plusieurs règles du Code du bâtiment.

Cet incident m'a rappelé une vérité importante (autre que la nécessité d'obtenir un permis de construction) : si l'on n'a personne en autorité au-dessus de soi à qui rendre des comptes, on fait rarement de son mieux.

Dans l'Écriture, Jésus explique ce principe par deux paraboles (Mt 24.45-51 ; 25.14-30). Dans les deux cas, au moins un ouvrier laissé sans supervision n'a pas bien travaillé en l'absence de son maître. Par contre, dans Proverbes 6, on voit une approche différente : l'exemple de la fourmi, qui travaille bien même sans superviseur visible. Elle accomplit son travail sans avoir à être surveillée.

Qu'en est-il de nous ? Travaillons-nous consciencieusement seulement lorsque l'on nous observe ? Ou encore, reconnaissons-nous que nous faisons tout pour Dieu et faisons-nous donc de notre mieux en tout temps – même quand aucune autorité humaine ne nous supervise ? —J.D.B.

Qui que soit votre patron,
vous travaillez en réalité pour Dieu.

5 octobre

LE SECRET EST DANS LE LIEU

LISEZ : Colossiens 1.3-14

[Il] **nous a délivrés de la puissance des ténèbres et nous a transportés dans le royaume de son Fils bien-aimé.**
—Colossiens 1.13

LA BIBLE EN UN AN :
☐ Ésaïe 23 – 25
☐ Philippiens 1

Le marché immobilier aux États-Unis est difficile de nos jours. Le prix des maisons a beaucoup diminué, et la situation est pire encore dans le domaine commercial. Ainsi donc, au jeu de l'immobilier, il importe de garder un vieil adage à l'esprit : « En ce qui concerne l'achat et la vente de propriétés, le secret de la réussite est dans le lieu. »

Il en va de même pour la nécessité de vivre pour Jésus. Afin de bien cheminer sur le territoire très dévalué de notre monde, il est primordial de connaître notre lieu spirituel. Paul nous rappelle que nous occupons un nouveau lieu en Christ, car nous avons été « délivrés de la puissance des ténèbres et [...] transportés dans le royaume de son Fils bien-aimé » (Col 1.13). Le fait de savoir que, par sa grâce infinie, Dieu nous a transportés dans le royaume de Jésus fait toute la différence. Or, comme Jésus règne maintenant en Roi sur notre cœur et notre esprit, nous sommes ses sujets reconnaissants. Sa volonté est la nôtre et ses voies inspirent toute notre vie et toute notre conduite. Et lorsque nous sommes obligés de faire un choix, nous lui conservons notre allégeance.

Par conséquent, lorsque les tentations et les séductions des ténèbres desquelles vous avez été délivrés menacent son règne sur votre cœur, rappelez-vous votre nouveau code postal : Colossiens 1.13 ! —J.M.S.

Les sujets du royaume devraient adopter les manières de la cour.

6 octobre

Brillez !

Lisez :
Matthieu 5.14-16
1 Pierre 2.9,10

Que votre lumière luise ainsi devant les hommes, afin qu'ils voient vos bonnes œuvres, et qu'ils glorifient votre Père qui est dans les cieux.
—Matthieu 5.16

La Bible en un an :
☐ Esaïe 26 – 27
☐ Philippiens 2

J'étais contrariée de constater qu'en dépit de tous les appels téléphoniques que j'avais faits, le lampadaire devant ma maison ne fonctionnait toujours pas. Étant donné que nous n'avons pas de trottoirs et que les lampadaires sont très éloignés les uns des autres, il importe que chaque lampadaire dissipe l'obscurité. Comme je sortais très tôt le matin, je craignais de heurter un écolier.

L'idée de lumière est souvent employée dans la Bible. Jésus a dit qu'il est la lumière du monde (Jn 9.5). On nous conseille de « *[revêtir]* les armes de la lumière » en nous revêtant du Seigneur (Ro 13.12-14). Matthieu 5.16 nous recommande aussi : « Que votre lumière luise ainsi devant les hommes, afin qu'ils voient vos bonnes œuvres, et qu'ils glorifient votre Père qui est dans les cieux. »

La lumière qui ne luit plus a perdu son utilité. Jésus a dit que personne ne met une lumière sous un boisseau, mais on la place bien en vue pour éclairer tout autour de soi (Mt 5.14). Notre lumière (nos actions) devrait diriger les gens qui nous entourent vers celui qui est la lumière du monde. Nous n'avons aucune lumière en nous-mêmes, mais nous reflétons celle de Christ qui vit en nous (Ép 5.8).

Dieu nous a tous placés dans un environnement précis qui permet à chacun de luire de sa lumière. Ne soyez pas comme un lampadaire grillé. Brillez ! —C.H.K.

Que vous soyez une bougie dans un coin ou un phare sur une colline, laissez votre lumière luire.

7 octobre

INTERDICTION DE SOURIRE

LISEZ : Jean 13.31-35

À ceci tous connaîtront que vous êtes mes disciples, si vous avez de l'amour les uns pour les autres.
—Jean 13.35

LA BIBLE EN UN AN :
☐ Ésaïe 28 – 29
☐ Philippiens 3

Généralement, on nous demande de sourire avant de prendre notre photo. Par contre, dans certains endroits des États-Unis, on nous l'interdit quand il s'agit de la photo qui paraîtra sur notre permis de conduire. À cause des vols d'identité, on vérifie minutieusement les nouvelles photos prises par le ministère des Transports pour voir si elles se trouvent déjà dans le système. Si quelqu'un se fait photographier sous un faux nom, une alarme se déclenche au poste de l'opérateur. De 1999 à 2009, un certain État a empêché 6000 personnes d'obtenir un permis frauduleux. Pourquoi, toutefois, interdire de sourire ? C'est que la technologie reconnaît un visage plus facilement lorsque la personne arbore une expression faciale neutre.

Jésus a prescrit un bon moyen de reconnaître un chrétien. Il a dit à ses disciples : « À ceci tous connaîtront que vous êtes mes disciples, si vous avez de l'amour les uns pour les autres » (Jn 13.35). Les moyens de démontrer de l'amour envers les autres croyants sont aussi nombreux qu'il y a de gens dans le besoin : un mot d'encouragement, une visite, un repas, une douce réprimande, une prière, un verset biblique, une oreille attentive, même un simple sourire amical.

L'apôtre Jean a écrit : « Nous savons que nous sommes passés de la mort à la vie, parce que nous aimons les frères » (1 Jn 3.14). D'autres peuvent-ils savoir, par notre amour pour nos frères chrétiens, que nous connaissons et aimons le Seigneur ? —A.M.C.

Notre amour pour Dieu se mesure en partie à celui que nous démontrons envers ses enfants.

8 octobre

Libre de choisir

Lisez :
Daniel 6.1-10

***[Trois]* fois par jour il se mettait à genoux, il priait, et il louait son Dieu, comme il le faisait auparavant.**
—Daniel 6.10

La Bible en un an :
☐ Ésaïe 30 – 31
☐ Philippiens 4

Lorsque l'on a annoncé que le plus grand match de football de la saison 2011 aurait lieu le jour de Yom Kippour, l'association des étudiants de l'Université du Texas a signé une pétition pour obliger les autorités du campus à en changer la date. L'association déclarait injuste de forcer les étudiants juifs à choisir entre la rivalité classique du football de leur équipe avec celle d'Oklahoma et leur jour le plus important et le plus sacré de l'année. Toutefois, on a refusé d'en changer la date. Même au sein de sociétés où les gens ont la liberté de religion, toute personne croyante est encore tenue de faire des choix difficiles.

Daniel a eu le courage d'obéir à Dieu quelles qu'en soient les conséquences. Lorsque ses adversaires politiques lui ont tendu un piège pour l'éliminer de leur route vers le pouvoir (Da 6.1-9), il n'a pas défié la loi et ne s'est pas plaint d'avoir été maltraité. « Lorsque Daniel sut que le décret était écrit, il se retira dans sa maison, où les fenêtres de la chambre supérieure étaient ouvertes dans la direction de Jérusalem ; et trois fois par jour il se mettait à genoux, il priait, et il louait son Dieu, comme il le faisait auparavant » (v. 10).

Daniel ignorait si Dieu le sauverait de la fosse aux lions, mais cela n'avait aucune importance. Il a choisi d'honorer Dieu par sa vie, quelle qu'en soit l'issue. Comme Daniel, nous sommes libres de choisir de suivre Christ. —D.C.M.

On ne se trompe jamais en choisissant de suivre Christ.

9 octobre

Le prix des querelles

Lisez :
Jacques 4.1-10

D'où viennent les luttes, et d'où viennent les querelles parmi vous ? N'est-ce pas de vos passions qui combattent dans vos membres ?
—Jacques 4.1

La Bible en un an :
☐ Ésaïe 32 – 33
☐ Colossiens 1

Dans un documentaire portant sur la Première Guerre mondiale, le narrateur disait que, si les victimes britanniques de « la guerre qui devait mettre fin à toutes les guerres » défilaient devant le monument aux morts à Londres en quatre colonnes et au pas militaire, leur procession mettrait sept jours à se réaliser. Cette description frappante m'a fait beaucoup réfléchir au terrible prix de la guerre. Or, même si ce prix inclut les dépenses, la destruction de biens et l'interruption de l'économie, rien de tout cela ne se compare au prix humain. Soldats et civils en paient le prix ultime, que le chagrin des survivants multiplie de manière exponentielle. La guerre coûte cher.

Lorsque les croyants se font la guerre, le prix à payer en est également élevé. À ce sujet, Jacques a écrit : « D'où viennent les luttes, et d'où viennent les querelles parmi vous ? N'est-ce pas de vos passions qui combattent dans vos membres ? » (Ja 4.1.) Dans nos propres poursuites égoïstes, nous combattons parfois sans considérer le prix imposé à notre témoignage devant le monde ou nos relations fraternelles. Cela explique d'ailleurs peut-être pourquoi Jacques a fait précéder ces paroles du défi suivant : « Le fruit de la justice est semé dans la paix par ceux qui recherchent la paix » (3.18).

Si nous, les croyants, voulons représenter le Prince de la paix dans notre monde, nous devons cesser de nous quereller entre nous et exercer la paix. —W.E.C.

Lorsque les chrétiens sont en paix entre eux, le monde peut mieux voir le Prince de la paix.

10 octobre

La joie de se souvenir

Lisez :
Psaume 103.1-14

Mon âme, bénis l'Éternel, et n'oublie aucun de ses bienfaits !
—Psaume 103.2

La Bible en un an :
☐ Ésaïe 34 – 36
☐ Colossiens 2

Un ami de longue date m'a décrit ainsi le jour de son 90e anniversaire : « le moment [...] pour réfléchir un peu, regarder dans le rétroviseur de ma vie et passer des heures à savourer ce que j'appelle "la grâce de se souvenir". Il est si facile d'oublier toutes les façons dont le Seigneur a dirigé mes pas, même s'il est écrit : "*[Et]* n'oublie aucun de ses bienfaits !" » (Ps 103.2.)

C'est typique de la personne que j'ai connue et admirée pendant plus de 50 ans. Plutôt que de se remémorer les déceptions, sa lettre était remplie d'actions de grâces et de louanges envers Dieu.

D'abord, il s'est souvenu des bontés temporelles du Seigneur – sa bonne santé, le bonheur partagé avec sa femme et ses enfants, la joie et la réussite que lui a procurées son travail, ses amitiés enrichissantes, et les occasions qu'il avait eues de servir Dieu. Il les considérait toutes comme des dons immérités, mais reçus avec gratitude.

Ensuite, il a passé en revue les bontés spirituelles de Dieu – l'influence de ses parents chrétiens et l'expérience qu'il a faite du pardon de Dieu lorsqu'il a accepté Christ à l'adolescence. Il a conclu en mentionnant l'encouragement qu'il avait reçu des Églises, des écoles et des chrétiens qui se souciaient les uns des autres et qui priaient les uns pour les autres.

La joie de se souvenir, voilà un exemple à suivre en tout temps. « Mon âme, bénis l'Éternel, que tout ce qui est en moi bénisse son saint nom ! » (v. 1.) —D.C.M.

Offrez au Seigneur des remerciements empreints d'amour pour toute sa générosité.

11 octobre

Le Dieu oublié

Lisez :
1 Corinthiens 2.6-16

Qui donc, parmi les hommes, connaît les choses de l'homme, si ce n'est l'esprit de l'homme qui est en lui ? —1 Corinthiens 2.11

La Bible en un an :
☐ Ésaïe 37 – 38
☐ Colossiens 3

Lorsque nous citons le Credo des apôtres, nous disons : « Je crois au Saint-Esprit ». L'auteur J. B. Phillips a dit : « Chaque fois que nous [*le*] disons, nous affirmons croire que [*l'Esprit*] est un Dieu vivant, capable et désireux de pénétrer la personnalité humaine et de la changer. »

Nous oublions parfois que le Saint-Esprit n'est pas une force impersonnelle. La Bible le décrit comme étant Dieu. Il possède les attributs de Dieu : il est présent partout (Ps 139.7,8), il connaît toutes choses (1 Co 2.10,11) et il possède une puissance infinie (Lu 1.35). Il fait également des choses que seul Dieu peut faire : créer (Ge 1.2) et donner la vie (Ro 8.2). Il est égal en toute chose aux autres Personnes de la Trinité – le Père et le Fils.

Le Saint-Esprit est une Personne qui interagit de manière personnelle avec nous. Il s'attriste de nous voir pécher (Ép 4.30). Il nous enseigne (1 Co 2.13), il prie pour nous (Ro 8.26), il nous guide (Jn 16.13), il nous accorde des dons spirituels (1 Co 12.11) et il nous assure le salut (Ro 8.16).

Si nous avons reçu le pardon de nos péchés par la foi en Jésus, le Saint-Esprit habite en nous. Il désire nous transformer de manière à ce que nous devenions de plus en plus semblables à Jésus. Coopérons donc avec l'Esprit en lisant la Parole de Dieu et en comptant sur sa puissance pour obéir à ce que nous apprenons. —M.L.W.

Le chrétien qui néglige le Saint-Esprit est semblable à une lampe qui n'est pas branchée.

12 octobre

VIDÉS DE TOUTE NOTRE FORCE

LISEZ :
Ésaïe 40.25-31

Il donne de la force à celui qui est fatigué, et il augmente la vigueur de celui qui tombe en défaillance.
—Ésaïe 40.29

LA BIBLE EN UN AN :
☐ Ésaïe 39 – 40
☐ Colossiens 4

Lorsque j'étais adolescent, mon père et moi sommes souvent allés ensemble en voyage de chasse et de pêche. J'en garde pour la plupart de bons souvenirs, mais une expédition de pêche a frisé la catastrophe. Nous avions établi notre campement dans un endroit éloigné au sommet d'une haute colline. Puis, papa et moi avons descendu la montagne à pied pour aller pêcher dans un ruisseau. Après une longue journée passée à pêcher sous un soleil de plomb, l'heure était venue de retourner au campement. Tandis que nous amorcions le chemin du retour, papa s'est mis à pâlir. Étourdi et pris de nausées, il n'avait presque plus de force.

Résistant à la panique, je l'ai fait asseoir et lui ai donné à boire. Ensuite, j'ai prié Dieu à voix haute de nous venir en aide. Enhardi par la prière, le repos et l'étanchement de sa soif, papa a repris du mieux et nous sommes parvenus à remonter lentement sur la colline. Il s'est agrippé à ma ceinture desserrée pendant que je montais le chemin vers le campement.

Il nous arrive parfois de nous trouver dans ce qui nous semble être une vallée de désespoir, n'ayant plus la force d'aller de l'avant. Lorsque cela se produit, il importe de nous rappeler la promesse de Dieu : « Il donne de la force à celui qui est fatigué, et il augmente la vigueur de celui qui tombe en défaillance » (És 40.29).

Vous sentez-vous épuisé ? Demandez l'aide de Dieu, pour qu'il vous donne la capacité d'aller de l'avant et de traverser la vallée. —H.D.F.

**Lorsqu'il ne nous reste plus que Dieu,
nous découvrons que Dieu nous suffit.**

13 octobre

TROP OCCUPÉ POUR CONNAÎTRE DIEU ?

LISEZ :
Luc 10.38-42

Elle avait une sœur, nommée Marie, qui, s'étant assise aux pieds du Seigneur, écoutait sa parole.
—Luc 10.39

LA BIBLE EN UN AN :
☐ Ésaïe 41 – 42
☐ 1 Thessaloniciens 1

Un jour, tandis que j'attendais de monter à bord d'un avion, un inconnu m'ayant entendu dire que j'étais aumônier s'est mis à me raconter sa vie avant de connaître Christ. Il a dit : « Ma vie était marquée par le péché et l'égocentrisme. Puis, j'ai rencontré Jésus. »

Je l'ai écouté avec intérêt énumérer les changements qu'il avait apportés à sa vie et les bonnes actions qu'il avait faites. Toutefois, comme tout ce qu'il me disait concernait son zèle pour Dieu, et non sa communion avec lui, je n'ai pas été surpris qu'il ajoute : « Franchement, après tout ce temps, j'aurais pensé me sentir mieux dans ma peau. »

Je crois que Marthe, dans le Nouveau Testament, aurait compris ce que cet inconnu voulait dire. Ayant invité Jésus chez elle, elle s'est mise à faire ce qu'elle croyait important de faire, mais cela l'empêchait de se concentrer sur Jésus. Comme Marie ne l'aidait pas, Marthe s'est sentie justifiée de demander à Jésus de la réprimander. C'est une erreur que beaucoup d'entre nous font : nous sommes tellement occupés à faire le bien que nous ne passons presque pas de temps à apprendre à mieux connaître Dieu.

En m'inspirant de la parole que Jésus a adressée à Marthe dans Luc 10.41,42, j'ai offert le conseil suivant au voyageur : « Ralentissez votre rythme de vie et prenez le temps de connaître Dieu ; laissez sa Parole se révéler à vous. » Si nous sommes trop occupés pour passer du temps avec Dieu, nous sommes tout simplement trop occupés. —R.K.

Notre Père céleste désire ardemment passer du temps avec ses enfants.

14 octobre

NOTRE MARCHE

LISEZ :
Deutéronome 11.13-23

[Afin] **que, comme Christ est ressuscité des morts par la gloire du Père, de même nous aussi nous marchions en nouveauté de vie.**
—Romains 6.4

LA BIBLE EN UN AN :
☐ Ésaïe 43 – 44
☐ 1 Thessaloniciens 2

Une émission de télévision que j'aime regarder comporte un segment intitulé « Ambush Makeover ». Deux femmes sont choisies pour passer trois heures à se faire pomponner en mettant leur coiffure, leur maquillage et leur garde-robe au goût du jour. La transformation est souvent spectaculaire. Lorsque les femmes sortent de derrière le rideau, l'auditoire en a le souffle coupé. Amis et proches se mettent parfois à pleurer. Ensuite, la personne « transformée » a la possibilité de se voir. Certaines sont tellement ahuries qu'elles se fixent longuement dans le miroir comme si elles cherchaient une preuve qu'elles sont toujours la même personne.

Tandis que les femmes traversent le plateau pour aller retrouver leurs compagnons, l'ancienne nature refait surface. La plupart ne savent pas marcher avec leurs nouvelles chaussures. Bien qu'elles soient élégantes, leur démarche maladroite les trahit. Leur transformation est incomplète.

Cela s'applique également à notre vie chrétienne. Dieu fait son œuvre en nous afin de nous donner un nouveau départ, mais marcher selon les voies du Seigneur (De 11.22) exige du temps, des efforts et beaucoup de pratique. Si nous nous contentons de rester là à sourire, nous pouvons donner l'impression d'avoir été transformées, mais notre façon de marcher révèle dans quelle mesure nous vivons cette transformation. Être transformé, c'est renoncer à notre ancienne vie et apprendre une nouvelle façon de marcher (Ro 6.4). —J.A.L.

Le changement de comportement commence par un changement de cœur.

15 octobre

Une dette de gratitude

Lisez :
Romains 16.1-16

***[Ils]* ont exposé leur tête pour sauver ma vie ; ce n'est pas moi seul qui leur rends grâces, ce sont encore toutes les Églises des païens.**
—Romains 16.4

La Bible en un an :
☐ Ésaïe 45 – 46
☐ 1 Thessaloniciens 3

Dave Randlett était de ceux dont je pouvais dire : « Grâce à lui, ma vie ne sera jamais plus la même. » Dave, qui est allé au ciel en octobre 2010, est devenu mon mentor lorsque je suis devenu disciple de Jésus durant mes études collégiales. Il a non seulement investi du temps en moi, mais il a également couru des risques en me donnant l'occasion d'apprendre et de grandir dans le ministère. Dieu s'est servi de lui pour me donner l'occasion d'être un prédicateur étudiant et de voyager avec une équipe de musiciens du collège. Résultat : il a contribué à me façonner et à me préparer en vue d'une vie consacrée à l'enseignement de la Parole de Dieu. Je suis heureux d'avoir eu plusieurs occasions de lui exprimer ma gratitude.

Comme j'ai été reconnaissant à Dave pour son influence dans ma vie, l'apôtre Paul l'a aussi été envers Aquilas et Prisca, qui ont servi le Seigneur avec lui. Il a dit qu'ils « ont exposé leur tête pour sauver *[sa]* vie ». Il les a remerciés d'un cœur reconnaissant, comme l'ont fait « toutes les Églises des païens » (Ro 16.4).

Il se peut que vous aussi vous ayez dans votre vie des gens qui ont couru des risques pour vous donner l'occasion de servir ou qui vous ont beaucoup influencé spirituellement. Ce sont peut-être des pasteurs, des responsables de ministère, des amis ou des proches qui ont donné d'eux-mêmes pour vous faire progresser dans les voies de Christ. La question est de savoir : Les en avez-vous remerciés ? —W.E.C.

Prenez le temps de remercier ceux qui vous sont venus en aide.

16 octobre

La règle de Wooden

Lisez :
1 Corinthiens 12.14-26

Ainsi le corps n'est pas un seul membre, mais il est formé de plusieurs membres.
—1 Corinthiens 12.14

La Bible en un an :
☐ Ésaïe 47 – 49
☐ 1 Thessaloniciens 4

Le légendaire entraîneur de basket-ball de l'UCLA John Wooden a créé une règle intéressante. Chaque fois que l'un de ses joueurs marquait un panier, il devait souligner l'apport de celui qui l'y avait aidé. Lorsque Wooden entraînait des lycéens, l'un d'eux lui a demandé : « Entraîneur John, ça ne prendra pas trop de temps ? » Il lui a répondu : « Je ne vous demande pas d'aller vous jeter dans ses bras. Un hochement de tête suffira. »

Pour remporter la victoire au basketball, Wooden voyait l'importance d'enseigner à ses joueurs qu'ils étaient une équipe – et non pas « juste des opérateurs indépendants ». Chacun contribuait à la réussite de tous.

Cela me rappelle la façon dont le Corps de Christ devrait fonctionner. Selon 1 Corinthiens 12.19,20, chacun de nous constitue une partie séparée d'un seul et même corps. « Si tous étaient un seul membre, où serait le corps ? Maintenant donc il y a plusieurs membres, et un seul corps. » La réussite d'un pasteur, d'une étude biblique ou d'une activité d'Église repose-t-elle uniquement sur les réalisations d'une seule personne ? Combien de gens contribuent au bon fonctionnement d'une Église, d'une organisation chrétienne, d'une famille ?

La règle de l'entraîneur Wooden et 1 Corinthiens 12 sont tous les deux enracinés dans la nécessité de reconnaître notre besoin des autres. Employons nos dons au sein du Corps de Christ pour édifier, fortifier et aider afin que les desseins de Dieu s'accomplissent (v. 1-11). —C.H.K.

Dans le Corps de Christ,
personne n'est sans importance.

17 octobre

Le caractère au jeu

Lisez :
2 Pierre 1.1-11

Sa divine puissance nous a donné tout ce qui contribue à la vie et à la piété.
—2 Pierre 1.3

La Bible en un an :
☐ Ésaïe 50 – 52
☐ 1 Thessaloniciens 5

Un entraîneur de football collégial du Bronx (New York) a bâti son équipe visant l'acquisition de bonnes valeurs. Au lieu de porter leur nom, les maillots des joueurs du Maritime College portaient au dos des mots comme *famille, respect, rendre des comptes* et *caractère*. Avant chaque match, l'entraîneur Clayton Kendrick-Holmes rappelait à son équipe la nécessité de jouer sur le terrain en fonction de ces principes.

L'apôtre Pierre avait sa propre liste de qualités chrétiennes (2 Pierre 1.5-7), qu'il encourageait les croyants à intégrer à leur vie de foi :

La vertu. Accomplir les desseins de Dieu par une excellente vie morale.

La connaissance. Étudier la Parole de Dieu afin d'acquérir la sagesse nécessaire pour combattre le mensonge.

La maîtrise de soi. Respecter Dieu au point de nous conduire avec piété.

La patience. Adopter une attitude empreinte d'espérance même dans les difficultés, car nous avons l'assurance des attributs de Dieu.

La piété. Honorer le Seigneur dans toutes nos relations.

L'amitié fraternelle. Avoir une grande affection pour les autres croyants.

L'amour. Nous sacrifier pour le bien d'autrui.

Acquérons toujours plus ces qualités et intégrons-les à toutes les sphères de notre vie. —A.M.C.

L'exercice pieux est la clef du caractère pieux.

18 octobre

PAPA N'A PAS DIT « OH ! »

LISEZ :
Éphésiens 5.1-10

L'Éternel est miséricordieux et compatissant.
—Psaume 145.8

LA BIBLE EN UN AN :
☐ Ésaïe 53 – 55
☐ 2 Thessaloniciens 1

Un soir, un de mes amis travaillait dans son bureau chez lui. Sa fillette, alors âgée d'environ quatre ans, jouait tout près de lui, bricolait, déplaçait des objets, ouvrait des tiroirs et faisait beaucoup de bruit.

Mon ami a enduré cette source de distraction avec une patience d'ange jusqu'à ce que l'enfant se referme un tiroir sur le doigt et se mette à hurler de douleur. Exaspéré, il lui a crié : « Ça suffit ! » en l'escortant hors de la pièce et en refermant la porte derrière lui.

Plus tard, l'ayant trouvée en train de pleurer dans sa chambre, sa mère a tenté de la consoler : « Ton doigt te fait-il encore mal ? » lui a-t-elle demandé. « Non », lui a répondu la fillette en reniflant. « Pourquoi pleures-tu, alors ? » a voulu savoir sa mère. « Parce que, quand je me suis fait mal au doigt, papa n'a pas dit "Oh !" » lui a répondu la petite d'une voix piteuse.

C'est parfois tout ce dont nous avons besoin, n'est-ce pas ? Quelqu'un qui se soucie de nous, et qui nous traitera avec gentillesse et compassion, quelqu'un qui nous dit : « Oh ! » En fait, nous avons quelqu'un du nom de Jésus qui le fait pour nous.

Jésus nous aime, il comprend notre chagrin et il s'est donné pour nous (Ép 5.2). Nous devons maintenant « marcher dans l'amour » et l'imiter. —D.H.R.

Les murmures réconfortants de Dieu atténuent le bruit de nos épreuves.

19 octobre

INVESTIR DANS L'AVENIR

LISEZ :
Matthieu 6.19-24

***[Mais]* amassez-vous des trésors dans le ciel, où la teigne et la rouille ne détruisent point, et où les voleurs ne percent ni ne dérobent.**
—Matthieu 6.20

LA BIBLE EN UN AN :
☐ Ésaïe 56 – 58
☐ 2 Thessaloniciens 2

Jason Bohn était collégien lorsqu'il a fait un trou en un qui lui a rapporté un million de dollars. Même si d'autres auraient peut-être dilapidé cet argent, Bohn a suivi son plan. Voulant devenir golfeur professionnel, il s'est servi de cet argent comme d'un fonds de vie et de formation afin d'améliorer ses performances au golf. Cette somme est devenue un investissement dans son avenir – un investissement qui lui a rapporté gros lorsqu'il a remporté l'Open B. C. du PGA Tour de 2005. La décision de Bohn d'investir dans son avenir au lieu de vivre pour l'instant présent a été des plus sages.

Dans un sens, c'est ce que Jésus nous appelle à faire. Il nous a confié des ressources – temps, aptitudes, opportunités – et il nous revient de décider de la façon de les employer. Le défi à relever consiste à voir ces ressources comme l'occasion d'investir à long terme. « *[Mais]* amassez-vous des trésors dans le ciel », voilà comment Jésus présente les choses dans Matthieu 6.20. Ces trésors protégés ne sauraient être détruits ni dérobés, comme Jésus nous l'assure.

Réfléchissez à vos ressources : talents, temps, connaissances. Elles sont temporelles et limitées. Par contre, si vous les investissez en vue de l'éternité, elles peuvent avoir une incidence durable. Sur quoi vous concentrez-vous ? Le présent ou l'éternité ? Investissez dans l'avenir. Cela aura non seulement une incidence éternelle, mais cela changera également votre façon de percevoir la vie jour après jour. —W.E.C.

Les gens les plus riches de la terre sont ceux qui investissent leur vie dans les cieux.

20 octobre

MES ONGLES OU SA MAIN ?

LISEZ :
Psaume 37.23-26

[Car] **l'Éternel lui prend la main.**
—Psaume 37.24

LA BIBLE EN UN AN :
☐ Ésaïe 59 – 61
☐ 2 Thessaloniciens 3

Les temps difficiles risquent de changer notre perspective du tout au tout. Je me le suis rappelé en discutant dernièrement avec une personne ayant vécu elle aussi un deuil – un parent qui, comme Sue et moi, a perdu son adolescente, morte de manière soudaine et inattendue.

Elle me disait que sa fille lui manquait terriblement et qu'elle avait dit à Dieu avoir l'impression de rester accrochée à la vie par les ongles. Puis, elle a eu le sentiment que Dieu lui rappelait que sa main protectrice était là pour la soutenir – qu'elle pouvait lâcher prise et qu'il l'attraperait.

C'est une meilleure perspective, n'est-ce pas ? Cette image nous rappelle que, lorsque les problèmes surgissent et que nous nous sentons le moins capables de nous cramponner à notre foi, le secours ne dépend pas de nous. Il revient à Dieu de nous soutenir de sa main puissante.

Psaume 37.23,24 dit : « L'Éternel affermit les pas de l'homme […]. S'il tombe, il n'est pas terrassé, car l'Éternel lui prend la main. » Et Psaume 63.9 nous dit : « Mon âme est attachée à toi ; ta droite me soutient. »

En période difficile, il se peut que nous nous souciions de « nous cramponner à Dieu » au point d'en oublier la protection qu'il nous a promise. Ce ne sont pas nos ongles qui nous soutiennent, mais sa main aimante et puissante. —J.D.B.

Personne n'est plus en sécurité que celui dont Dieu prend la main.

21 octobre

UN COEUR À LA FOIS

LISEZ : Philémon 1.12-22

[Non] **plus comme un esclave, mais comme supérieur à un esclave, comme un frère bien-aimé.**
—Philémon 1.16

LA BIBLE EN UN AN :
☐ Ésaïe 62 – 64
☐ 1 Timothée 1

Le quaker John Woolman était un prédicateur itinérant qui a mené sa propre campagne afin que l'esclavage soit aboli en Amérique coloniale. Woolman a rencontré des propriétaires d'esclaves pour leur parler de l'injustice qu'il y avait dans le fait de posséder des êtres humains comme on possède des biens matériels. Même s'il n'a pas complètement éradiqué l'esclavage, il est parvenu à convaincre plusieurs maîtres de rendre la liberté à leurs esclaves. Il devait sa réussite à ses efforts de persuasion individuels et personnels.

Le livre de Philémon relate un appel personnel similaire. Onésime était un esclave qui s'était enfui de chez son maître chrétien, Philémon. Onésime avait mis sa foi en Christ par le ministère de Paul, et Paul le renvoyait maintenant à Philémon avec ces paroles : « Peut-être a-t-il été séparé de toi pour un temps, afin que tu le retrouves pour l'éternité, non plus comme un esclave, mais comme supérieur à un esclave, comme un frère bien-aimé » (v. 15,16). Bien que nous ignorions si Onésime a été libéré de l'esclavage, sa nouvelle foi en Jésus avait changé sa relation avec son maître chrétien. Il était maintenant aussi un frère en Christ. Paul influençait son monde un cœur à la fois.

Par la puissance transformatrice de l'Évangile, les gens et les situations peuvent changer. Comme Woolman et Paul, cherchons à influencer notre monde, un cœur à la fois. —H.D.F.

La plus grande bonté que l'on puisse avoir envers une personne consiste à lui indiquer la vérité.

22 octobre

À BIENTÔT !

LISEZ :
1 Thessaloniciens 4.13-18

***[Afin]* que vous ne vous affligiez pas comme les autres qui n'ont point d'espérance.**
—1 Thessaloniciens 4.13

LA BIBLE EN UN AN :
☐ Ésaïe 65 – 66
☐ 1 Timothée 2

Mon grand-père a toujours refusé de dire « au revoir », ce qu'il trouvait trop final. Lorsque nous quittions sa maison après une visite familiale, il se prêtait donc toujours au même rituel. Se tenant devant les fougères vertes bordant sa maison, il nous saluait de la main et nous lançait : « À bientôt ! »

En tant que croyants, nous n'avons jamais à faire nos adieux à ceux que nous aimons, dans la mesure où ils ont mis leur foi en Jésus comme leur Sauveur. La Bible nous promet que nous les reverrons.

L'apôtre Paul a dit : « *[Afin]* que vous ne vous affligiez pas comme les autres qui n'ont point d'espérance » (1 Th 4.13), car lorsque Jésus reviendra, les chrétiens qui seront morts sortiront de leur tombe et – avec les croyants qui seront encore vivants – iront à la rencontre du Seigneur dans les airs (v. 15-17). Nous avons l'assurance qu'un jour, au ciel, « il n'y aura plus ni deuil, ni cri, ni douleur » (Ap 21.4). C'est dans ce merveilleux endroit que « nous serons toujours avec le Seigneur » (1 Th 4.17).

Les chrétiens ont l'espoir de retrouvailles éternelles avec Christ et leurs êtres chers disparus. Voilà d'ailleurs pourquoi Paul nous exhorte ainsi : « Consolez-vous donc les uns les autres par ces paroles » (v. 18). Aujourd'hui, encouragez quelqu'un par l'espoir qui nous permet de dire « à bientôt » et non « adieu ». —J.B.S.

À leur mort, les enfants de Dieu ne se disent pas « Adieu », mais « À plus tard ».

23 octobre

IL PREND BIEN SOIN DE MOI

LISEZ :
Jean 10.7-15

***[Je]* donne ma vie pour mes brebis.**
—Jean 10.15

LA BIBLE EN UN AN :
☐ Jérémie 1 – 2
☐ 1 Timothée 3

Durant les instants de tranquillité avant un service dominical, l'organiste a joué un cantique qui m'était inconnu. Je suis allé voir à la page notée dans le livre de cantiques et j'ai lu les paroles du chant : « Le Seigneur, mon Berger, prend bien soin de moi », une belle paraphrase du Psaume 23.

Le Seigneur, mon Berger, prend bien soin de moi. Tous mes besoins sont comblés : dans les verts pâturages je m'allonge, à des eaux paisibles je suis mené. Sur son vrai chemin, mon âme meurtrie s'affermit (traduction libre).

Nous avons beau lire ou entendre souvent le Psaume 23, il semble toujours nous apporter un message nouveau de la part de Dieu.

Même si je marchais dans des vallées ténébreuses comme des tombeaux, aucun mal je ne craindrais ; ta présence me rend brave. En ma faveur, ton bâton et ta houlette m'assurent ton secours.

Cette image est bien connue des gens qui ont entendu Jésus dire : « Je suis le bon berger. Le bon berger donne sa vie pour ses brebis » (Jn 10.11). Contrairement à la personne engagée qui s'enfuit pour échapper au danger, le vrai berger reste là pour protéger les brebis. « Mais le mercenaire, qui n'est pas le berger […] voit venir le loup, abandonne les brebis, et prend la fuite […]. Je suis le bon berger. Je connais mes brebis » (v. 12-14).

Quoi que vous affrontiez aujourd'hui, Jésus connaît votre nom, il connaît le danger, et il ne vous laissera pas à vous-même. Vous pouvez dire avec assurance : « Le Seigneur, mon Berger, prend bien soin de moi. » —D.C.M.

L'Agneau qui est mort pour nous sauver est le Berger qui vit pour nous diriger.

24 octobre

EMBOURBÉ

LISEZ :
Jérémie 20.7-13

[Il] y a dans mon cœur comme un feu dévorant qui est renfermé dans mes os. Je m'efforce de le contenir.
—Jérémie 20.9

LA BIBLE EN UN AN :
☐ Jérémie 3 – 5
☐ 1 Timothée 4

On a déjà appelé Jérémie « le prophète pleureur ». Il se peut qu'il ait été enclin à la sensibilité et à la mélancolie, en plus du fait que le jugement de Dieu qu'Israël s'attirait par sa désobéissance lui brisait le cœur. Sa capacité de s'attrister est étonnante : « Oh ! si ma tête était remplie d'eau, si mes yeux étaient une source de larmes, je pleurerais jour et nuit » (Jé 9.1).

Comme si le fait de pleurer sur son peuple ne suffisait pas, Jérémie s'est fait persécuter pour son message prophétique de jugement. À une certaine occasion, Jérémie s'est fait jeter dans une citerne pleine de boue (Jé 38.6). L'opposition à son ministère a valu au grand prophète d'être captif d'un lieu de désespoir.

Il se peut que, dans nos tentatives pour servir le Seigneur, nous nous sentions parfois captifs d'une situation pénible et étonnamment douloureuse. Par contre, l'endurance du prophète devrait nous inspirer la persévérance. La compréhension que Jérémie avait de son appel divin était si profonde que rien n'aurait pu le dissuader de servir le Seigneur. « *[Il]* y a dans mon cœur comme un feu dévorant qui est renfermé dans mes os. Je m'efforce de le contenir, et je ne le puis » (Jé 20.9).

Les résultats de vos efforts pour servir le Seigneur vous ont-ils déçu ? Demandez-lui de renouveler votre cœur par son Esprit, et continuez de servir Dieu en dépit de vos revers de fortune. —H.D.F.

Aucun service rendu à Dieu n'est insignifiant.

25 octobre

UNE JUSTICE POÉTIQUE

LISEZ :
Esther 3.1-11 ; 7.1-10

À moi la vengeance, à moi la rétribution, dit le Seigneur.
—Romains 12.19

LA BIBLE EN UN AN :
☐ Jérémie 6 – 8
☐ 1 Timothée 5

Pendant près d'un an, un de mes anciens collègues d'édition a vécu dans la peur d'être congédié. Un nouveau patron du service s'était mis, pour une raison inconnue, à remplir son dossier personnel de remarques négatives. Puis, le jour où mon ami s'attendait à perdre son emploi, c'est le nouveau patron qui s'est fait congédier à la place.

Les Israélites étant en captivité à Babylone, un Juif nommé Mardochée s'est retrouvé dans ce genre de situation. Haman, le plus grand noble de la cour du roi Assuérus, s'attendait à ce que tous les serviteurs du roi fléchissent le genou et se prosternent devant lui, mais Mardochée a refusé de le faire devant tout autre que Dieu (Est 3.1,2). Outré, Haman a résolu de détruire non seulement Mardochée, mais aussi les Juifs de tout l'Empire perse (v. 5,6). Ayant convaincu Assuérus de signer un édit autorisant la destruction de tous les Juifs, Haman a commencé à faire ériger une potence destinée à exécuter Mardochée (5.14). Dans un renversement de situation étonnant, c'est toutefois Haman que l'on a pendu à la potence qu'il avait fait ériger pour Mardochée, et le peuple juif a été épargné (7.9,10 ; 8).

En littérature, on parle de justice poétique. Ce n'est pas tout le monde qui a droit à une justice aussi éclatante, mais l'Écriture promet qu'un jour Dieu vengera toute injustice (Ro 12.19). En attendant, nous devons nous efforcer de faire triompher la justice et de laisser les résultats entre les mains de Dieu. —J.A.L.

La balance de la justice divine s'équilibre toujours – si ce n'est ici, ce sera là haut.

26 octobre

Rendez-vous divins

Lisez :
Actes 16.9-31

Paul et Silas priaient et chantaient les louanges de Dieu, et les prisonniers les entendaient.
—Actes 16.25

La Bible en un an :
☐ Jérémie 9 – 11
☐ 1 Timothée 6

Avez-vous déjà été retenu dans un aéroport ? Pendant 24 heures ? Dans une ville dont vous ne parlez pas la langue ? À 6500 km de la maison ?

C'est arrivé à l'un de mes amis dernièrement, et nous avons une leçon à tirer de sa réaction. Même si la plupart d'entre nous auraient trouvé cet inconvénient intolérable, mon ami John y a vu la main de Dieu. Durant son séjour forcé, il a cherché des occasions de tisser des liens avec d'autres passagers. Il est tombé « par hasard » sur des chrétiens de l'Inde, qui lui ont parlé d'un ministère auquel ils se consacraient. En fait, étant donné que les intérêts de John correspondaient au ministère de ses nouveaux amis, ils l'ont invité en Inde pour y participer à un projet à court terme.

Combien de fois vivons-nous des retards, des changements au programme et des redressements de tir, et les traitons-nous comme des inconvénients ? Il se pourrait que Dieu soit en train de nous faire emprunter un détour afin de nous faire faire quelque chose de différent ou de nouveau pour lui. Considérez le voyage de Paul à Philippes dans Actes 16. Il s'était rendu en Macédoine, selon une vision que Dieu lui avait donnée (v. 9,10). Comment aurait-il pu savoir qu'il aboutirait en prison ? Pourtant, même ce séjour en prison a été voulu de Dieu, car il s'est servi de Paul pour apporter le salut au geôlier et à sa famille (v. 25-34).

Si nous considérons les inconvénients de notre vie comme des rendez-vous divins, Dieu pourra s'en servir. —J.D.B.

Dieu peut changer des obstacles en opportunités.

27 octobre

Tolérance zéro

Lisez :
Lévitique 19.11-18

Tu ne répandras point de calomnies parmi ton peuple.
—Lévitique 19.16

La Bible en un an :
☐ Jérémie 12 – 14
☐ 2 Timothée 1

Lorsque Shayla McKnight a postulé dans une imprimerie cybernétique, elle a été surprise d'apprendre que l'employeur avait adopté une politique de tolérance zéro en matière de calomnies. Les employés sont encouragés à se dire les vraies choses, au lieu de se calomnier entre eux. Si un employé est pris en flagrant délit de calomnie, il se fera réprimander et, s'il persiste, il sera congédié.

Bien longtemps avant que ce genre de politique soit adopté dans une société, Dieu nous a parlé de sa propre politique de tolérance zéro en matière de calomnies et de médisance parmi son peuple (Lé 19.16). Il était interdit de répandre sottement ou malicieusement des rumeurs ou des faits au sujet d'une autre personne.

Salomon a dit que le fait de calomnier les autres pouvait avoir des conséquences désastreuses. Cela a pour effet de trahir la confiance (Pr 11.13), de diviser les amis (16.28 ; 17.9), de se couvrir de honte et de se faire une mauvaise renommée (25.9,10), ainsi que d'attiser sans cesse les querelles (26.20-22). Les gens peuvent rarement redresser les torts qu'ils ont causés à leur prochain par leurs propos mensongers.

Demandons au Seigneur de nous aider à éviter d'alimenter les propos nuisibles au sujet des autres. Il veut que nous mettions une garde à notre bouche afin que nous disions plutôt tout le bien que nous savons au sujet de tout un chacun. —M.L.W.

Détruisez les calomnies en n'en faisant aucun cas.

28 octobre

POURQUOI MOI ?

LISEZ :
Psaume 131

Les choses cachées sont à l'Éternel.
—Deutéronome 29.29

LA BIBLE EN UN AN :
☐ Jérémie 15 – 17
☐ 2 Timothée 2

Dernièrement, j'ai lu le Psaume 131, l'un de mes psaumes préférés. Par le passé, je le voyais comme un encouragement à considérer que le mystère compte au nombre des attributs de Dieu. Il me mettait au défi de laisser mon esprit se reposer, étant donné que je suis incapable de saisir tout ce que Dieu fait dans son univers.

Puis, j'ai découvert un autre côté de l'esprit calme de David : je suis incapable de saisir tout ce que Dieu fait en *moi*, ce qui est d'ailleurs incompréhensible.

David fait une comparaison entre un enfant sevré qui ne se soucie plus de ce qu'il exigeait auparavant et une âme qui a appris la même leçon. Il s'agit d'un appel à acquérir l'humilité, une persévérance patiente et le contentement en toute situation – quelle qu'elle soit – bien que les raisons de Dieu m'échappent. La logique divine transcende ma compréhension.

Je demande : « Pourquoi cette affliction ? Pourquoi cette angoisse ? » Le Père me répond : « Tais-toi, mon enfant. Tu ne le comprendrais pas même si je te l'expliquais. Fais-moi simplement confiance ! »

Ainsi donc, je délaisse l'exemple de David pour me demander : *Est-ce que, dans ma situation, je peux «* [mettre mon] *espoir en l'Éternel » ?* (v. 3.) Puis-je attendre avec foi et patience sans m'inquiéter et douter de la sagesse de Dieu ? Puis-je lui faire confiance tandis qu'il accomplit en moi sa volonté, qui est bonne, acceptable et parfaite ? —D.H.R.

Dans un monde de mystère, il est réconfortant de connaître le Dieu qui connaît toutes choses.

29 octobre

LES BONS INGRÉDIENTS

LISEZ :
Matthieu 22.34-39 ; 28.16-20

[*Étant*] toujours prêts à vous défendre avec douceur et respect.
—1 Pierre 3.15

LA BIBLE EN UN AN :
☐ Jérémie 18 – 19
☐ 2 Timothée 3

Bien que mes talents culinaires restent élémentaires, il m'arrive à l'occasion d'utiliser une préparation pour gâteau afin d'en confectionner un. Après y avoir ajouté des œufs, de l'huile végétale et de l'eau, je mélange le tout. Pour confectionner un délicieux gâteau, il est primordial d'avoir le juste équilibre des ingrédients. Or, cela m'aide à me représenter la relation entre le plus grand commandement (Mt 22.36-38) et le Grand Mandat (28.19,20) tandis que nous propageons l'Évangile.

Lorsque Jésus a demandé à ses disciples d'aller faire des disciples de toutes les nations, il ne les a pas autorisés à se montrer impolis et indifférents chemin faisant. Il a lui-même fait suivre immédiatement « le premier et le plus grand commandement » – aimer Dieu de tout notre cœur, de toute notre âme et de toute notre pensée – de l'appel : « *[Tu]* aimeras ton prochain comme toi-même » (Mt 22.37-39). Ce mode de vie empreint de compassion et de respect est d'ailleurs cité dans plusieurs passages du Nouveau Testament, y compris « le chapitre de l'amour » (1 Co 13) et celui où Pierre demande de défendre l'espérance qui est en nous « avec douceur et respect » (1 Pi 3.15).

Dans notre désir de faire connaître Christ aux autres, nous devons toujours inclure un bon équilibre de deux ingrédients : le véritable Évangile et l'amour empreint de piété. C'est à la chaleur de l'amour de Dieu que ce gâteau merveilleusement bon cuit le mieux. —D.C.M.

Celui dont la vie sert de témoignage est celui qui témoigne le mieux.

30 octobre

PÈRE DU MENSONGE

LISEZ :
Jean 8.37-47

Lorsqu'il [*le diable*] profère le mensonge, il parle de son propre fonds ; car il est menteur et le père du mensonge.
—Jean 8.44

LA BIBLE EN UN AN :
☐ Jérémie 20 – 21
☐ 2 Timothée 4

La domination de Satan sur l'humanité a commencé lorsqu'il a monté Adam et Ève contre Dieu. Pour parvenir à ses fins, il a dû leur mentir au sujet de Dieu, et ils ont dû tomber dans le panneau. À cet instant crucial, il leur a menti au sujet de la bonté de Dieu, de la Parole de Dieu et des intentions de Dieu (Ge 3.1-6).

Satan fait de nouveau des siennes. Jésus a dit que, lorsque le diable « profère le mensonge, il parle de son propre fonds ; car il est menteur » (Jn 8.44). Nous ne devrions donc pas nous étonner de ce que, lorsque les problèmes interrompent notre vie, le père du mensonge nous murmure à l'oreille et nous nous mettons soudain à douter de la bonté de Dieu. Quand on nous demande d'obéir aux commandements de Dieu, nous nous demandons en premier lieu si sa Parole dit réellement vrai. Lorsque Jésus nous dit des choses comme : « Ne vous amassez pas des trésors sur la terre » (Mt 6.19), Satan nous dit que la belle vie consiste à accumuler des choses ici-bas, ce qui nous amène à douter des bonnes intentions de Dieu.

L'ennui, c'est que, comme Adam et Ève, nous croyons les mensonges de Satan. Et ce faisant, nous compromettons notre loyauté envers Dieu. Ensuite, l'ennemi passe à sa prochaine mission, nous laissant seuls pour affronter nos regrets et la réalisation que ses mensonges nous ont séduits, nous amenant à nous éloigner de notre meilleur et véritable Ami. Qui avez-vous écouté dernièrement ? —J.M.S.

La puissance de Satan ne saurait égaler celle de la Parole de Dieu.

31 octobre

Surprise !

Lisez :
Jean 1.6-13

Voici, l'Agneau de Dieu, qui ôte le péché du monde.
—Jean 1.29

La Bible en un an :
☐ Jérémie 22 – 23
☐ Tite 1

Un chroniqueur du journal *The Washington Post* a mené une expérience visant à tester la perception des gens. Il a demandé à un célèbre violoniste de se produire incognito dans une gare ferroviaire de la capitale nationale un matin de janvier. Des milliers de gens sont passés près de lui tandis qu'il jouait, mais seuls quelques passants se sont arrêtés pour l'écouter. Au bout de 45 minutes, on n'avait déposé que 32 $ dans l'étui à violon ouvert du virtuose. Deux jours plus tôt, cet homme – Joshua Bell – s'était servi du même Stradivarius d'une valeur de 3,5 millions de dollars pour jouer à guichet fermé dans le cadre d'un concert au prix de 100 $ le billet.

Le fait qu'une personne ne soit pas reconnue pour sa grandeur n'a rien de nouveau. C'est arrivé à Jésus, comme Jean l'a dit : « Elle [*la Parole faite chair*] était dans le monde, et le monde [...] ne l'a point connue » (Jn 1.10). Pourquoi des gens dans l'attente du Messie ont-ils si mal accueilli Jésus ? Cela s'explique en partie par le fait qu'ils ont été pris par surprise. Comme les gens ne s'attendent pas aujourd'hui à voir de célèbres musiciens jouer dans les gares ferroviaires, les gens de l'époque de Jésus ne s'attendaient pas à ce que le Messie naisse dans une étable. Ils s'attendaient également à ce qu'il vienne en roi *politique*, et non à la tête d'un royaume spirituel.

Les gens du Ier siècle ne comprenaient pas pourquoi Dieu envoyait Jésus dans le monde. Or, il est venu sauver les gens de leurs péchés (Jn 1.29). Recevez le don étonnant du salut que Dieu vous offre aujourd'hui. —C.P.H.

Dieu est entré sur la scène de l'histoire de l'humanité afin de nous faire cadeau de la vie éternelle.

1er novembre

RESTER CLEAN

LISEZ : Psaume 119.9-16

Je serre ta parole dans mon cœur, afin de ne pas pécher contre toi. —Psaume 119.11

LA BIBLE EN UN AN :
☐ Jérémie 24 – 26
☐ Tite 2

Durant un voyage d'affaires à Philadelphie, j'ai emprunté chaque matin Broad Street vers la mairie pour y prendre le métro. Chaque jour, je suis passé à pied à côté d'une longue file de gens qui attendaient quelque chose. Tous ces gens différaient par leur âge, leurs origines ethniques et leur apparence. Après m'être interrogé au sujet de cette file pendant trois jours, j'ai demandé à un homme sur le trottoir pourquoi tous ces gens faisaient la queue. Il m'a répondu qu'ils étaient en probation ou en libération conditionnelle après avoir transgressé la loi et devaient subir chaque jour un test de dépistage des drogues pour prouver qu'ils restaient irréprochables.

Cela m'a frappé et m'a fait penser à la nécessité de rester spirituellement irréprochable devant Dieu. En réfléchissant aux moyens de mener une vie de pureté, le psalmiste en est venu à la conclusion que la clef du succès résidait dans le fait de considérer les enseignements de Dieu et d'y obéir. « Je serre ta parole dans mon cœur, afin de ne pas pécher contre toi. Béni sois-tu, ô Éternel ! Enseigne-moi tes statuts ! […] Je fais mes délices de tes statuts, je n'oublie point ta parole » (Ps 119.11,12,16).

À la lumière de la Parole de Dieu, nous voyons nos péchés, mais nous voyons également l'amour de Dieu en Christ. « Si nous confessons nos péchés, il est fidèle et juste pour nous les pardonner, et pour nous purifier de toute iniquité » (1 Jn 1.9).

Par sa grâce, restez spirituellement irréprochable. —D.C.M.

Lisez la Parole pour être sage, croyez-la pour être en sécurité et mettez-la en pratique pour être saint.

2 novembre

UNE GARDE À SA BOUCHE

LISEZ :
Proverbes 15.1-7

La langue des sages rend la science aimable, et la bouche des insensés répand la folie.
—Proverbes 15.2

LA BIBLE EN UN AN :
☐ Jérémie 27 – 29
☐ Tite 3

Je marchais dans une station de métro de Minsk, au Bélarus, avec mon amie Yuliya et sa fille Anastasia lorsque je suis soudain tombé face contre le sol de béton. Je ne me rappelle pas ma chute, mais je me rappelle avoir soudain eu la bouche pleine de sable, de gravier et de gravillon. Pouah ! Il me tardait de me sortir tout cela dc la bouche !

Ce qui m'est entré *dans* la bouche à cette occasion embarrassante m'a déplu. Toutefois, l'Écriture enseigne qu'il importe plus de prendre garde à ce qui *sort* de notre bouche. Dans Proverbes 15 – « la bouche des insensés répand la folie » (v. 2) –, le mot rendu par *répand* signifie littéralement « explose ». Les accusations irréfléchies, les paroles coléreuses et la violence verbale peuvent causer de graves préjudices pour toute la vie. L'apôtre Paul en a parlé sans ménagement : « Qu'il ne sorte de votre bouche aucune parole mauvaise » (Ép 4.29) – aucun propos grossiers. Il a également demandé : « renoncez au mensonge » et : « que chacun de vous parle selon la vérité » (v. 25) – aucun mensonge. Plus tard : « Que toute amertume, toute animosité, toute colère, toute clameur, toute calomnie, et toute espère de méchanceté, disparaissent du milieu de vous » (v. 31) – aucune diffamation. Ce qui franchit nos lèvres doit être sain et édifiant.

Nous vérifions soigneusement ce qui entre dans notre bouche, et avec raison. Pour honorer Dieu, veillons également de près sur les paroles qui sortent de notre bouche. —D.C.E.

Prenez garde à vos pensées, car elles peuvent se changer à tout moment en paroles.

3 novembre

CHERCHER DE L'EAU

LISEZ :
Jean 4.1-15

***[Mais]* celui qui boira de l'eau que je lui donnerai n'aura jamais soif.**
—Jean 4.14

LA BIBLE EN UN AN :
☐ Jérémie 30 – 31
☐ Philémon

Les États-Unis ont dépensé des millions de dollars pour trouver de l'eau sur Mars. Il y a quelques années, la NASA a envoyé deux robots, Opportunity et Spirit, sur la planète rouge afin de voir s'il s'y trouvait de l'eau ou s'il s'y était déjà trouvé de l'eau. Pourquoi les États-Unis l'ont-ils fait ? Les scientifiques qui étudient de près les données que ces deux petits vagabonds martiens leur ont rapportées s'efforcent de découvrir si la vie a déjà existé sur Mars. Et pour que cela ait été le cas, il faut qu'il s'y soit déjà trouvé de l'eau. Sans eau, aucune vie n'est possible.

Il y a deux mille ans, quelques « vagabonds » ont traversé la contrée d'un avant-poste terrestre nommé Samarie en quête d'eau. Il y avait une femme qui vivait dans le voisinage. L'autre était un homme de la Galilée. Ils se sont rencontrés près d'un puits situé à proximité du village de Sychar. À cette occasion, Jésus a trouvé l'eau qu'il cherchait et la femme a trouvé l'eau dont elle ignorait avoir besoin (Jn 4.5-15).

L'eau est essentielle pour la vie tant physique que spirituelle. Jésus réservait une surprise à la femme au puits. Il lui a offert l'eau de la vie, à savoir lui-même. Il est « une source d'eau [*rafraîchissante et désaltérante*] qui jaillira jusque dans la vie éternelle » (Jn 4.14).

Connaissez-vous quelqu'un qui cherche de l'eau ? Quelqu'un qui a spirituellement soif ? Présentez cette personne à Jésus, l'eau vive. C'est la plus grande découverte de tous les temps. —J.D.B.

Seul Jésus, l'eau vive, peut étancher l'âme assoiffée.

4 novembre

La brebis peut barboter

Lisez :
2 Timothée 3.13-17

Toute Écriture […] est utile.
—2 Timothée 3.16

La Bible en un an :
☐ Jérémie 32 – 33
☐ Hébreux 1

L'auteur C. S. Lewis dit que les concepts religieux sont comme des potages : certains sont consistants et d'autres sont clairs. Il y a effectivement des concepts plus difficiles à comprendre dans la Bible : des mystères, des subtilités et des complexités qui sont une gageure même pour l'esprit le plus accompli. Par exemple : « Ainsi, il [*Dieu*] fait miséricorde à qui il veut, et il endurcit qui il veut » (Ro 9.18). Et pourtant, dans le même livre il y a des pensées on ne peut plus « claires » : simples, accessibles et faciles à saisir. Qu'est-ce qui pourrait surpasser en simplicité l'énoncé clair de 1 Jean 4.16 : « Dieu est amour » ?

John Cameron, un auteur du XVe siècle, suggère ceci : « Dans le même pré, le bœuf peut brouter de l'herbe […] l'oiseau peut picorer des graines […] et un homme trouve une perle ; dans la seule et même Écriture, il peut donc se trouver toutes sortes de passages abordant toutes sortes de conditions. En elle, la brebis peut barboter, l'éléphant peut nager, des enfants peuvent être allaités et de la viande peut être consommée pour fortifier des hommes. »

Tous les trésors de la sagesse et de la connaissance sont dans le livre de Dieu, la Bible – des océans profonds pouvant stimuler l'esprit le plus averti et des endroits peu profonds où toute âme simple et sincère peut naviguer.

Pourquoi hésiter ? « Toute Écriture […] est utile » (2 Ti 3.16). Lancez-vous ! —D.H.R.

Dieu parle par sa Parole, prenez le temps de l'écouter.

5 novembre

La paix en temps de crise

Lisez :
Jean 14.19-27

Je vous laisse la paix. —Jean 14.27

La Bible en un an :
☐ Jérémie 34 – 36
☐ Hébreux 2

Ted, l'un des anciens de notre Église, a déjà été policier. Un jour, après avoir répondu à un appel rapportant de la violence, il a dit qu'à cette occasion sa vie en était venue à être menacée. Un homme avait poignardé quelqu'un, puis avait tourné le couteau de manière menaçante vers Ted. Un autre policier avait visé et tiré sur l'assaillant alors que celui-ci se ruait vers Ted. On s'était rendu maître du criminel, mais Ted avait été pris entre deux feux et atteint. Durant le trajet en ambulance jusqu'à l'hôpital, il a senti le Saint-Esprit submerger son âme de profondes vagues de paix. Ted était d'une telle tranquillité qu'il a pu offrir des paroles de réconfort au policier que la crise avait émotionnellement perturbé.

Le Seigneur Jésus nous a promis sa paix en temps de crise. Quelques heures à peine avant sa crucifixion, Christ a consolé ses disciples par ces paroles : « Je vous laisse la paix, je vous donne ma paix. Je ne vous donne pas comme le monde donne. Que votre cœur ne se trouble point, et ne s'alarme point » (Jn 14.27).

Quelle est votre pire crainte ? Si vous deviez la surmonter, Christ serait là à vos côtés. Si vous mettez votre confiance en lui par le moyen de la prière, vous faites en sorte que « la paix de Dieu, qui surpasse toute intelligence, *[garde]* vos cœurs et vos pensées en Jésus-Christ » (Ph 4.7). —H.D.F.

Le secret de la paix consiste à remettre tous nos soucis à Dieu.

6 novembre

De grandes eaux

Lisez : Apocalypse 1.9-17

[Ses] pieds étaient semblables à de l'airain ardent, comme s'il avait été embrasé dans une fournaise ; et sa voix était comme le bruit de grandes eaux.
—Apocalypse 1.15

La Bible en un an :
- ☐ Jérémie 37 – 39
- ☐ Hébreux 3

En séjour au Brésil, je suis allé voir les chutes d'Ignazú, qui comptent parmi les chutes les plus hautes du monde. Les chutes massives sont d'une beauté à couper le souffle, mais ce qui m'a impressionné le plus à Ignazú, ce n'était pas la vue des chutes ou le nuage de gouttelettes. C'était le bruit. Il était assourdissant. J'avais l'impression d'être au cœur même du bruit. C'était une expérience extraordinaire qui m'a rappelé combien je suis petit par comparaison.

Plus tard, en me remémorant cette scène, je n'ai pu m'empêcher de penser à Jean dans Apocalypse 1.15. Sur l'île de Patmos, il a eu une vision du Christ ressuscité. L'apôtre a décrit Jésus dans la gloire de sa résurrection, en mentionnant sa tenue vestimentaire et ses qualités physiques. Puis, Jean a décrit la voix de Christ « comme le bruit de grandes eaux » (v. 15).

Je ne suis pas certain d'avoir réellement compris ce que cela signifiait avant d'avoir visité Ignazú et d'avoir été renversé d'entendre le bruit assourdissant de ces chutes. Alors que ces grandes eaux me rappelaient ma petitesse, j'ai pu mieux comprendre pourquoi Jean était tombé aux pieds de Christ comme s'il avait été mort (v. 17).

Peut-être cette description vous aidera-t-elle à saisir la splendeur de la présence de Jésus et vous poussera-t-elle à imiter Jean en adorant le Sauveur. —W.E.C.

Le véritable culte de Christ change l'admiration en adoration.

7 novembre

LABOURER EN LIGNE DROITE

LISEZ : Philippiens 3.8-17

***[Je]* cours vers le but, pour remporter la vocation céleste de Dieu en Jésus-Christ. —Philippiens 3.14**

LA BIBLE EN UN AN :
☐ Jérémie 40 – 42
☐ Hébreux 4

C'est mon premier jour sur le tracteur ! Une brise matinale fraîche balaie le champ. Le bruit du moteur étouffe le chant des grillons et les faibles sons de la campagne. Avec la charrue dans le sol, je traverse le champ. Je baisse le regard sur les jauges et la commande de changement de vitesse, je serre l'acier froid du volant, puis j'admire la puissance à ma disposition. Finalement, je regarde derrière pour voir les résultats. Au lieu du sillon bien droit que je m'attendais à voir, je vois ce qui ressemble plutôt à un serpent ondulant, plus tortueux que l'Indianapolis Motor Speedway.

C'est qu'on nous dit bien : « Laboure en gardant les yeux fixés sur le piquet de clôture. » En fixant du regard un point au-delà du champ, le laboureur est sûr de labourer en ligne droite. Je m'y emploie au retour, avec des résultats révélateurs : le sillon est droit. Il n'ondulait que lorsque je n'avais pas de point de mire.

Paul a usé d'une sagesse similaire lorsqu'il a écrit au sujet de la nécessité de garder le regard fixé sur Jésus-Christ et de l'incidence que cela a eue sur lui. Cela lui a permis non seulement de faire fi des distractions (Ph 3.8,13), mais encore de garder les yeux fixés sur le but (v. 8,14), de remarquer le résultat (v. 9-11) et d'observer l'exemple qu'il donne aux autres (v. 16,17).

Comme Paul, si nous gardons le regard fixé sur Christ, nous labourerons des sillons droits et nous accomplirons les desseins de Dieu dans notre vie. —R.K.

Si vous gardez les yeux fixés sur Christ, tout se mettra en perspective.

8 novembre

QUEL MAGNIFIQUE QUARTIER !

LISEZ :
Romains 14.13-19

Car le royaume de Dieu, ce n'est pas le manger et le boire, mais la justice, la paix et la joie, par le Saint Esprit.
—Romains 14.17

LA BIBLE EN UN AN :
☐ Jérémie 43 – 45
☐ Hébreux 5

Le lieu où vous habitez vous impose certaines exigences en matière de *mode* de vie. Dans mon quartier, les éboueurs passent le mardi matin, si bien qu'il est de ma responsabilité de mettre la poubelle à la rue la veille au soir. Mes voisins en seraient contrariés si je laissais les ordures s'accumuler au bord de la rue pendant des jours entiers. Et comme beaucoup d'enfants jouent dehors, on a affiché partout des panneaux pour rappeler aux conducteurs de ralentir. Cela veut dire que je conduis lentement et que je garde l'œil ouvert sur les petits enfants qui risquent de courir imprudemment après une balle égarée jusque dans la rue.

Il importe de nous rappeler que Dieu nous a placés dans « le royaume de son Fils bien-aimé » (Col 1.13). La vie dans le quartier du Fils signifie que nous devons adopter des schémas comportementaux transformateurs de la vie, qui devraient clairement refléter notre lieu spirituel. Voilà pourquoi Paul nous rappelle que le royaume de Dieu n'a rien à voir avec des querelles au sujet de choses terrestres, mais tout à voir avec « la justice, la paix et la joie » (Ro 14.17). Vivre selon les normes de justice de Dieu, vivre comme en artisan de paix et vivre en étant une source de joie au sein de nos relations, voilà à quoi correspond la vie dans le royaume. Et lorsque nous vivons ainsi, notre vie plait à Dieu et bénit les autres (v. 18).

On dirait bien le genre de quartier où tout le monde se plairait énormément ! —J.M.S.

Si vous êtes citoyen du royaume de Dieu, votre citoyenneté déterminera votre mode de vie.

9 novembre

ATTENDRE...

LISEZ :
Luc 2.22-38

**Heureux tous ceux qui espèrent en lui !
—Ésaïe 30.18**

LA BIBLE EN UN AN :
☐ Jérémie 46 – 47
☐ Hébreux 6

Ici, au Michigan, la saison de la chasse a lieu en automne. Pendant quelques semaines chaque année, les gens ayant un permis de chasse peuvent alors chasser diverses espèces d'animaux sauvages dans les bois. Certains se bâtissent un poste d'observation complexe, bien haut dans un arbre, où ils attendent en silence pendant des heures qu'un cerf passe à distance de tir.

Lorsque je pense à l'infinie patience des chasseurs qui attendent un cerf, je me rappelle aussi combien nous pouvons user d'impatience lorsque nous devons attendre Dieu. Nous faisons souvent une équation entre « attente » et « gaspillage ». Si nous attendons quelque chose (ou quelqu'un), nous avons l'impression de ne rien faire, ce qui, dans une culture axée sur les réalisations, semble être une perte de temps.

L'attente sert à plusieurs choses. Elle sert surtout à prouver notre foi. Ceux dont la foi est faible sont souvent les premiers à renoncer à attendre, alors que ceux dont la foi est solide sont prêts à attendre indéfiniment.

Lorsque nous lisons l'histoire de Noël dans Luc 2, nous entendons parler de deux personnes qui ont prouvé leur foi par leur volonté d'attendre. Siméon et Anne se sont soumis à une longue attente, qui n'a pas été une perte de temps pour eux, car elle leur a permis d'être les témoins de la venue du Messie (v. 22-38).

Le fait de ne pas recevoir de réponse immédiate à une prière ne justifie pas que l'on renonce à la foi. —J.A.L.

**En attendant après Dieu,
on ne perd jamais son temps.**

10 novembre

L'IMPORTANT, C'EST DIEU

LISEZ :
Jean 3.22-36

Il faut qu'il croisse, et que je diminue.
—Jean 3.30

LA BIBLE EN UN AN :
☐ Jérémie 48 – 49
☐ Hébreux 7

Lorsque Sheri s'est fiancée, Amy, son amie célibataire a célébré l'événement avec elle. Elle a organisé une fête prénuptiale en son honneur, elle l'a aidée à choisir sa robe de mariée, elle l'a précédée immédiatement jusqu'à l'autel et elle s'est tenue à ses côtés durant la cérémonie. Lorsque Sheri et son mari ont eu des enfants, Amy a donné des fêtes-cadeaux pour bébés et s'est réjouie pour les bénédictions de son amie.

Plus tard, Sheri a dit à Amy : « Tu m'as consolée durant les périodes difficiles, mais ce qui me fait savoir plus particulièrement que tu m'aimes, c'est que tu te réjouis avec moi dans mes bons moments. Tu ne permets à aucune jalousie de t'empêcher de célébrer avec moi. »

Lorsque les disciples de Jean-Baptiste ont entendu dire qu'un nouveau rabbi du nom de Jésus se faisait des disciples, ils ont cru que leur maître serait peut-être jaloux de lui (Jn 3.26). Ils sont allés lui dire : « *[Il]* baptise, et tous vont à lui », mais Jean-Baptiste a célébré le ministère de Jésus. Il a dit : « *[J'ai]* été envoyé devant lui. […] *[Mais]* l'ami de l'époux, qui se tient là et qui l'entend, éprouve une grande joie à cause de la voix de l'époux : aussi cette joie, qui est la mienne, est parfaite » (v. 28,29).

L'humilité devrait également nous caractériser. Plutôt que de désirer chercher à obtenir de l'attention, tout ce que nous faisons devrait glorifier notre Sauveur. « Il faut qu'il croisse, et que je diminue » (v. 30). —A.M.C.

Pour qu'il y ait une croissance du Christ, il doit y avoir une diminution du moi.

11 novembre

LA VRAIE SÉCURITÉ

LISEZ :
Romains 8.31-39

**Mais dans toutes ces choses nous sommes plus que vainqueurs par celui qui nous a aimés.
—Romains 8.37**

LA BIBLE EN UN AN :
☐ Jérémie 50
☐ Hébreux 8

Pendant la Guerre froide – une période d'agitation ayant opposé de grandes puissances mondiales durant la seconde moitié du XXe siècle –, les Américains ont vécu sous la menace d'une guerre nucléaire. Je me rappelle que, durant la crise des missiles cubains en 1962, nous semblions être à un pas de l'anéantissement. Même les écoliers étaient tenus en haleine.

L'un des souvenirs les plus étranges que je garde de ces temps turbulents est celui d'un exercice de sécurité scolaire. Une alarme se déclenchait, et nous nous mettions à l'abri sous notre pupitre, afin de nous protéger d'une bombe atomique. En me remémorant la scène, je suis certain que cela ne nous serait pas venu en aide en cas d'holocauste nucléaire. Cela nous aurait peut-être même procuré un faux sentiment de sécurité.

Même si nous ne subissons sans doute pas aujourd'hui le même degré de menace nucléaire, nous redoutons encore plusieurs dangers, dont certains sont spirituels. Éphésiens 6.12 nous rappelle que nous combattons « contre les dominations, contre les autorités, contre les princes de ce monde de ténèbres, contre les esprits méchants dans les lieux célestes ». Et ce sont de redoutables adversaires, mais Dieu nous accorde son amour protecteur (Ro 8.35,38,39) et les ressources spirituelles de son armure (Ép 6.13-17).

Résultat : face à de puissants ennemis, « nous sommes plus que vainqueurs par celui qui nous a aimés » (Ro 8.37). En notre Père céleste, nous avons la véritable sécurité. —W.E.C.

La sécurité ne réside pas dans l'absence de danger, mais dans la présence de Dieu.

12 novembre

EN ROUTE VERS LA BÉNÉDICTION

LISEZ :
Exode 15.22-27

Moïse cria à l'Éternel ; et l'Éternel lui indiqua un bois.
—Exode 15.25

LA BIBLE EN UN AN :
☐ Jérémie 51 – 52
☐ Hébreux 9

Robyn et Steve exercent un ministère de counseling qui leur rapporte très peu financièrement. Dernièrement, une crise familiale les a forcés à faire un voyage aller-retour de 8000 km à bord de leur fourgonnette fatiguée.

Après avoir contribué à régler la crise, ils se sont mis en route pour rentrer au Michigan. À environ 3000 km de la maison, leur fourgonnette s'est mise à étouffer. Y ayant jeté un coup d'œil, un mécanicien leur a dit : « Il est fini. Vous avez besoin d'un autre moteur. »

N'en ayant pas les moyens, ils ont dû utiliser leur fourgonnette même si elle étouffait souvent. Trois jours, ainsi que plusieurs bouteilles d'huile et prières plus tard, ils sont miraculeusement arrivés à la maison. Ils ont ensuite entendu parler d'un « missionnaire de voitures » qui venait en aide aux gens dans le ministère. Étonné que la fourgonnette ait tenu le coup, il leur a offert d'en changer le moteur sans frais. Si Steve l'avait fait réparer en route, cela lui aurait coûté des milliers de dollars qu'il n'avait pas.

Dans Exode 15, Dieu a conduit les Israélites au désert. Trois jours après leur départ, ils n'avaient plus d'eau et aucun moyen de s'en procurer. Toutefois, Dieu connaissait le problème. En fait, une solution les attendait à Mara (v. 25) et à Élim (v. 27). Dieu a ainsi non seulement réglé leur problème d'eau, mais leur a également procuré un endroit où se reposer.

Même lorsque notre situation semble difficile, nous pouvons compter sur Dieu pour nous diriger. Il sait déjà de quoi nous aurons besoin. —J.D.B.

Affronter une impossibilité nous donne la possibilité de faire confiance à Dieu.

13 novembre

SOYEZ VOUS-MÊME

LISEZ :
1 Pierre 3.8-17

**D'ailleurs, même si vous souffriez pour la justice, vous seriez heureux.
—1 Pierre 3.14**

LA BIBLE EN UN AN :
☐ Lamentations 1 – 2
☐ Hébreux 10.1-18

En attendant de subir une intervention chirurgicale mineure dans un hôpital de la région, j'ai remarqué une plaque murale illustrant Christ sur la croix. Plus tard, une infirmière m'a posé plusieurs questions d'ordre administratif, y compris : « Avez-vous des besoins spirituels dont vous aimeriez discuter avec un aumônier ? » Je lui ai dit que j'étais heureux qu'elle me pose cette question, que je trouve inhabituelle dans le monde d'aujourd'hui. Elle m'a répondu avec le sourire que l'hôpital avait aussi « une mission de foi ». J'ai été impressionné de voir que les employés ne craignaient pas d'être qui ils sont dans une société de plus en plus séculière et pluraliste.

Pierre a exhorté les premiers chrétiens, que les persécutions avaient dispersés et qui vivaient dans un monde hostile, à considérer comme une bénédiction le fait de souffrir pour le bien. « D'ailleurs, même si vous souffriez pour la justice, vous seriez heureux. N'ayez d'eux aucune crainte, et ne soyez pas troublés ; mais sanctifiez dans vos cœurs Christ le Seigneur, étant toujours prêts à vous défendre avec douceur et respect, devant quiconque vous demande raison de l'espérance qui est en vous » (1 Pi 3.14,15).

Comme l'infirmière a librement exprimé sa foi, nous pouvons exprimer la nôtre. Et si nous nous faisons critiquer ou traiter injustement à cause de notre foi en Christ, nous devrions réagir avec douceur et respect. Nous ne devrions jamais craindre d'être qui nous sommes en lui. —D.C.M.

Il vaut mieux souffrir pour la cause de Christ que de faire souffrir la cause de Christ.

14 novembre

L'AFFLICTION DE A À Z

LISEZ :
Lamentations 3.25-33

Mais lorsqu'il afflige, il a compassion selon sa grande miséricorde.
—Lamentations 3.32

LA BIBLE EN UN AN :
- ☐ Lamentations 3 – 5
- ☐ Hébreux 10.19-39

Jérusalem était la proie des flammes, et le prophète Jérémie pleurait. La plupart des gens n'avaient prêté aucune attention à sa prédiction du jugement divin. Et voilà que sa terrible prophétie se réalisait dans une scène d'horreur. Le court livre des Lamentations raconte le processus d'affliction du prophète par rapport à la destruction de Jérusalem.

Jérémie a organisé le livre autour des 22 lettres de l'alphabet hébreu, en se servant d'une technique d'acrostiche alphabétique aidant le lecteur à mémoriser les passages plus facilement. L'emploi de cette technique démontre aussi, toutefois, qu'il n'a pas écourté son processus d'affliction. Il a pris à dessein le temps de réfléchir à son affliction et même à la mettre par écrit. Vous direz peut-être qu'il a appris l'affliction de A à Z.

Au cœur de son affliction, la consolation de Dieu a surgi. Des rappels de la souveraineté et de la bonté de Dieu ont procuré de l'espoir au prophète tandis qu'il contemplait son avenir : « Car le Seigneur ne rejette pas à toujours. Mais, lorsqu'il afflige, il a compassion selon sa grande miséricorde » (La 3.31,32).

Si vous avez subi récemment un deuil pénible, rappelez-vous de prendre le temps nécessaire pour vivre votre affliction et pour réfléchir à la bonté de Dieu. Vous serez ensuite capable de faire l'expérience de sa consolation et de son espoir pour l'avenir. —H.D.F.

Dieu permet le chagrin et les larmes aujourd'hui, afin de nous ouvrir le cœur aux joies de demain.

15 novembre

NOURRITURE POUR BÉBÉS

LISEZ :
Hébreux 5.12 – 6.2

Mais la nourriture solide est pour les hommes faits, pour ceux dont le jugement est exercé par l'usage à discerner ce qui est bien et ce qui est mal.
—Hébreux 5.14

LA BIBLE EN UN AN :
- ☐ Ézéchiel 1 – 2
- ☐ Hébreux 11.1-19

Avez-vous déjà goûté à de la nourriture pour bébés ? C'est mon cas. Elle est terriblement fade. Les bébés n'ont toutefois d'autre choix que de la manger, car ils n'ont pas de dents. Ils ne peuvent certainement pas manger de steak succulent et bien juteux !

Malheureusement, certains chrétiens se contentent de nourriture spirituelle pour bébés. Ils se remémorent sans cesse de simples vérités scripturaires sans aller au-delà des rudiments de l'Évangile (Hé 6.1,2). Comme ils ne se mettent pas de vérités plus profondes et de passages bibliques plus difficiles sous la dent, ils n'ont pas la compréhension et les convictions bibliques qui leur permettraient de faire les bons choix (5.13). Bien qu'ils soient chrétiens depuis de nombreuses années, leurs aptitudes spirituelles sont sous-développées. Ils restent à l'état de bébé.

À mesure que son corps grandit, l'enfant apprend à manger de la nourriture solide qui lui procure force et vitalité. De même, tout chrétien a besoin de prendre la responsabilité d'ingérer de la nourriture spirituelle solide, sans quoi il restera spirituellement faible et sous-alimenté.

On peut donner approximativement l'âge physique d'une personne par son apparence. Son âge spirituel se révèle par son aptitude à distinguer le bien du mal et par sa conduite quotidienne.

Ce discernement spirituel est-il évident dans votre vie ? Ou mangez-vous encore de la nourriture spirituelle pour bébés ?
—C.P.H.

Appliquez votre vie à l'Écriture
et l'Écriture à votre vie.

16 novembre

ATTENTION !

LISEZ :
1 Jean 2.18-27

***[Vous]* avez appris qu'un antéchrist vient, il y a maintenant plusieurs antéchrists : par là nous connaissons que c'est la dernière heure.**
—1 Jean 2.18

LA BIBLE EN UN AN :
☐ Ézéchiel 3 – 4
☐ Hébreux 11.20-40

Pour enseigner à des caissiers de banque à reconnaître les billets contrefaits, les agents du FBI leur montrent du faux argent et du vrai argent, et leur font examiner les deux. Pour détecter une contrefaçon, ils doivent rechercher les différences entre le billet authentique et celui qui est contrefait, et non les similitudes.

Dans 1 Jean 2, l'apôtre Jean aide à protéger les croyants contre l'hérésie en leur citant des exemples de faux chrétiens et de faux enseignants. La venue d'antéchrists compte parmi les signes avant-coureurs des derniers temps (1 Jn 2.18). Les antéchrists sont ceux qui prétendent à tort être investis de la puissance et de l'autorité de Dieu ou ceux qui rejettent Dieu et ses enseignements et s'y opposent.

Jean mentionne trois marques du faux enseignant que l'esprit des antéchrists contrôle : il sort du milieu des chrétiens (v. 19), il nie que Jésus est le Messie (v. 22) et il éloigne les justes de Jésus (v. 26). Jean encourage les croyants à se prémunir contre l'esprit des antéchrists en dépendant de la présence de l'Esprit en eux, en connaissant la vérité et en restant en communion avec Jésus.

Nous pouvons nous prémunir contre l'erreur et la tromperie en sachant ce qui est faux et en comptant sur ce qui est vrai, à savoir Jésus-Christ. —M.L.W.

Attention : il se peut que le diable ajoute quelques grains de vérité à ce qui est faux.

17 novembre

UN COMPAGNON DE ROUTE

LISEZ : Matthieu 4.18-22

Comme il [*Jésus*] marchait le long de la mer de Galilée, il vit deux frères [...]. Il leur dit : Suivez-moi.
—Matthieu 4.18,19

LA BIBLE EN UN AN :
☐ Ézéchiel 5 – 7
☐ Hébreux 12

J'aime beaucoup parcourir les sentiers de l'Idaho en savourant leur splendeur et leur beauté pittoresque. Cela me rappelle souvent que ces sentiers symbolisent notre parcours spirituel, car la vie chrétienne consiste simplement à marcher, avec Jésus à nos côtés pour compagnon et guide. Il a parcouru Israël d'une extrémité à l'autre, en se faisant des disciples, à qui il disait : « Suivez-moi » (Mt 4.19).

Le parcours n'est pas toujours facile. Renoncer semblerait parfois plus facile qu'aller de l'avant, mais lorsque les choses se corsent, nous pouvons nous reposer un moment et renouveler nos forces. Dans *Le Voyage du pèlerin*, John Bunyan décrit la cabane de la colline de la Difficulté, où Chrétien a repris son souffle avant de poursuivre son ascension. La lecture de son rouleau lui a procuré du réconfort, en lui rappelant la présence incessante et la puissance fortifiante du Seigneur. Ayant repris un peu de force, il a pu marcher quelques kilomètres de plus.

Seul Dieu sait où le sentier nous conduira, mais le Seigneur nous assure d'une chose : « *[Je]* suis avec vous tous les jours » (Mt 28.20). Il ne s'agit pas d'une métaphore ou d'une autre analogie. Sa compagnie est réelle. Pas une seule heure ne s'écoule sans que nous soyons en sa présence, pas un seul kilomètre n'est parcouru sans sa compagnie. Or, le fait de savoir qu'il est avec nous a pour effet d'alléger notre parcours.
—D.H.R.

En parcourant la route fatigante de la vie, déchargez-vous sur Jésus de votre lourd fardeau.

18 novembre

DEVENIR BILINGUE

LISEZ :
Actes 17.19-31

[Car] en lui nous avons la vie, le mouvement, et l'être. C'est ce qu'ont dit aussi quelques-uns de vos poètes : De lui nous sommes la race...
—Actes 17.28

LA BIBLE EN UN AN :
☐ Ézéchiel 8 – 10
☐ Hébreux 13

Est-il possible, dans une société qui semble de plus en plus indifférente à l'Évangile, de le communiquer à des gens qui ne partagent pas notre foi ?

Un des moyens de connecter avec des gens qui ne connaissent pas bien les choses de Christ consiste à devenir culturellement « bilingue ». On y parvient en communiquant par des choses auxquelles les gens peuvent facilement s'identifier. Savoir ce qui se fait en matière de musique, de cinéma, de sports et de télévision, par exemple, peut justement offrir ce genre d'opportunité. Si les gens nous entendent « parler la même langue qu'eux », sans endosser ou condamner les médias ou les événements auxquels nous faisons allusion, il se peut que cela nous ouvre la porte pour communiquer le message atemporel de Christ.

Paul nous en donne un exemple dans Actes 17. De passage à l'Aéropage d'Athènes, il s'est adressé à une culture profondément séculière en citant des poètes grecs non-Juifs comme points de référence pour aborder les valeurs spirituelles qu'il voulait communiquer. Il a dit : « *[Car]* en lui nous avons la vie, le mouvement, et l'être. C'est ce qu'ont dit aussi quelques-uns de vos poètes : De lui nous sommes la race... » (Ac 17.28). Comme Paul s'est adressé à cette culture en sachant ce qu'elle lisait, nous pouvons mieux propager l'Évangile en le vulgarisant pour en faciliter la compréhension.

Tentez-vous d'évangéliser un voisin ou un collègue ? Essayez de devenir bilingue. —W.E.C.

Le contenu de la Bible doit être amené au contact du monde.

19 novembre

QUAND DIEU FAIT LE MÉNAGE

LISEZ :
Jonas 1

Que toute amertume, toute animosité, toute colère, toute clameur, toute calomnie, et toute espèce de méchanceté, disparaissent du milieu de vous.
—Éphésiens 4.31

LA BIBLE EN UN AN :
☐ Ézéchiel 11 – 13
☐ Jacques 1

Dieu a fait du ménage d'automne cette semaine. Il a fait souffler un vent puissant sur notre quartier qui a fait trembler les arbres et casser des branches mortes. Une fois le vent calmé, j'ai dû ratisser le jardin.

Dans ma propre vie, Dieu œuvre parfois de la même manière. Il envoie ou permet des tempêtes qui cassent « les branches mortes » que je refuse de laisser aller. Il s'agit parfois de quelque chose qui a jadis été bon, comme quelque sphère d'activité du ministère, mais qui ne porte plus ses fruits. Par contre, c'est plus souvent quelque chose de répréhensible, comme une mauvaise habitude à laquelle je me suis abandonné ou une attitude invétérée qui entrave une nouvelle croissance.

Le prophète Jonas a découvert ce qui risque de se produire lorsqu'une personne refuse de se défaire d'une attitude invétérée. Sa haine pour les Ninivites était plus forte que son amour pour Dieu, si bien que Dieu a suscité une grande tempête qui a fait aboutir Jonas dans un gros poisson (Jon 1.4,17). Dieu a maintenu ce prophète récalcitrant dans un endroit inattendu et lui a donné une deuxième chance de lui obéir (2.10 ; 3.1-3).

Les branches mortes qui jonchaient mon jardin m'ont fait penser à des attitudes auxquelles Dieu veut me voir renoncer. La lettre de Paul aux Éphésiens en énumère quelques-unes : l'amertume, la colère et la calomnie (4.31). Lorsque Dieu bouleverse les choses, nous devons éliminer ce qu'il casse en nous. —J.A.L.

La puissance purificatrice de Christ peut déloger la tache du péché la plus tenace.

20 novembre

Un trait de famille

Lisez :
Matthieu 5.9,38-48

Heureux ceux qui procurent la paix, car ils seront appelés fils de Dieu !
—Matthieu 5.9

La Bible en un an :
- ☐ Ézéchiel 14 – 15
- ☐ Jacques 2

Il existe une vieille chanson de l'école du dimanche qui me revient à l'esprit de temps à autre. Elle atteste la bénédiction de la paix que Jésus accorde si généreusement : « J'ai dans le cœur la paix qui surpasse toute intelligence, et elle y restera ! »

Il manque cependant quelque chose à cette chanson bien intentionnée. La paix de Dieu est un véritable don que nous avons en nous lorsque nous communions en sa présence (Jn 14.27 ; 16.33). Il n'a toutefois jamais voulu que nous gardions toute cette paix pour nous-mêmes. La paix est un don à partager avec ceux qui nous entourent. Chez nous, les chrétiens, elle devrait caractériser nos relations et l'atmosphère de notre Église.

Dans son sermon sur la montagne, Jésus a dit : « Heureux ceux qui procurent la paix » (Mt 5.9), ce qui indique que nous devons chercher à procurer la paix dans nos relations. Étant donné que nous sommes enclins à être des fauteurs de troubles plutôt que des artisans de paix, il s'agit d'un conseil important. Ainsi donc, à quoi ressemblent les efforts de paix ? Les artisans de paix sont ceux qui présentent l'autre joue (v. 39), qui en font plus que ce qui leur est demandé (v. 41) et qui aiment leurs ennemis tout en priant pour ceux qui les persécutent (v. 44).

Pourquoi agir ainsi ? Parce que Dieu est un artisan de paix et que, lorsque nous favorisons la paix, nous sommes « appelés fils de Dieu » (v. 9). Être porteur de paix est un trait de famille. —J.M.S.

Grâce à la paix *de* Dieu et à la paix *avec* Dieu, nous pouvons être des artisans de paix *pour* Dieu.

21 novembre

LA TOUCHE DE L'ARTISAN

LISEZ : Exode 31.1-5

Car nous sommes son ouvrage, ayant été créés en Jésus-Christ pour de bonnes œuvres.
—Éphésiens 2.10

LA BIBLE EN UN AN :
☐ Ézéchiel 16 – 17
☐ Jacques 3

J'ai vu dernièrement un documentaire relatant la fabrication d'un piano Steinway dans lequel on précisait le soin méticuleux que l'on met à fabriquer cet instrument exceptionnel. Depuis l'abattage des arbres jusqu'à l'apparition du piano dans la salle d'exposition, l'instrument subit d'innombrables et délicates mises au point d'habiles artisans. Le processus d'un an terminé, des virtuoses en jouent et font souvent remarquer qu'aucune chaîne d'assemblage informatisée ne pourrait jamais reproduire des sons aussi riches. Le secret du produit fini réside dans la touche de l'artisan.

Durant la construction du Tabernacle, Dieu a accordé de la valeur à la touche de l'artisan. Il a pris l'artisan Betsaleel et a dit de lui : « Je l'ai rempli de l'Esprit de Dieu, de sagesse, d'intelligence, et de savoir pour toutes sortes d'ouvrages, je l'ai rendu capable de faire des inventions, de travailler l'or, l'argent et l'airain, de graver les pierres à enchâsser, de travailler le bois, et d'exécuter toutes sortes d'ouvrages » (Ex 31.3-5).

Aujourd'hui, Dieu réside dans le cœur des croyants. Par contre, l'appel de l'artisan n'a pas pris fin. Chaque croyant est maintenant l'« ouvrage » de Dieu (Ép 2.10). Le grand Artisan est le Saint-Esprit, qui élimine nos travers afin de nous rendre tous semblables à Jésus (Ro 8.28,29). Et si nous nous laissons façonner par lui, nous découvrirons que le secret du produit fini réside dans la touche de l'Artisan. —H.D.F.

Le Père nous a donné l'Esprit
pour nous rendre semblables à son Fils.

22 novembre

UNE GRATITUDE INEXPRIMÉE

LISEZ :
Psaume 107.31-43

Louez l'Éternel, car il est bon […] ! Qu'ainsi disent les rachetés de l'Éternel.
—Psaume 107.1,2

LA BIBLE EN UN AN :
☐ Ézéchiel 18 – 19
☐ Jacques 4

Remercier quelqu'un pour son cadeau nous sert en réalité à lui indiquer combien son geste nous a plu. L'auteur G. B. Stern a dit un jour : « La gratitude *silencieuse* n'apporte pas grand-chose à qui que ce soit. »

Lorsque notre fils était jeune, il fallait parfois lui rappeler qu'il ne remerciait pas correctement les gens en évitant de les regarder dans les yeux, en se regardant plutôt les pieds et en marmonnant quelques mots inintelligibles. Et après plusieurs années de mariage, mon mari et moi apprenons encore qu'il est important que nous nous exprimions sans cesse de la gratitude l'un envers l'autre. Lorsque l'un de nous *ressent* de la gratitude, il essaie de la verbaliser – même s'il l'a déjà fait plusieurs fois au sujet de la même chose. « Ressentir de la gratitude sans l'exprimer équivaut à emballer un cadeau sans le donner. »

Il est manifestement important de démontrer notre gratitude dans nos relations humaines, mais cela est encore plus important dans notre relation avec Dieu. Lorsque nous nous remémorons nos nombreuses bénédictions, lui exprimons-nous notre gratitude tout au long de la journée ? Et lorsque nous pensons au don merveilleux de sa mort et de sa résurrection pour le pardon de nos péchés, notre cœur éclate-t-il d'admiration et de reconnaissance ? (Ro 6.23 ; 2 Co 9.15.)

Prenez chaque jour au sérieux le rappel suivant : « Louez l'Éternel, car il est bon […] ! » (Ps 107.1.) —C.H.K.

Le Don le plus noble de Dieu devrait susciter notre plus grande gratitude.

23 novembre

MONDE DU PLUS

LISEZ :
Romains 5.1-11

***[Ce]* sont des choses que l'œil n'a point vues [...] des choses que Dieu a préparées pour ceux qui l'aiment.**
—1 Corinthiens 2.9

LA BIBLE EN UN AN :
☐ Ézéchiel 20 – 21
☐ Jacques 5

Ma société de câblodistribution m'a envoyé une carte postale m'invitant à vérifier les dernières améliorations en matière de chaînes de télévision. La carte m'indiquait que je devais téléphoner à la société pour me procurer le nouvel équipement numérique nécessaire et me faire expliquer comment le brancher et l'activer. Ensuite, l'annonce me disait que je n'aurais plus qu'à « me détendre en jouissant du World of More » (Monde du Plus).

Cette carte m'a fait penser au « Monde du Plus » dans lequel les chrétiens ont le privilège de vivre. Lorsque Dieu fait passer les gens des ténèbres du péché « à son admirable lumière » (1 Pi 2.9), une toute nouvelle vie s'offre à eux.

Romains 5 précise certains des *plus* que nous avons en Christ : nous avons été « réconciliés avec Dieu par la mort de son Fils » (v. 10) et nous avons donc « la paix avec Dieu par notre Seigneur Jésus-Christ » (v. 1). Nous avons accès auprès de Dieu et à sa grâce (v. 2). Il nous est maintenant possible de nous réjouir en dépit des difficultés, car nous savons qu'elles nous procurent l'occasion de grandir en faisant confiance à Dieu (v. 3,4). De plus, le Saint-Esprit, qui vit en nous, déverse l'amour de Dieu dans notre cœur (v. 5). Et le péché n'a plus la même emprise sur nous (6.18).

En tant que chrétiens, nous avons un accès illimité à un vrai « Monde du Plus ». Ne serait-il pas égoïste de notre part de ne pas en inviter d'autres à se joindre à nous dans ce monde spécial ? —A.M.C.

L'appartenance à Dieu
nous procure d'innombrables bénédictions.

24 novembre

PARDON ET ACTIONS DE GRÂCES

LISEZ :
1 Jean 1.1-10

[Le] **sang de Jésus son Fils [*de Dieu*] nous purifie de tout péché.**
—1 Jean 1.7

LA BIBLE EN UN AN :
☐ Ézéchiel 22 – 23
☐ 1 Pierre 1

Chaque année, à la fin du mois de novembre, le président des États-Unis accorde un pardon officiel à la Dinde de l'Action de grâces nationale. Au cours de cette cérémonie amusante, un président a fait remarquer : « Notre invitée d'honneur semble légèrement nerveuse. Personne ne lui a encore dit que je vais lui accorder un pardon. » La pauvre dinde avait de bonnes raisons d'être mal à l'aise, car sans acquittement elle serait servie à manger.

Pour ce qui est de nos péchés, nous nous trouvons dans une situation similaire. Sans le pardon de Dieu, nous serions voués au malheur. Cet état de choses résulte directement de nos propres mauvais agissements. La Bible dit : « Car le salaire du péché, c'est la mort » (Ro 6.23). Toutefois, nous pouvons être libérés de cette peine de mort parce que le Fils de Dieu a porté nos péchés en son corps sur la croix, « afin que morts aux péchés nous vivions pour la justice ; lui par les meurtrissures duquel vous avez été guéris » (1 Pi 2.24). Par ailleurs, 1 Jean 1.7 nous dit que, pas son sang, Jésus « nous purifie de tout péché ».

Si nous confessons que Jésus-Christ est Seigneur et nous croyons que Dieu l'a ressuscité des morts, nous pouvons accepter de sa part le pardon de nos péchés et la vie éternelle (Ro 10.9). Aujourd'hui, considérez comment vous répondrez à l'offre du pardon de Dieu. —J.B.S.

Par la foi en Christ, nous recevons le pardon de Dieu et nous échappons à la peine du péché.

25 novembre

TROUVER L'ESPOIR

LISEZ :
Psaume 42.2-12

Pourquoi t'abats-tu, mon âme […] ? Espère en Dieu, car je le louerai encore.
—Psaume 42.6

LA BIBLE EN UN AN :
☐ Ézéchiel 24 – 26
☐ 1 Pierre 2

L'étude menée par des chercheurs de l'Université du Minnesota a révélé que près de 15 pour cent des adolescents américains croyaient « fort probablement » mourir avant leur 35e anniversaire. Or, ceux qui entretenaient cette perspective pessimiste étaient plus enclins à adopter un comportement imprudent. Madame Iris Borowsky, auteur de cette étude publiée dans la revue *Pediatrics*, a dit : « Il se peut que ces jeunes courent des risques parce qu'ils sont désespérés et se disent qu'ils n'ont pas grand-chose à perdre. »

Personne n'est à l'abri du désespoir. Les Psaumes expriment des appels à l'aide répétés lorsque la vie semble sombre. « Pourquoi t'abats-tu, mon âme, et gémis-tu au-dedans de moi ? Espère en Dieu, car je le louerai encore ; il est mon salut et mon Dieu » (Ps 42.5). Dans un regain de foi, le psalmiste s'encourage à ne pas oublier Dieu, qui ne l'abandonnera jamais.

Curtis Almquist a écrit : « L'espoir est alimenté par la présence de Dieu. […] *[Il]* est également alimenté par l'avenir de Dieu dans notre vie. » Nous disons donc avec le psalmiste : « *[Je]* le louerai encore » (v. 6).

Aucun disciple de Christ ne devrait hésiter à consulter un professionnel en cas de dépression. Nous ne devrions pas plus nous dire que la foi et la prière sont des moyens trop simplistes pour nous venir en aide. Il y a toujours de l'espoir en Dieu ! —D.C.M.

Pour le chrétien, l'espoir est une certitude, car Christ en est le fondement.

26 novembre

BOL CHANTANT

LISEZ :
Deutéronome 4.32-40

Nous devons donc [...] être ouvriers avec eux pour la vérité.
—3 Jean 1.8

LA BIBLE EN UN AN :
☐ Ézéchiel 27 – 29
☐ 1 Pierre 3

L'artiste et scientifique Michael Flynn a exposé un bol chantant au ArtPrize, un concours d'art international qui s'est tenu au Michigan. Le bol ne requiert pas d'électricité, mais quelque chose de rare : la coopération.

Tandis que j'observais les gens en train d'essayer de faire chanter le bol, j'ai été étonné de constater que personne ne se donnait la peine d'en lire le mode d'emploi, qui indiquait la nécessité de le bercer doucement. Impatients d'en faire jouer la musique, ils continuaient plutôt de mettre leurs propres idées à l'essai. Après quelques minutes, ils s'éloignaient contrariés et déçus, comme si le bol était défectueux.

Je me demande s'il nous arrive souvent d'être contrariés parce que la vie ne tourne pas comme nous croyons qu'elle le devrait. Nous continuons d'essayer des façons de faire qui semblent bonnes, mais les choses continuent de mal aller. Au lieu de suivre la Parole de Dieu, nous continuons d'essayer de trouver notre propre façon de faire les choses.

Le bol chantant nous rappelle que nous ne pouvons nous attendre à ce que la vie s'améliore si nous ne suivons pas les directives du Créateur (De 4.40). La désobéissance nous divise entre nous et nous sépare de Dieu. Afin d'accomplir son plan pour le monde et de faire connaître le chemin du salut (Ps 67.3), nous devons suivre ses instructions de vie et œuvrer paisiblement ensemble. Lorsque la vie ne tourne pas à notre avantage, c'est peut-être parce que nous ne suivons plus le plan de Dieu. —J.A.L.

La vie est une chanson merveilleuse que Dieu nous enseigne à jouer.

27 novembre

MALHEUREUX ET INDIGENT ?

LISEZ :
Psaume 86

Car je suis malheureux et indigent.
—Psaume 86.1

LA BIBLE EN UN AN :
☐ Ézéchiel 30 – 32
☐ 1 Pierre 4

D'une certaine manière, nous pouvons tous nous identifier à David lorsqu'il dit : « Car je suis malheureux et indigent » (Ps 86.1). Même le plus riche d'entre nous devrait comprendre que la pauvreté et le besoin concernent plus l'esprit que le portefeuille. Lorsque le milliardaire Rich DeVos s'adresse à des groupes, il dit souvent : « Je ne suis qu'un pécheur sauvé par grâce. »

Le Psaume 86 nous dit que l'aide que Dieu nous procure ne se calcule pas sur une feuille de grand livre. Lorsque nous reconnaissons que nous sommes malheureux et indigents, ce n'est pas dans le but que Dieu nous comble de biens matériels. Non, nous le faisons afin d'ouvrir la porte à d'autres trésors plus précieux.

Voici ce que Dieu fait pour le malheureux et l'indigent : il « garde » notre vie et « sauve » tous ceux qui ont foi en lui (v. 2). Il a « pitié » et « *[pardonne]* » (v. 3,5). Il tend l'oreille aux prières et les exauce (v. 6,7).

Par contre, nous ne devons pas prendre les bénédictions de Dieu sans rien lui donner en retour. Nous avons la responsabilité d'apprendre les voies de Dieu, de marcher dans sa vérité, d'avoir la crainte de son nom, de louer Dieu et de glorifier son nom (v. 11,12).

Vous estimez-vous, vous aussi, « malheureux et indigent » ? N'oublions pas alors toutes les bénédictions spirituelles que Dieu a pour nous et la piété par laquelle nous devrions le remercier de sa générosité. —J.D.B.

Il n'y a pas plus pauvre que celui qui n'a que de l'argent.

28 novembre

FAIS SIMPLEMENT CE QUI EST BIEN

LISEZ :
Philippiens 2.12-18

[Afin] que vous soyez [...] des enfants de Dieu irréprochables au milieu d'une génération perverse et corrompue. —Philippiens 2.15

LA BIBLE EN UN AN :
☐ Ézéchiel 33 – 34
☐ 1 Pierre 5

En voyage à l'étranger, j'ai rencontré un avocat de mon patelin du New Jersey. Nous nous sommes étonnés de constater combien nous avions de choses en commun. Au cours de la conversation, il m'a demandé : « Avez-vous dit vous appeler Stillwell ? » « Non, c'est Stowell », lui ai-je répondu. Il m'a alors dit qu'il avait un client du nom de Stillwell. « Est-ce Art Stillwell ? » lui ai-je demandé et, à ma grande surprise, il l'a confirmé. Ce qu'il faut savoir, c'est qu'Art Stillwell fréquentait mon Église et était un homme d'affaires influent de la communauté.

L'avocat a reconnu qu'il n'avait aucun autre client vraiment comme Art. Il m'a expliqué que la plupart de ses clients veulent qu'il fasse le nécessaire pour les sortir du pétrin, mais qu'Art était différent. Chaque fois qu'il demandait à Art quoi faire dans une quelconque situation, Art lui répondait toujours : « Fais simplement ce qui est bien ! » De toute évidence, cela avait fait toute une impression sur l'avocat.

Confier à Christ tous nos désirs et toutes nos décisions, quel qu'en soit le résultat, voilà qui nous distingue au sein d'un monde rempli de gens intéressés. Lorsque nous menons une vie irréprochable – qui reflète courageusement l'intégrité, l'amour et la grâce de Jésus –, nous « *[brillons]* comme des flambeaux dans le monde » (Ph 2.15).

Ainsi donc, si vous désirez illuminer votre monde de manière inspirante, faites simplement ce qui est bien ! —J.M.S.

Illuminez votre monde en reflétant la lumière de Jésus.

29 novembre

Honorer ses parents

Lisez :
Exode 20.1-17

Honore ton père et ta mère.
—Éphésiens 6.2

La Bible en un an :
☐ Ézéchiel 35 – 36
☐ 2 Pierre 1

Mon père, dont les capacités physiques diminuent, vient d'avoir 90 ans. Il parvient encore à se déplacer à l'aide de son déambulateur, mais il a besoin de quelqu'un pour lui préparer ses repas et l'aider dans d'autres tâches.

Mon frère aîné Steve et sa femme Judy vivaient près de chez lui, si bien qu'ils ont décidé d'emménager avec lui pour s'en occuper. Désirant donner un coup de main, ma femme et moi avons traversé le pays en avion pour veiller un peu sur papa afin de permettre à mon frère et à sa femme de partir un certain temps ensemble. Nous nous sommes plu en compagnie de mon père et nous étions heureux de soulager Steve et Judy de leur charge, même si ce n'était que pour quelques jours.

La Bible dit : « Honore ton père et ta mère » (Ép 6.2). Selon un certain commentaire du Nouveau Testament, honorer quelqu'un consiste à « le traiter avec le respect, la révérence, la bonté, la courtoisie et l'obéissance que requiert son rang social. »

Dans le cas de l'enfant, cela exige qu'il obéisse à ses parents. Dans celui de l'adolescent, cela exige qu'il traite ses parents avec respect, même s'il croit en savoir plus qu'eux. Dans celui du jeune adulte, cela signifie faire une place à ses parents dans sa vie. Et pour celui qui est d'âge mûr, cela signifie veiller à ce que ses parents soient entourés de bons soins tandis qu'ils vieillissent ou que leur santé décline.

Comment pouvez-vous honorer vos parents cette semaine ?

—H.D.F.

Il n'y a pas d'âge pour honorer ses parents.

30 novembre

ACTIONS-RÉSULTATS

LISEZ :
Romains 5.12-19

[Si] **par l'offense d'un seul il en est beaucoup qui sont morts, à plus forte raison la grâce de Dieu et le don de la grâce venant d'un seul homme, Jésus-Christ, ont-ils été abondamment répandus sur beaucoup. —Ro 5.15**

LA BIBLE EN UN AN :
☐ Ézéchiel 37 – 39
☐ 2 Pierre 2

Le 24 novembre 1971, un homme connu aujourd'hui sous le nom de D. B. Cooper a détourné un avion commercial entre la Pologne et Seattle en menaçant de faire exploser l'avion à moins de recevoir 200 000 $. Après avoir atterri pour recevoir la rançon, il a donné l'ordre que l'avion décolle de nouveau. Puis, on a abaissé l'escalier arrière du Boeing 727 et l'homme s'est lancé en parachute dans la nuit. On ne l'a jamais capturé, et l'affaire reste non résolue. Or, cet acte nous a fait entrer dans l'ère de la sécurité aéroportuaire, où la confiance et l'assurance ont fait place à la méfiance et à la peur. Ce que cet homme a fait nous a tous affectés.

La Bible décrit deux actions qui ont changé le monde de manière beaucoup plus importante. Par le choix d'Adam, le péché et la mort sont entrés dans le monde, « et [...] ainsi la mort s'est étendue sur tous les hommes, parce que tous ont péché » (Ro 5.12). Toutefois, par le sacrifice de Christ sur la croix, Dieu a procuré un remède contre les résultats du péché. « *[Comme]* par une seule offense [*celle d'Adam*] la condamnation a atteint tous les hommes, de même par un seul acte de justice la justification qui donne la vie s'étend à tous les hommes » (v. 18).

Christ a accompli ce qui était impossible à tout autre en anéantissant la puissance du péché et de la mort par sa résurrection. Il offre le pardon et la vie éternelle à tous ceux qui acceptent son don. Et pour cela, nous le remercions du fond du cœur. —D.C.M.

La croix de Christ peut contrer la condamnation du choix d'Adam.

1er décembre

LES THÈMES DE L'AVENT

LISEZ :
1 Pierre 1.3-5 ; 13-21

***[Et]* ayez une entière espérance dans la grâce qui vous sera apportée, lorsque Jésus-Christ apparaîtra.**
—1 Pierre 1.13

LA BIBLE EN UN AN :
☐ Ézéchiel 40 – 41
☐ 2 Pierre 3

Je crois que toute Écriture est opportune et pertinente. Reste que j'ai été étonnée de constater que ma lecture de novembre dans la première épître de Pierre touchait aux quatre thèmes de l'avent – cette période de l'année où beaucoup de chrétiens se préparent à célébrer la première venue de Christ tout en attendant impatiemment sa seconde venue. Durant l'avent, nous insistons sur l'espérance, la paix, la joie et l'amour, que Dieu nous a envoyés avec Christ.

L'ESPÉRANCE. Un héritage nous est réservé dans les cieux, une espérance vivante par la résurrection des morts en Christ (1 Pi 1.3-5).

LA PAIX. Nous aimerons vivre et nous aurons une belle vie si nous nous détournons du mal au profit du bien et si nous recherchons la paix, car le Seigneur veille sur le juste et il entend ses prières (3.10-12).

LA JOIE. Nous éprouvons une joie inexprimable même si nous avons des difficultés parce que notre foi est mise à l'épreuve et son authenticité en est prouvée. Cette foi a pour fin le salut de notre âme (1.6-9).

L'AMOUR. Nous pouvons nous aimer les uns les autres d'un cœur pur, car nous sommes nés de nouveau par la Parole de Dieu, qui vit et nous habite pour toujours (1.22,23).

Comme Christ est venu la première fois, nous pouvons vivre dans l'espérance, la joie et l'amour jusqu'à ce qu'il revienne. —J.A.L.

Si vous recherchez l'espérance, la paix, la joie et l'amour ce Noël, cherchez-les en Dieu.

2 décembre

JAMAIS TROP OCCUPÉ

LISEZ :
Psaume 145.8-21

L'Éternel est près de tous ceux qui l'invoquent, de tous ceux qui l'invoquent avec sincérité.
—Psaume 145.18

LA BIBLE EN UN AN :
☐ Ézéchiel 42 – 44
☐ 1 Jean 1

Des étudiants d'université louent une maison à ma sœur et à son mari. Une nuit, un voleur a tenté d'y entrer par effraction. Lorsque la jeune femme qui y vit a téléphoné aux policiers pour leur dire qu'une entrée par effraction était en cours, la standardiste lui a répondu de manière inhabituelle : « Vous devrez rappeler le matin venu. Nous sommes trop occupés en ce moment. » Quelle réponse déroutante ! La jeune femme a fait la bonne chose en téléphonant aux policiers, mais pour une raison quelconque, on n'a fait aucun cas de son appel à l'aide. Ce genre d'indifférence est bouleversant.

Toutefois, Dieu ne nous accueille jamais avec indifférence lorsque nous nous présentons à lui en prière. Il se peut que nous n'ayons pas toujours le sentiment que Dieu nous écoute, mais c'est le cas. Il se soucie de nous, et il nous répondra. La Bible nous rappelle que nous pouvons puiser un réconfort dans le fait que notre Dieu se soucie profondément de ce dont nous nous soucions : « L'Éternel est près de tous ceux qui l'invoquent, de tous ceux qui l'invoquent avec sincérité » (Ps 145.18). Si nous faisons appel à lui, nous ne nous heurterons jamais à son indifférence.

Plutôt que de se distancer de nous lorsque nous crions à lui, notre Père céleste se rapproche de nous parce que nous avons besoin d'aide. Il n'est jamais trop occupé pour accueillir les prières de ses enfants – il nous entend lorsque nous faisons appel à lui. —W.E.C.

La ligne d'appel du ciel ne sera jamais occupée.

3 décembre

CHÂTEAU DE SABLE

LISEZ :
Luc 12.22-34

Car là où est votre trésor, là aussi sera votre cœur.
—Luc 12.34

LA BIBLE EN UN AN :
☐ Ézéchiel 45 – 46
☐ 1 Jean 2

Lorsque nos enfants étaient jeunes, ma femme Martie et moi avons passé d'agréables vacances en Floride en visite chez nos parents. C'était particulièrement merveilleux d'être là, au chaud, durant un court répit, loin de la froideur du vent du Michigan. Il me tardait de me détendre sur la plage avec un bon livre, mais mes enfants avaient d'autres projets. Ils voulaient que je les aide à construire des châteaux de sable. C'est avec réticence que je suis allé les aider, mais leur enthousiasme m'a vite gagné. Avant même de m'en rendre compte, j'avais consacré des heures à la création d'un énorme château – sans me dire qu'en quelques heures à peine la marée viendrait détruire tout mon travail.

Nous faisons souvent la même erreur dans la vie, en consacrant beaucoup de temps et d'énergie à nous bâtir de petits « châteaux » et à nous complaire dans nos réalisations. Tout cela peut nous sembler en valoir la peine sur le coup, mais en fin de compte rien de tout cela n'a la moindre valeur.

Dans Luc 12, Jésus met ses disciples au défi de vendre tout ce qu'ils possèdent et de le donner aux pauvres : « Car là où est votre trésor, là aussi sera votre cœur » (v. 34). Autrement dit, la façon dont nous consacrons notre temps et nos ressources en dit long au sujet de notre perspective éternelle. Comme le vieux cantique le dit : « Une seule vie, et tout sera passé ; seul ce qui est fait pour Christ est appelé à durer. » Ainsi donc, qu'avez-vous fait aujourd'hui qui durera toute l'éternité ? —J.M.S.

Dieu veut que vous consacriez votre temps et votre trésor à bâtir son royaume, et non le vôtre.

4 décembre

PAIX

LISEZ :
Colossiens 1.19-29

Et vous, qui étiez autrefois étrangers [...] il vous a maintenant réconciliés.
—Colossiens 1.21

LA BIBLE EN UN AN :
☐ Ézéchiel 47 – 48
☐ 1 Jean 3

À l'époque d'Adam et d'Ève, la paix a disparu. Dès l'instant où ils ont mangé du fruit défendu et ont réalisé qu'ils étaient nus, ils se sont mis à rejeter la faute l'un sur l'autre (Ge 3.12,13) et ont ouvert la porte aux conflits sur la planète paisible de Dieu. Malheureusement, tous leurs descendants, y compris nous, ont suivi leur mauvais exemple. Nous imputons à d'autres la faute de nos propres mauvais choix et nous nous mettons en colère lorsque personne n'accepte d'en porter la faute. Blâmer les autres pour notre propre vie malheureuse brise des familles, des Églises, des collectivités et des nations. Nous ne pouvons faire la paix parce que nous sommes trop occupés à chercher des fautifs.

Noël est la période de la paix. L'Ancien Testament raconte comment Dieu a préparé la scène pour l'entrée du Prince de la paix (És 9.6). Jésus est venu rompre le cycle du péché et du blâme en faisant la paix avec Dieu pour nous « par le sang de sa croix » (Col 1.20). Au lieu de nous reprocher tous les ennuis que nous causons, il a porté le blâme à notre place à tous. Il recrute maintenant des disciples qui, ayant reçu son pardon, veulent que d'autres le reçoivent à leur tour.

Lorsque nous acceptons le pardon de Dieu, nous perdons le désir de le refuser aux autres. Et si nous vivons en paix avec Dieu, nous désirons ardemment faire la paix avec les autres. Nous pouvons offrir et recevoir le cadeau de la paix ce Noël.
—J.A.L.

Jésus a pris notre place afin de nous donner sa paix.

5 décembre

Bien-aimé

Lisez :
1 Jean 4.7-21

Pour nous, nous l'aimons, parce qu'il nous a aimés le premier.
—1 Jean 4.19

La Bible en un an :
☐ Daniel 1 – 2
☐ 1 Jean 4

Un ami a décrit sa grand-mère comme l'une des plus grandes influences de sa vie. Tout au long de sa vie d'adulte, il a gardé sa photo près de son bureau pour se rappeler son amour inconditionnel. Il m'a dit : « Je crois vraiment qu'elle m'a aidé à apprendre à aimer. »

Ce n'est pas tout le monde qui a goûté au même amour humain, mais par Christ chacun de nous peut savoir ce que c'est que d'être bien aimé de Dieu. Dans 1 Jean 4, les mots *amour* ou *aimer* apparaissent 27 fois, et l'amour de Dieu en Christ y est présenté comme étant la source de notre amour pour Dieu et pour les autres. « Et cet amour consiste, non point en ce que nous avons aimé Dieu, mais en ce qu'il nous a aimés et a envoyé son Fils comme victime expiatoire pour nos péchés » (v. 10). « Et nous, nous avons connu l'amour que Dieu a pour nous, et nous y avons cru » (v. 16). « Pour nous, nous l'aimons, parce qu'il nous a aimés le premier » (v. 19).

L'amour de Dieu n'est pas un robinet qui coule goutte à goutte ou un puits que nous devons nous creuser nous-mêmes. Il s'agit d'un flot puissant qui se déverse de son cœur dans le nôtre. Quels que soient nos antécédents familiaux et notre expérience de vie – que nous nous sentions bien aimés des autres ou non –, nous pouvons connaître l'amour. Nous pouvons puiser à la source intarissable du Seigneur afin de savoir combien il nous aime et de transmettre cet amour aux autres.

En Christ, notre Sauveur, nous sommes bien aimés. —D.C.M.

Rien n'est plus puissant que l'amour de Dieu.

6 décembre

Une vie sans irritation

Lisez :
Psaume 37.1-11

[Ne] t'irrite pas, ce serait mal faire.
—Psaume 37.8

La Bible en un an :
☐ Daniel 3 – 4
☐ 1 Jean 5

Cela vous dérange-t-il de voir l'attention que l'on prête de nos jours aux gens qui défendent tout ce qu'il y a de pire ? Peut-être s'agit-il de vedettes du spectacle qui font les manchettes en prônant des philosophies immorales dans leur musique, leurs films ou leurs émissions. Ou encore, il peut s'agir de leaders qui lèvent publiquement le nez sur de nobles principes de vie.

Il serait facile de nous irriter en jetant les mains en l'air de désespoir, mais le Psaume 37 nous suggère une meilleure façon de faire. Écoutez le sage conseil que David nous donne : « Ne t'irrite pas contre les méchants, n'envie pas ceux qui font le mal » (v. 1).

Même s'il est bien d'être « le sel et la lumière » (Mt 5.13,14) de notre monde insipide et ténébreux – à tenter de contrer le péché en réfléchissant la lumière de Jésus –, nous ne devons pas laisser des forces négatives nous pousser à vivre dans la colère (Ps 37.8). Il faut plutôt compter sur Dieu pour avoir le dernier mot sur ceux qui font le mal : « Car ils sont fauchés aussi vite que l'herbe » (v. 2). Surtout, nous devrions adopter l'approche de David : « Confie-toi en l'Éternel, et pratique le bien » ; « aie […] la fidélité pour pâture » ; « Fais de l'Éternel tes délices » ; « Recommande ton sort à l'Éternel » ; « mets en lui ta confiance » (v. 3-7).

Malgré tout ce qui peut nous déplaire autour de nous, rappelons-nous : Dieu est aux commandes. Comptez sur lui pour faire le bien. Et ne vous irritez pas. —J.D.B.

**Ne désespérez pas à cause du mal ;
Dieu aura le dernier mot.**

7 décembre

FAITES CECI EN SOUVENIR

LISEZ :
1 Corinthiens 11.23-34

[Et], après avoir rendu grâces, *[Jésus]* le rompit, et dit : Ceci est mon corps, qui est rompu pour vous ; faites ceci en mémoire de moi.
—1 Corinthiens 11.24

LA BIBLE EN UN AN :
☐ Daniel 5 – 7
☐ 2 Jean

Lorsqu'un navire de la marine américaine arrive à la base militaire de Pearl Harbor ou la quitte, l'équipage s'aligne en tenue de cérémonie. Ils se tiennent au garde-à-vous à distance de bras les uns des autres le long du bastingage du pont, afin de saluer les soldats, les marins et les civils qui sont morts le 7 décembre 1941. La scène est émouvante, et les participants l'évoquent souvent parmi les moments les plus mémorables de leur carrière militaire.

Même pour les spectateurs sur la rive, le salut militaire crée un lien émotionnel incroyable, surtout entre les serviteurs d'aujourd'hui et les serviteurs d'hier. Il ennoblit le travail des marins d'aujourd'hui, tout en honorant le sacrifice de ceux du passé.

Lorsque Jésus a institué la sainte Cène (Mt 26.26-29), il avait sûrement en vue la création d'un même genre de lien émotionnel. Or, en participant au repas du Seigneur, nous honorons son sacrifice tout en nous liant à lui par un acte commémoratif sans pareil.

Comme la Marine prescrit la façon de saluer ceux qui sont tombés au combat, l'Écriture nous enseigne comment nous remémorer le sacrifice de Jésus (1 Co 11.26-28). Ces actes de révérence et d'actions de grâces servent à honorer une action passée tout en donnant un sens au service actuel. —R.K.

La sainte Cène : la commémoration que Christ nous a laissée.

8 décembre

QU'UNE ESQUISSE

LISEZ :
1 Corinthiens 13.8-12

Aujourd'hui, nous voyons au moyen d'un miroir, d'une manière obscure, mais alors nous verrons face à face ; aujourd'hui je connais en partie, mais alors je connaîtrai comme j'ai été connu.
—1 Corinthiens 13.12

LA BIBLE EN UN AN :
☐ Daniel 8 – 10
☐ 3 Jean

Dans *Le poids de la gloire*, C.S. Lewis raconte l'histoire d'une femme ayant donné naissance à un fils tandis qu'elle était retenue prisonnière dans un donjon. Étant donné que le garçon n'avait jamais vu le monde extérieur, sa mère avait tenté de le lui décrire en le lui dessinant au crayon. Plus tard, lorsque la femme et son fils ont été libérés, les simples esquisses au crayon avaient fait place aux vraies images de notre monde magnifique.

De façon comparable, l'image inspirée que la Bible nous donne du ciel cédera un jour la place à une joyeuse expérience en direct. Paul a compris que notre perception du ciel est limitée jusqu'au jour où nous serons en présence de Christ. « Aujourd'hui, nous voyons au moyen d'un miroir, d'une manière obscure, mais alors nous verrons face à face ; aujourd'hui je connais en partie, mais alors je connaîtrai comme j'ai été connu » (1 Co 13.12). Cependant, la confiance que Paul avait en la gloire à venir lui procurait la force de surmonter ses épreuves : « J'estime que les souffrances du temps présent ne sauraient être comparées à la gloire à venir qui sera révélée pour nous » (Ro 8.18).

L'idée que nous nous faisons couramment de la gloire céleste n'est qu'une esquisse. Par contre, nous pouvons avoir la pleine assurance que Jésus nous a dit la vérité en nous informant qu'il est allé nous y préparer une place (Jn 14.1-3). Le meilleur est encore à venir ! —H.D.F.

Nous voyons maintenant Jésus dans la Bible, mais un jour nous le verrons face à face.

9 décembre

QUOI TE DONNER ?

LISEZ :
1 Rois 3.1-9

Demande ce que tu veux que je te donne.
—1 Rois 3.5

LA BIBLE EN UN AN :
☐ Daniel 11 – 12
☐ Jude

On m'a dit qu'il existe dans presque toutes les cultures « une histoire des trois souhaits » ayant chacune un thème similaire : un bienfaiteur apparaît et offre d'accorder trois souhaits à un bénéficiaire qui ne s'y attend pas. Le fait que cette histoire revienne si souvent laisse entendre que nous désirons tous quelque chose que nous ne pouvons obtenir par nos propres moyens.

Il existe même une « histoire de souhaits » dans la Bible. Apparaissant en songe à Salomon une nuit, le Seigneur lui a dit : « Demande ce que tu veux que je te donne » (1 R 3.5). Salomon aurait pu demander n'importe quoi : des richesses, l'honneur, la célébrité ou le pouvoir. Cependant, il n'a rien demandé de tout cela. Il a demandé plutôt « un cœur intelligent » (v. 9), ou encore « un cœur attentif », un cœur humble qui écoute la Parole de Dieu et qui en tire des leçons. Croulant sous les responsabilités associées à la gouvernance d'une vaste nation, le jeune roi inexpérimenté avait besoin de la sagesse du Seigneur pour bien s'acquitter de sa tâche.

Suis-je vraiment sage ? Si Dieu me parlait directement et me demandait ce qu'il peut faire pour moi, que lui demanderais-je ? Lui demanderais-je la santé, la richesse, la jeunesse, la puissance ou le prestige ? Ou lui demanderais-je plutôt la sagesse, la sainteté et l'amour ? Me montrerais-je sage ou insensé ?

Supposons que Dieu vous demande ce qu'il peut vous donner. Que lui demanderiez-vous ? —D.H.R.

Dieu accorde sa sagesse à ceux qui ont l'humilité de la lui demander.

10 décembre

UNE AFFAIRE RISQUÉE

LISEZ :
Matthieu 1.18-25

**Joseph [...] fit ce que l'ange du Seigneur lui avait ordonné.
—Matthieu 1.24**

LA BIBLE EN UN AN :
☐ Osée 1 – 4
☐ Apocalypse 1

Sur certaines des cartes de Noël que vous recevrez cette année, il ne fait aucun doute qu'il y aura un homme en arrière-plan regardant par-dessus l'épaule de Marie, mis en lumière en train de prendre soin du bébé Jésus. Son nom est Joseph. Et après les récits de la Nativité, on n'entend presque plus parler de lui. Si nous ne savions pas mieux, nous croirions que Joseph était un observateur sans importance ou, au mieux, une simple preuve du droit de Jésus au trône de David.

En fait, le rôle que Joseph a joué était toutefois grandement stratégique. S'il avait désobéi à l'ordre de l'ange de prendre Marie pour femme (Mt 1.20), il aurait mis, humainement parlant, toute la mission de Jésus en péril. Il lui était dangereux de prendre Marie pour femme. Étant donné que les gens percevaient Joseph comme étant le père du bébé, il passait pour quelqu'un ayant gravement transgressé la Loi juive et était donc un sujet de disgrâce à leurs yeux. Cependant, nous sommes tous heureux aujourd'hui qu'il ait risqué sa réputation pour participer activement au drame dont Dieu était l'auteur.

La plupart d'entre nous sont des acteurs insignifiants en comparaison des grands acteurs de notre monde. Nous sommes tous appelés néanmoins à obéir à Dieu. Qui sait ce que Dieu a en réserve pour nous si nous sommes disposés à nous soumettre à sa volonté – même lorsque cela nous met en péril !
—J.M.S.

Faire confiance et obéir n'est pas peu de chose.

11 décembre

À COUPER LE SOUFFLE

LISEZ :
Ecclésiaste 2.1-11

[Il] **n'y a de bonheur pour l'homme sous le soleil qu'à manger, à boire et à se réjouir ; c'est là ce qui doit l'accompagner au milieu de son travail pendant *[sa]* vie.**
—Ecclésiaste 8.15

LA BIBLE EN UN AN :
☐ Osée 5 – 8
☐ Apocalypse 2

Selon un slogan populaire, « la vie ne se mesure pas au nombre de nos respirations, mais au nombre de moments qui nous coupent le souffle ». Je le vois écrit partout, des t-shirts aux œuvres d'art. Il se dit bien, certes, mais je le trouve trompeur.

Si nous mesurons la vie selon les moments à couper le souffle, le côté merveilleux des moments ordinaires nous échappera. Manger, dormir et respirer nous semblent « ordinaires », car nous le faisons tous les jours, sans même vraiment y penser. Pourtant, il n'y a absolument rien d'ordinaire dans cela. Chaque bouchée et chaque souffle sont des miracles. Avoir le souffle est même plus miraculeux que tout ce qui nous coupe le souffle.

Il se peut que le roi Salomon ait connu plus de moments à couper le souffle que quiconque. Il a d'ailleurs dit : « *[Je]* n'ai refusé à mon cœur aucune joie » (Ec 2.10). Par contre, il a exprimé une pointe de cynisme à ce sujet en disant que « tout est vanité et poursuite du vent » (v. 17).

La vie de Salomon nous rappelle qu'il importe de trouver de la joie dans les choses « ordinaires », car elles sont formidables. Ce qui est plus grand ne vaut pas toujours mieux. Plus n'est pas toujours synonyme d'amélioration. Être plus occupés ne nous rend pas plus importants.

Plutôt que de rechercher un sens dans les moments à couper le souffle, nous devrions le trouver dans chacune de nos respirations et donner un sens à chacune d'elles. —J.A.L.

La respiration est plus miraculeuse que tout ce qui nous coupe le souffle.

12 décembre

UNE BELLIGÉRANCE CROISSANTE

LISEZ :
Philippiens 4.4-9

S'il est possible, autant que cela dépend de vous, soyez en paix avec tous les hommes.
—Romains 12.18

LA BIBLE EN UN AN :
☐ Osée 9 – 11
☐ Apocalypse 3

Dernièrement, en voyage, un agent de bord m'a demandé si je prenais l'avion très souvent : « Avez-vous remarqué que les gens sont de plus en plus agressifs à bord des avions depuis quelques mois ? » J'ai dû reconnaître que je lui donnais raison. Nous nous sommes mis à discuter des facteurs susceptibles de contribuer à cette réalité : des choses comme l'augmentation des mesures de sécurité dans les aéroports, des tarifs aériens plus élevés, moins de services et une insatisfaction générale par rapport aux voyages. Comme pour prouver que nous avions raison, notre conversation a été interrompue par un passager qui refusait d'occuper son siège parce qu'il préférait occuper celui réservé à quelqu'un d'autre !

Face à la colère et à l'agressivité, le disciple de Christ peut agir en artisan de paix. Paul a écrit à l'Église de Rome, à laquelle se présentait ce défi : « S'il est possible, autant que cela dépend de vous, soyez en paix avec tous les hommes » (Ro 12.18). Qu'est-ce que cela signifie ? D'une part, cela signifie que nous devons maîtriser ce qu'il nous est possible de maîtriser. D'autre part, les attitudes des autres échappent à notre volonté, mais nous pouvons maîtriser notre propre réaction.

Devant des attitudes trahissant la colère ou l'hostilité autour de nous, nous pouvons manifester l'attitude du Prince de la paix en réagissant avec grâce de manière pacifique. Nous manifesterons ainsi l'attitude de notre Sauveur au sein d'un monde toujours plus agressif. —W.E.C.

Le monde a besoin d'une paix qui surpasse tout malentendu.

13 décembre

Pizza gratuite !

Lisez :
Jean 6.25-41

Je suis le pain qui est descendu du ciel.
—Jean 6.41

La Bible en un an :
☐ Osée 12 – 14
☐ Apocalypse 4

Quand on étudie à l'université, les finances sont très limitées. Lorsqu'on peut obtenir de la nourriture gratuitement, on est prêt à se présenter n'importe où n'importe quand. Si une société cherche à recruter de nouveaux employés, elle convaincra des jeunes des campus à assister à sa présentation en leur offrant gratuitement de la pizza. Il y a des étudiants qui assistent à une présentation après l'autre, simplement pour manger de la pizza. Sur le coup, la nourriture leur semble plus importante que leurs perspectives d'emploi.

Jésus a nourri une foule de 5000 hommes et, le lendemain, beaucoup de gens ont cherché à savoir où il se trouvait (Jn 6.10,11,24,25). Il les a donc défiés : « *[Vous]* me cherchez, non parce que vous avez vu des miracles, mais parce que vous avez mangé des pains et que vous avez été rassasiés » (v. 26). On dirait qu'ils s'intéressaient plus à la nourriture qu'à la vie éternelle que Jésus leur offrait. Il leur a dit être « le pain de Dieu […] qui est descendu du ciel et qui donne la vie au monde » (v. 33). Certains ne l'ont pas cru, ont refusé d'accueillir ses enseignements et « n'allèrent plus avec lui » (v. 66). Ils ont désiré la nourriture plutôt que lui et ce qu'il exigerait d'eux s'ils devenaient ses disciples.

Jésus nous appelle aujourd'hui à venir à lui, non pour obtenir les bénédictions provenant de sa main, mais pour recevoir la vie éternelle qu'il offre et pour le suivre, lui, « le pain de Dieu ». —A.M.C.

Seul Christ, le Pain de vie,
peut satisfaire notre faim spirituelle.

14 décembre

La jument et son garçon

Lisez :
Colossiens 3.12-17

[*Nous sommes*] fortifiés à tous égards par sa puissance glorieuse, en sorte que vous soyez toujours et avec joie persévérants et patients.
—Colossiens 1.11

La Bible en un an :
☐ Joël 1 – 3
☐ Apocalypse 5

Lorsque j'avais environ 5 ans, mon père a décidé que j'avais besoin de m'occuper d'un cheval. Il m'a donc acheté une vieille jument qu'il m'a ramenée à la maison. Je lui ai donné le nom de Dixie.

Dixie était parfaite pour moi, compte tenu de mon âge et de ma petite stature. Aucune selle n'était assez petite pour moi ni aucun étrier assez court pour mes jambes, si bien que je la montais sans selle le plus souvent.

Comme Dixie était bien rembourrée, j'avais les pieds qui sortaient de chaque côté, ce qui fait que j'avais du mal à rester sur son dos. Quand j'en tombais, Dixie s'arrêtait simplement, me regardait et attendait pendant que je m'efforçais de remonter sur elle. Voilà qui m'amène à préciser le trait de caractère le plus admirable chez Dixie : sa merveilleuse patience.

En ce qui me concerne, par contre, j'étais loin d'être patient envers Dixie. Reste qu'elle supportait mes caprices d'enfant avec une patience stoïque, sans jamais se rebiffer. J'aimerais lui ressembler davantage, avoir le genre de patience qui couvre une multitude de fautes. Je suis obligé de me demander : « Comment est-ce que je réagis lorsque des gens m'énervent ? » Est-ce que je réagis avec humilité, douceur et patience (Col 3.12) ? Ou bien avec intolérance et indignation ?

Couvrir une faute. Pardonner 70 fois 7 fois. Supporter faiblesses et échecs. User de miséricorde et de bonté envers ceux qui nous exaspèrent. Acquérir une telle maîtrise de notre âme, voilà l'œuvre de Dieu. —D.H.R.

L'amour né au Calvaire supporte et patiente, donne et pardonne.

15 décembre

Un rôle de soutien

Lisez :
Romains 12.9-21

**Par amour fraternel, soyez pleins d'affection les uns pour les autres ; par honneur, usez de prévenances réciproques.
—Romains 12.10**

La Bible en un an :
☐ Amos 1 – 3
☐ Apocalypse 6

Après la mort en 2009 d'Ed McMahon, cette personnalité de la télévision américaine, un journal a fait paraître le gros titre suivant à son sujet : « Pour ce qui était d'être le numéro 2, il était numéro 1. » Mieux connu pour le poste qu'il a occupé chaque soir pendant 30 ans aux côtés de Johnny Carson, McMahon excellait dans l'art d'aider Carson à briller sous les feux des projecteurs. Bien que la plupart des artistes rêvent d'être à l'avant-scène, McMahon s'est contenté de jouer un rôle secondaire.

Lorsque l'apôtre Paul a donné ses instructions quant à la façon d'exercer nos dons au sein du Corps de Christ (Ro 12.3-8), il a confirmé la valeur des rôles de soutien. Il a commencé par dire que nous devions ne pas avoir de nous-mêmes une trop haute opinion (v. 3) et il a terminé en nous lançant un appel à l'amour sincère et altruiste : « Par amour fraternel, soyez pleins d'affection les uns pour les autres ; par honneur, usez de prévenances réciproques » (v. 10). Ou encore, comme J. B. Phillips le traduit : « Soyez disposés à laisser l'autre obtenir le mérite. »

Nos dons et nos aptitudes nous viennent par la grâce de Dieu et doivent être utilisés avec foi (v. 3,6), dans l'amour et au service de Christ – et non pour obtenir la reconnaissance personnelle.

Puisse Dieu nous accorder la capacité d'accueillir avec enthousiasme les rôles de soutien qu'il nous appelle à endosser. Notre but ultime, c'est sa gloire, et non la nôtre.
—D.C.M.

L'Église fonctionne le mieux lorsque nous nous considérons comme des participants, et non des spectateurs.

16 décembre

ÉVITEZ LES PELURES

LISEZ :
Luc 15.11-24

Il aurait bien voulu se rassasier des carouges que mangeaient les pourceaux.
—Luc 15.16

LA BIBLE EN UN AN :
☐ Amos 4 – 6
☐ Apocalypse 7

Ah, la vie du cochon ! Chaque journée ne l'amène qu'à se vautrer dans la boue et à grogner joyeusement lors des repas. Et quels repas ! Des pelures croquantes – ou n'importe quels restes aboutissant dans l'auge.

Appétissant ? Non ? Le fils prodigue n'a probablement pas trouvé cette pitance alléchante non plus.

Avant de se mettre à manger avec les cochons, il dormait au chaud, un riche héritage l'attendait, il avait un père aimant et l'avenir lui souriait – et il mangeait probablement bien. Toutefois, cela ne lui suffisait pas. Il voulait aussi « s'amuser ». Il voulait mener sa vie comme il l'entendait et agir à sa guise. Or, tout cela lui a valu de manger avec les cochons.

Chaque fois qu'un jeune fait fi des directives de ses parents pieux et de la Parole de Dieu, il obtient des résultats similaires. Cela me choque toujours de constater qu'une personne qui dit connaître Jésus choisit de mener une vie allant à l'encontre de ses enseignements. Qu'il s'agisse de péchés sexuels, d'abus, d'un manque d'ambition ou d'autre chose, toute action ayant pour effet de laisser Dieu à l'écart risque de mal se terminer.

Si nous ne faisons aucun cas d'une morale clairement biblique et nous négligeons notre relation avec Dieu, attendons-nous à avoir des ennuis. Luc nous dit que le jeune homme a changé son fusil d'épaule après avoir retrouvé la raison (Lu 15.17). Vivez pour Dieu selon la direction de sa Parole – à moins que vous rêviez de manger des pelures.
—J.D.B.

Si le péché n'était pas trompeur,
il ne serait pas alléchant.

17 décembre

ESPÉREZ EN LUI

LISEZ :
Ésaïe 53

***[La]* vierge deviendra enceinte, elle enfantera un fils, et elle lui donnera le nom d'Émmanuel.**
—Ésaïe 7.14

LA BIBLE EN UN AN :
☐ Amos 7 – 9
☐ Apocalypse 8

Tandis que nous rentrions à la maison en voiture après une réception de Noël en soirée, ma famille et moi nous sommes approchés d'une petite église de campagne nichée entre deux amas de neige étincelante. De loin, je pouvais voir son décor des Fêtes. Avec des fils de lumières blanches, on avait écrit en majuscules le mot H-O-P-E (espoir). La vue de ce mot brillant dans les ténèbres m'a rappelé que Jésus est, et a toujours été, l'espoir de l'humanité.

Avant la naissance de Jésus, les gens ont espéré la venue du Messie – celui qui prendrait sur lui leurs péchés et qui intercéderait auprès de Dieu en leur faveur (És 53.12). Ils s'attendaient à ce que le Messie arrive par une vierge qui mettrait un fils au monde à Bethléhem et qui l'appellerait Émmanuel, à savoir « Dieu parmi nous » (7.14). La nuit où Jésus est né, leur espoir s'est réalisé (Lu 2.1-14).

Bien que nous n'attendions plus Jésus sous la forme d'un enfant, il est encore notre source d'espoir. Nous guettons sa seconde venue (Mt 24.30), nous anticipons la demeure céleste qu'il nous prépare (Jn 14.2) et nous rêvons de vivre avec lui dans sa cité céleste (1 Th 4.16). En tant que chrétiens, nous pouvons contempler notre avenir avec bonheur, car le bébé dans l'étable était, et est encore, « Jésus-Christ notre espérance » (1 Ti 1.1). —J.B.S.

Le mot clé de Noël est « Émmanuel » – Dieu parmi nous !

18 décembre

VOYAGE DE NOËL

LISEZ :
Galates 4.1-7

[Mais], **lorsque les temps ont été accomplis, Dieu a envoyé son Fils.**
—Galates 4.4

LA BIBLE EN UN AN :
☐ Abdias
☐ Apocalypse 9

Quelle distance sépare Nazareth de Bethléhem ? En Occident, il faudrait environ 10 minutes en voiture pour parcourir les 15 km. Toutefois, si vous étiez à Nazareth en Galilée, et vous voyagiez avec votre femme enceinte, comme c'était le cas de Joseph, il vous faudrait parcourir environ 130 km pour vous rendre à Bethléhem. Il a probablement fallu à Joseph et à Marie environ une semaine pour s'y rendre, et ils ne sont pas descendus dans un bel hôtel, une fois arrivés à destination. Tout ce que Joseph a pu trouver, c'était une étable, où Marie a mis au monde « son fils premier-né » (Lu 2.7).

Par contre, le voyage de l'enfant Jésus s'est avéré beaucoup plus long que 125 km. Il a quitté sa place dans les cieux à la droite de Dieu, il est venu sur la terre et il a accepté notre humanité. Il a fini par être cloué à une croix jusqu'à ce que la mort s'ensuive, puis on l'a enseveli dans un tombeau emprunté. Toutefois, ce n'est pas là où son séjour s'est terminé. Il a alors conquis la mort, il est sorti du tombeau, il a marché encore parmi les hommes et il est monté au ciel. Et son voyage n'est toujours pas terminé. Un jour, il reviendra comme Roi des rois et Seigneur des seigneurs.

Tandis que vous ferez un voyage de Noël ce mois-ci, réfléchissez au voyage que Jésus a fait pour nous. Il est descendu du ciel sur la terre afin de mourir pour nous, nous offrant le salut par sa mort sur la croix et sa glorieuse résurrection.

Gloire à Dieu pour ce premier voyage de Noël ! —D.C.E.

Jésus est venu sur la terre pour nous, afin que nous puissions aller au ciel avec lui.

19 décembre

TOUT EST BIEN

LISEZ :
Psaumes 46.2-4

Je ne te délaisserai point, et je ne t'abandonnerai point.
—Hébreux 13.5

LA BIBLE EN UN AN :
☐ Jonas 1 – 4
☐ Apocalypse 10

Dernièrement, mon mari et moi avons renoué avec un jeune homme que nous avions connu enfant il y a plusieurs années. Nous avons eu du plaisir à nous remémorer un programme de Noël dans lequel Matthew avait chanté – de sa parfaite voix de soprano – la chanson « All Is Well » (Tout est bien), de Wayne Kirkpatrick et de Michael W. Smith. C'était un souvenir formidable d'une chanson merveilleusement bien interprétée.

Les paroles de cette chanson sont une source de consolation pour beaucoup de gens durant la période de Noël. Par contre, certaines personnes sont incapables d'en assimiler le message, car leur vie est bouleversée. Ils ont vécu le deuil d'un être cher, ils sont au chômage depuis longtemps, ils sont gravement malades ou vivent une dépression dont ils ne parviennent pas à sortir. Leur cœur crie haut et fort : « *Rien* n'est bien… pour *moi* ! »

Toutefois, pour ceux qui célèbrent la naissance du Sauveur – malgré la nuit sombre que leur âme traverse peut-être –, tout *est* bien grâce à Christ. Ils ne sont pas seuls dans leur douleur. Dieu est près d'eux et leur promet de ne jamais les abandonner (Hé 13.5). Il leur promet que sa grâce leur suffira (2 Co 12.9). Il leur promet de pourvoir à tous leurs besoins (Ph 4.19). Et il leur promet le don merveilleux de la vie éternelle (Jn 10.27,28).

En revoyant les promesses de Dieu, nous pouvons dire avec le poète John Greenleaf Whittier : « Devant moi, et même derrière moi, Dieu est, et tout est bien. » —C.H.K.

La paix de Dieu repose la tête,
alors que les promesses de Dieu calment le cœur.

20 décembre

TOUJOURS EN DEVOIR

LISEZ :
Actes 20.22-32

Obéissez à vos conducteurs et ayez pour eux de la déférence, car ils veillent sur vos âmes dont ils devront rendre compte.
—Hébreux 13.17

LA BIBLE EN UN AN :
☐ Michée 1 – 3
☐ Apocalypse 11

Tandis que mes enfants jetaient leurs ordures après avoir mangé dans la partie restauration d'un centre commercial, mon aîné s'est presque fait renverser par un homme manifestement en mission. Mon cadet lui a dit à la blague : « Peut-être qu'il a volé quelque chose. » Croyant pouvoir utiliser cet incident pour enseigner une leçon, j'ai répliqué : « C'est ce que la Bible appelle juger. » Il m'a alors demandé, avec le sourire : « Pourquoi ne cesses-tu de me "paître" ? » Après avoir cessé de rire, j'ai dit à mes fils que je ne pourrai jamais prendre congé de mon devoir de les paître.

L'apôtre Paul a dit aux anciens d'Éphèse qu'ils ne pourraient jamais eux non plus prendre congé de leur devoir de paître le peuple de Dieu (Ac 20). Il était convaincu que de faux enseignants tenteraient de ravager l'Église (v. 29), et que les anciens devaient protéger le groupe contre eux. Prendre soin du peuple de Dieu inclut le nourrir spirituellement, le diriger avec douceur et lui adresser de fermes mises en garde. Les leaders de toute Église doivent se laisser motiver par le prix incommensurable que Christ a payé sur la croix (v. 28).

Les leaders d'Église ont la grande responsabilité de veiller sur notre âme, car ils devront un jour rendre compte au Seigneur de leur travail parmi nous. Procurons-leur donc de la joie en répondant à leur leadership empreint de fidélité et de piété par notre obéissance et notre soumission (Hé 13.17).
—M.L.W.

Après avoir entendu la Parole de Dieu, nous devrions nous joindre à l'œuvre de Dieu.

21 décembre

Lumière rejetée

Lisez :
Jean 12.35-46

Je suis venu comme une lumière dans le monde, afin que quiconque croit en moi ne demeure pas dans les ténèbres.
—Jean 12.46

La Bible en un an :
☐ Michée 4 – 5
☐ Apocalypse 12

Aux premières heures du 21 décembre 2010, j'ai été le témoin d'un événement qui s'était produit pour la dernière fois en 1638 : une éclipse lunaire totale au solstice d'hiver. Lentement, l'ombre de la terre a glissé sur la pleine lune éclatante, la faisant paraître d'un rouge foncé. C'était un événement remarquable et magnifique. Cela m'a toutefois rappelé que, même si les ténèbres physiques font partie de la création de Dieu, ce n'est pas le cas des ténèbres spirituelles.

Le pasteur écossais Alexander MacLaren a dit : « La lumière rejetée est le parent des ténèbres les plus épaisses, et l'homme qui, ayant la lumière, n'y croit pas empile autour de lui d'épais nuages d'obscurité et de tristesse. » Jésus a d'ailleurs décrit cette éclipse spirituelle du cœur et de l'esprit que certains s'imposent, en disant : « Si donc la lumière qui est en toi est ténèbres, combien seront grandes ces ténèbres ! » (Mt 6.23.)

La grande invitation de Noël consiste à ouvrir notre cœur au Sauveur venu mettre fin à nos ténèbres. Jésus a dit : « Pendant que vous avez la lumière, croyez en la lumière, afin que vous soyez des enfants de lumière. […] Je suis venu comme une lumière dans le monde, afin que quiconque croit en moi ne demeure pas dans les ténèbres » (Jn 12.36,46).

Le moyen de sortir de la nuit spirituelle consiste à marcher dans la lumière avec Christ. —D.C.M.

Lorsque nous marchons dans la lumière, nous ne trébuchons pas dans les ténèbres.

22 décembre

TRÉSOR CACHÉ

LISEZ :
Colossiens 1.27 – 2.3

[Le] mystère de Dieu, savoir Christ, mystère dans lequel sont cachés tous les trésors de la sagesse et de la connaissance.
—Colossiens 2.3

LA BIBLE EN UN AN :
☐ Michée 6 – 7
☐ Apocalypse 13

Un chasseur de trésors britannique a découvert un monceau de pièces de monnaie romaines enfoui dans un champ du sud-ouest de l'Angleterre. Avec un détecteur de métal, Dave Crisp a localisé un grand pot contenant 52 000 pièces. Ces pièces d'argent et de bronze antiques, qui datent du IIIe siècle et qui pèsent plus de 160 kilos, valent cinq millions de dollars.

Bien que le trésor de Crisp puisse nous faire rêver d'en trouver un similaire nous aussi, nous qui sommes chrétiens devrions participer à une chasse aux trésors différente. Ce que nous cherchons n'est pas fait d'argent et d'or. Notre quête consiste plutôt à recueillir les précieux joyaux de la connaissance divine afin que nous puissions être « enrichis d'une pleine intelligence pour connaître le mystère de Dieu, savoir Christ, mystère dans lequel sont cachés tous les trésors de la sagesse et de la connaissance » (Col 2.2,3). Le trésor caché d'une connaissance plus approfondie du Seigneur se trouve dans la Bible. À ce sujet, le psalmiste a dit : « Je me réjouis de ta parole, comme celui qui trouve un grand butin » (Ps 119.162).

Si nous lisons la Parole de Dieu à la hâte ou négligemment, les perles qui y sont profondément enfouies nous échapperont. Nous devons rechercher ces vérités avec ardeur et toute l'attention de celui qui cherche un trésor.

Désirez-vous ardemment trouver les trésors enfouis dans l'Écriture ? Si c'est le cas, mettez-vous à la creuser ! —H.D.F.

C'est avec la pelle de la méditation que l'on extrait le mieux les trésors de la vérité de la Parole de Dieu.

23 décembre

Dieu à notre poursuite

Lisez :
Galates 4.1-7

Dieu a envoyé son Fils […] afin qu'il rachète ceux qui étaient sous la loi.
—Galates 4.4,5

La Bible en un an :
☐ Nahum 1 – 3
☐ Apocalypse 14

Le pasteur Tim Keller, de l'Église presbytérienne Redeemer de Manhattan, fait remarquer à raison que le christianisme est unique parmi toutes les religions, en ce sens qu'il porte sur le fait que Dieu nous poursuit afin de nous attirer à lui. Dans tous les autres systèmes religieux, ce sont les gens qui poursuivent leur dieu, dans l'espoir que par un bon comportement, l'observance de rituels, de bonnes œuvres ou d'autres efforts, ils se feront accepter du dieu étant l'objet de leur poursuite.

Le poète britannique Francis Thompson capture la nature profonde de cette réalité lorsqu'il écrit au sujet de sa poursuite incessante par Dieu. Dans son poème intitulé « The Hound of Heaven » (Le Chien de meute du ciel), il écrit qu'en fuyant Dieu, il parvenait à distancer « les pieds robustes qui le poursuivaient […] imperturbablement et sans se hâter ». Toutefois, Thompson n'est pas le seul à avoir fait l'objet de la poursuite de Dieu, qui poursuit sans relâche ceux qui sont égarés. Au cœur du message de Noël se trouve la merveilleuse vérité de la poursuite par Dieu de chacun de nous. Paul a dit : « Dieu a envoyé son Fils, né d'une femme, né sous la loi, afin qu'il rachète ceux qui étaient sous la loi » (Ga 4.4,5).

Et ce n'est pas seulement l'histoire de Noël, mais aussi celle de la poursuite par Dieu d'Adam et d'Ève après la chute. Sa poursuite de moi ! Sa poursuite de vous ! Où serions-nous aujourd'hui si Dieu ne nous poursuivait pas ? —J.M.S.

Conformément à son amour impérissable,
Dieu ne renoncera jamais à vous.

24 décembre

LA MORT A ÉTÉ DÉTRUITE !

LISEZ :
1 Corinthiens 15.50-58

Ô mort, où est ta victoire ? Ô mort, où est ton aiguillon ?
—1 Corinthiens 15.55

LA BIBLE EN UN AN :
☐ Habakuk 1 – 3
☐ Apocalypse 15

Des chercheurs médicaux travaillent sans relâche pour trouver un remède au cancer, un indice dans le mystère de la maladie d'Alzheimer et des moyens de vaincre tout un éventail d'autres maladies débilitantes. Et si toutefois vous lisiez un matin un gros titre qui dirait : « La mort a été détruite ! » Le croiriez-vous ? Pourriez-vous le croire ?

Le Nouveau Testament proclame que, dans le cas du croyant en Christ, la mort a été détruite, réduite à l'inactivité, privée de la capacité de faire ce qu'elle faisait par le passé. « Lorsque ce corps corruptible aura revêtu l'incorruptibilité, et que ce corps mortel aura revêtu l'immortalité, alors s'accomplira la parole qui est écrite : La mort a été engloutie dans la victoire » (1 Co 15.54).

Cette bonne nouvelle est destinée à quiconque la recevra – comme l'ange l'a dit aux bergers lorsque Jésus est né : « Ne craignez point ; car je vous annonce une bonne nouvelle, qui sera pour tout le peuple le sujet d'une grande joie : c'est qu'aujourd'hui, dans la ville de David, il vous est né un Sauveur, qui est le Christ, le Seigneur » (Lu 2.10,11).

La naissance de Jésus a marqué le début de la fin pour la mort. « L'aiguillon de la mort, c'est le péché ; et la puissance du péché, c'est la loi. Mais grâces soient rendues à Dieu, qui nous donne la victoire par notre Seigneur Jésus-Christ ! » (1 Co 15.56,57.)

Voilà pourquoi nous célébrons Noël ! —D.C.M.

La naissance de Christ a amené Dieu à l'homme ; la croix de Christ amène l'homme à Dieu.

25 décembre

C'EST L'HEURE !

LISEZ :
Luc 2.8-20

Gloire à Dieu dans les lieux très hauts [...] !
—Luc 2.14

LA BIBLE EN UN AN :
☐ Sophonie 1 – 3
☐ Apocalypse 16

Au cours de la célébration de Noël dans notre Église, j'ai regardé les membres de la chorale assemblés devant la congrégation tandis que le directeur de la musique parcourait rapidement des papiers sur un mince lutrin noir. Les instruments ont commencé à se faire entendre, et les chanteurs ont entonné un chant bien connu ayant pour premiers mots : « Venez, c'est maintenant le temps d'adorer. »

M'attendant à un vieux cantique de Noël, j'ai souri en entendant le choix de musique tout indiqué. Plus tôt la même semaine, j'avais lu le récit de la naissance de Jésus dans l'Évangile selon Luc, et j'avais remarqué que dans le premier Noël il n'y avait pas nos réveillons, nos cadeaux et nos festins des temps modernes, mais qu'il y avait de l'adoration.

Après que l'ange a annoncé la naissance de Jésus à des bergers étonnés, une chorale d'anges « *[louait]* Dieu et *[disait]* : Gloire à Dieu dans les lieux très hauts » (Lu 2.13,14). Du coup, les bergers se sont précipités à Bethléhem, où ils ont trouvé le Roi nouvellement né couché dans la mangeoire d'une étable. Ils sont retournés dans leurs champs « glorifiant et louant Dieu pour tout ce qu'ils avaient entendu et vu » (v. 20). Le fait de se retrouver face à face avec le Fils a poussé les bergers à adorer le Père.

Considérez dès aujourd'hui votre réponse à l'arrivée de Jésus sur la terre. Y a-t-il de la place pour l'adoration dans votre cœur en ce jour de célébration de sa naissance ? —J.B.S.

La chorale du ciel est descendue
lorsque le Roi du ciel est descendu pour nous sauver.

26 décembre

FAUSSE ADORATION

LISEZ :
Actes 19.23-41

Le danger qui en résulte […] est que notre industrie ne tombe en discrédit.
—Actes 19.27

LA BIBLE EN UN AN :
☐ Aggée 1 – 2
☐ Apocalypse 17

Si vous voulez vraiment déranger les gens, menacez leur économie.

Une mauvaise situation économique a pour effet de ne pas faire réélire certains politiciens, et la menace d'un revers de fortune a failli faire jeter l'apôtre Paul hors d'Éphèse.

Voici ce qui s'est produit. Paul est venu en ville et s'est mis à « persuader ceux qui l'écoutaient » (Ac 19.8). Pendant plus de deux ans, il a propagé l'Évangile, si bien que beaucoup de gens se sont mis à suivre Jésus.

Comme Paul réussissait si bien à amener les gens à voir qu'il n'y a qu'un seul Dieu, beaucoup d'Éphésiens ont cessé d'adorer la déesse Diane. Cela a d'ailleurs déplu aux orfèvres de la ville, qui gagnaient leur vie en créant et en vendant des statuettes de Diane. Si trop de gens cessaient de croire en elle, les affaires tariraient. Lorsqu'ils se sont rendu compte de la situation, les orfèvres ont réagi fortement en créant tout un tumulte.

Cet incident à Éphèse peut nous rappeler d'évaluer nos raisons d'adorer Dieu. Les orfèvres voulaient protéger leur adoration comme moyen de protéger leur prospérité, mais que ce ne soit jamais notre cas. Ne laissez jamais votre adoration de Dieu devenir un moyen de faire fortune.

Nous adorons Dieu en raison de son amour pour nous et de qui il est, et non parce que le fait de l'aimer peut améliorer nos revenus. Adorons Dieu de la bonne façon. —J.D.B.

N'adorez pas Dieu afin d'obtenir ses avantages – vous les avez déjà.

27 décembre

Attendre dans la grâce

Lisez :
2 Corinthiens 4.7-18

C'est pourquoi nous ne perdons pas courage.
—2 Corinthiens 4.16

La Bible en un an :
☐ Zacharie 1 – 4
☐ Apocalypse 18

Roger a perdu son emploi parce que la société a réduit ses effectifs. Pendant des mois, il a cherché un emploi, il a posé sa candidature à un poste, il a prié, il a demandé à d'autres personnes de prier et il a fait confiance à Dieu. Roger et sa femme, Jerrie, ont cependant vécu toutes sortes d'émotions. Ils ont vu Dieu pourvoir à leurs besoins de manière inattendue et ils ont goûté à sa grâce, mais ils ont néanmoins parfois cru qu'ils ne trouveraient jamais de travail. Ils ont attendu pendant 15 longs mois.

Puis, Roger a passé trois entretiens d'embauche auprès d'une société et l'agence de placement lui a téléphoné une semaine plus tard pour lui dire : « Avez-vous entendu dire que, là où une porte se ferme, une fenêtre s'ouvre ? Eh bien, vous avez décroché le poste ! » Jerrie m'a dit plus tard : « Nous ne troquerions cette expérience difficile contre rien au monde. Elle a resserré les liens entre nous et avec le Seigneur. » Les amis qui avaient prié pour eux se sont réjouis de la nouvelle et en ont remercié Dieu.

Paul voulait que l'Église de Corinthe voie la grâce de Dieu à l'œuvre dans sa vie, pour « *[faire]* abonder, à la gloire de Dieu, les actions de grâces d'un plus grand nombre » (2 Co 4.15). Même s'il était « *[pressé]* de toute manière », « dans la détresse », « *[persécuté]* » et « *[abattu]* » (v. 8,9), Paul encourageait les gens à ne pas perdre courage dans l'épreuve (v. 16), mais plutôt à faire confiance à Dieu. Les difficultés peuvent nous rapprocher de Dieu et des autres, et susciter des louanges à Dieu pour sa grâce. —A.M.C.

Il ne saurait y avoir meilleur moment que maintenant pour louer Dieu.

28 décembre

CHOIX ET CONSÉQUENCES

LISEZ :
Galates 6.1-10

Ne vous y trompez pas : on ne se moque pas de Dieu. Ce qu'un homme aura semé, il le moissonnera aussi.
—Galates 6.7

LA BIBLE EN UN AN :
☐ Zacharie 5 – 8
☐ Apocalypse 19

Dans l'International Slavery Museum à Liverpool, en Angleterre, on se remémore la dévastation que des générations d'esclaves hommes, femmes et enfants ont subie. Le prix que des innocents ont payé pour l'avarice d'autres personnes est horrible, mais ils ne sont pas les seuls à en avoir payé le prix. Gravée dans un mur du musée, on peut lire une remarque profonde de Frederick Douglass, un ancien esclave et défenseur des droits de la personne : « Aucun homme ne peut mettre de chaîne à la cheville d'un autre homme sans trouver en définitive l'autre bout à son propre cou. » En déshumanisant les autres, nous nous déshumanisons nous-mêmes.

L'apôtre Paul a présenté différemment cette réalité : « Ne vous y trompez pas : on ne se moque pas de Dieu. Ce qu'un homme aura semé, il le moissonnera aussi » (Ga 6.7). Ses paroles nous rappellent de manière frappante que nos choix comportent des conséquences – qui incluent la manière dont nous choisissons de traiter les autres. Si nous choisissons de haïr, cette haine peut nous revenir sous forme de conséquences auxquelles nous ne pourrions jamais pleinement nous préparer. Nous risquons de nous mettre les autres à dos, de susciter leur colère contre nous et de nuire ainsi à notre capacité de servir Christ avec efficacité.

Choisissons plutôt ceci : « Ne nous lassons pas de faire le bien ; car nous moissonnerons au temps convenable [...]. Ainsi donc, pendant que nous en avons l'occasion, pratiquons le bien envers tous » (v. 9,10). —W.E.C.

Ce que nous semons aujourd'hui déterminera le genre de fruit que nous récolterons demain.

29 décembre

TOUTEFOIS, JE VEUX ME RÉJOUIR

LISEZ :
Habakuk 3.11-19

Toutefois, je veux me réjouir en l'Éternel, je veux me réjouir dans le Dieu de mon salut.
—Habakuk 3.18

LA BIBLE EN UN AN :
☐ Zacharie 9 – 12
☐ Apocalypse 20

Dans notre monde, la vie peut être difficile. À un moment donné, la plupart d'entre nous se sont demandé : *Où est Dieu quand j'ai des ennuis ?* Et il se peut qu'ils se soient dit : *On dirait que l'injustice a le dessus et que Dieu garde le silence.* Nous avons le choix quant à notre façon de réagir aux difficultés. Le prophète Habakuk avait une attitude digne d'être imitée : il a choisi de se réjouir.

Habakuk a vu la recrudescence rapide des échecs moraux et spirituels du peuple de Juda, ce qui le bouleversait profondément. Par contre, la réaction de Dieu le troublait encore plus. Dieu allait se servir de la nation méchante de Babylone pour punir Juda. Habakuk ne le comprenait pas entièrement, mais il pouvait s'en réjouir, car il avait appris à compter sur la sagesse, la justice et la souveraineté de Dieu. Il a donc conclu son livre par une merveilleuse affirmation : « Toutefois, je veux me réjouir en l'Éternel, je veux me réjouir dans le Dieu de mon salut » (3.18). Même s'il n'était pas certain que Juda survivrait, Habakuk avait appris à faire confiance à Dieu malgré l'injustice, la souffrance et le deuil. Il allait vivre par la foi en Dieu seul. Avec ce genre de foi est venue la joie en Dieu, malgré la situation dans laquelle il se trouvait.

Nous pouvons nous aussi nous réjouir dans l'épreuve, avoir une confiance solide en Dieu et vivre sur les hauteurs de sa souveraineté. —M.L.W.

Le fait de louer Dieu durant nos épreuves a pour effet de transformer nos fardeaux en bénédictions.

30 décembre

JOUER SON RÔLE

LISEZ :
Romains 12.1-8

Car [...] nous avons plusieurs membres dans un seul corps [...] tous les membres n'ont pas la même fonction. —Romains 12.4

LA BIBLE EN UN AN :
☐ Zacharie 13 – 14
☐ Apocalypse 21

Depuis plusieurs années, ma fille Rosie est directrice du programme d'art dramatique dans une école de premier cycle du secondaire de la région. Elle fait passer des auditions aux élèves qui le souhaitent et elle en choisit quelques-uns pour jouer les rôles principaux. Par contre, il y a également plusieurs autres rôles secondaires importants à distribuer, des rôles essentiels à la production.

Il y a d'autres jeunes qui désirent faire partie du spectacle, mais sans être sous les projecteurs. Ceux-là changeront les décors, ouvriront et fermeront les rideaux, opéreront les lumières et contribueront au maquillage et aux changements de costumes. Et puis, il y a les parents de la collectivité, qui fournissent la pizza et les petits gâteaux pour les répétitions, qui donnent des choses, qui fabriquent des décors, qui confectionnent des costumes, qui font des affiches et qui distribuent les programmes.

Le succès du spectacle est l'aboutissement d'un processus de quatre ou cinq mois dépendant du travail acharné d'un vaste éventail de bénévoles dévoués.

De même, pour que le Corps de Christ fonctionne bien, chacun de nous doit donner du sien. Chaque croyant a reçu des dons uniques pour le servir. En coopération, ces dons s'exercent « selon la force qui convient à chacune de ses parties » (Ép 4.16), formant un seul Corps en Christ (Ro 12.5).

Nous avons besoin les uns des autres. Quel rôle jouez-vous dans la vie de l'Église ? —C.H.K.

Pour qu'une Église soit en bonne santé, ses membres doivent exercer leurs dons spirituels.

31 décembre

RÉFLEXIONS

LISEZ :
Psaume 40.2-6

Il m'a retiré de la fosse de destruction [...] et il a dressé mes pieds sur le roc.
—Psaume 40.3

LA BIBLE EN UN AN :
☐ Malachie 1 – 4
☐ Apocalypse 22

Il n'y a pas longtemps, j'ai dépassé un jalon marquant mes vingt ans de tenue d'un journal spirituel. En relisant mes quelques premières entrées, je me suis étonné d'avoir toujours continué, mais on ne pourrait pas me payer assez aujourd'hui pour me faire arrêter.

Voici quelques avantages que j'en ai tirés : mon vécu m'a fait voir que progrès et échecs font tous les deux partie du voyage. Je me remémore la grâce de Dieu lorsque je lis la façon dont il m'a aidé à trouver la solution à un problème majeur. En m'inspirant de mes combats passés, je parviens à mieux régler des problèmes auxquels je me heurte actuellement. Et le plus important, le fait de tenir un journal me montre comment Dieu œuvre avec fidélité dans ma vie.

Plusieurs des psaumes sont comme un journal spirituel. Ils relatent souvent la manière dont Dieu vient en aide en période éprouvante. Dans le Psaume 40, David écrit : « J'avais mis en l'Éternel mon espérance ; et il s'est incliné vers moi, il a écouté mes cris. Il m'a retiré de la fosse de destruction, du fond de la boue ; et il a dressé mes pieds sur le roc, il a affermi mes pas » (v. 2,3). Plus tard, David n'a eu qu'à lire ce psaume pour se rappeler la délivrance de Dieu empreinte de sa fidélité.

Il se peut qu'il vous soit utile aussi de tenir un journal. Cela pourrait vous aider à mieux voir ce que Dieu vous enseigne sur la route de la vie et vous amener à réfléchir à la fidélité de Dieu. —H.D.F.

Le fait de réfléchir à la fidélité passée de Dieu nous procure de l'espoir pour l'avenir.

Un tremplin vers la louange

Le moment le plus déterminant de la vie de toute personne correspond à celui où elle a pris la décision de céder sa vie à Dieu en acceptant Christ comme son Sauveur personnel. La Parole de Dieu, la Bible, nous dit que notre plus grand besoin dans la vie ne consiste pas uniquement à nous faire guider, mais aussi à être en relation avec Dieu. Or, nous ne pouvons entretenir cette relation que par l'intermédiaire de Jésus-Christ, qui nous réconcilie avec notre Père céleste et nous fait don de la vie éternelle en sa présence.

Si vous n'avez jamais fait ce pas de foi, rappelez-vous que la foi n'est pas une chose à attendre comme une lettre. La foi est plutôt une chose à emprunter, comme un pont enjambant une rivière déchaînée. Jésus-Christ a payé le prix de nos péchés en mourant sur la croix. Après trois jours, il est ressuscité des morts et prépare maintenant une place au ciel pour ceux qui mettent leur foi en lui. Si vous le faites, vous deviendrez enfant du Dieu vivant et héritier de la vie éternelle. Nous vous suggérons de faire une prière comme la suivante :

> *Seigneur, je crois que Jésus est le Fils de Dieu. Je crois qu'il est venu payer le prix des péchés que j'ai commis. Je te demande de me pardonner et de me faire don de la vie éternelle que tu nous as promise. Viens dans ma vie, et permets-moi de naître de nouveau. Amen.*

La Bible nous dit que notre plus grand besoin dans la vie ne consiste pas uniquement à nous faire guider, mais aussi à être en relation avec Dieu.

Adapté du livre *Dangerous Decisions*, © 2009 Ministères RBC. Il est possible de lire ce livre en version anglaise à l'adresse www.discoveryseries.org/hp093.

www.ministeresrbc.org

Des ressources bibliques, maintenant disponibles en ligne !

Venez visiter notre site Web (www.ministeresrbc.org).
Vous trouverez la gamme complète des ressources de Ministères RBC dans un format accessible et convivial.

En quelques clics, vous pourrez lire le *Notre Pain Quotidien*, les livrets de la *Série Découverte*, et plus encore.

Visitez-nous dès aujourd'hui pour recevoir un encouragement spirituel et connaître les ressources bibliques qui vous sont offertes.

Écrivez-nous :

Ministères RBC
234 rue Lupien
Trois-Rivières (Québec)
G8T 6W4 Canada

Site Web :

www.ministeresrbc.org

Grâce même aux plus petits dons, beaucoup de gens permettent aux Ministères RBC d'apporter aux autres la sagesse de la Bible, qui a le pouvoir de transformer des vies. Nous ne sommes financés ou soutenus financièrement par aucun groupe,ni aucune dénomination.

INDEX DES SUJETS

INDEX DES SUJETS

INDEX DES SUJETS

Bureaux de Ministères RBC — Amériques

Pour plus d'information sur les ressources de Ministères RBC, veuillez vous adresser au bureau le plus près de chez vous.

Brésil (Bureau régional)

Ministérios RBC, Caixa Postal 4444, Curitiba/PR 82501-970
Tél. et Téléc. : (+55-41) 3257-4028
Courriel : regionaloffice@rbcamericas.org

Canada (Français et Indonésien)

Ministères RBC, 234 rue Lupien
Trois-Rivières (Québec) G8T 6W4
Tél. : (+1-819) 909-1237 Téléc. : (+1-819) 378-4061
Courriel : francais@rbc.org

Guyana

RBC Ministries, PO Box 101070, Georgetown
Tél. et Téléc. : (+592) 231-6704
Courriel : guyana@rbc.org

Jamaïque W.I.

RBC Ministries, 10 Hagley Park Plaza,
PO Box 139, Kingston 10
Tél. : (+1-876) 926-5552 Téléc. : (+1-876) 960-3686
Courriel : jamaica@rbc.org

Trinidad W.I.

RBC Ministries, PO Box 4938, Tunapuna
Tél. et Téléc. : (+1-868) 645-7402
Courriel : trinidad@rbc.org

États-Unis

RBC Ministries, PO Box 2222, Grand Rapids, MI 49501-2222
Tél. : (+1-616) 974-2210 Téléc. : (+1-616) 957-5741
Courriel : americas@rbc.org

Autres : Veuillez vous adresser au bureau régional
Site Web : www.ministeresrbc.org